Pwll y Tŵr, Cwm Cynon.
Caewyd yr olaf o byllau'r De, 23 Ebrill 1994.

Arwr Glew Erwau'r Glo

Delwedd y Glöwr yn Llenyddiaeth y Gymraeg 1850-1950

Hywel Teifi Edwards

Argraffiad cyntaf— Mai 1994

ISBN 1 85902 093 3

ⓗ Hywel Teifi Edwards

Dymuna'r cyhoeddwyr gydnabod cymorth a chyfarwyddyd Adrannau'r Cyngor Llyfrau Cymraeg.

Argraffwyd gan
J. D. Lewis a'i Feibion Cyf., Gwasg Gomer, Llandysul, Dyfed

Leo Protheroe

Wncwl Mat

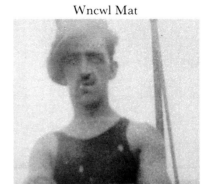

I gofio

Eu haberth
a'u hafiaith

Eu haelioni
a'u hwyl

Ifor Gwyn

Gareth

Max

CYNNWYS

Diolchiadau

Carwn ddiolch i staff Llyfrgell Genedlaethol Cymru, Llyfrgell Coleg Prifysgol Abertawe a Mr. Brynmor Jones yn Llyfrgell Dinas Caerdydd am eu cymorth rhadlon bob amser. Carwn ddiolch i Mrs. Gaynor Miles am deipio'r llawysgrif. A charwn ddiolch i Wasg Gomer am argraffu'r gyfrol ac yn arbennig i'r cyfaill Dyfed Elis-Gruffydd am ei fawr ofal a'i amynedd wrth ddwyn y cyfan i olau dydd. Myfi, fel arfer, piau pob diffyg.

Rhagymadrodd

Ysgrifennais y gyfrol hon am nifer o resymau. Yn gyntaf dim, 'roeddwn am arddel perthynas a mynegi diolch personol. O'r cymoedd y daeth mam a'i dwy chwaer i Landdewi Aber-arth yn 1916 ar ôl i'w tad golli'i iechyd yn gweithio dan ddaear. Aethai ef i'r 'Sowth' o Bennant, Sir Aberteifi yn grwt dan arweiniad ei ewythr, John Davies, a gawsai waith yn Clydach Vale ac ymhen hir a hwyr cyfarfu yn Llanbradach â mam-gu a ddaethai o Borth-y-rhyd, ger Castellnewydd Emlyn i ofalu am ei chwaer hynaf pan oedd yn disgwyl ei phlentyn cyntaf. Priododd y ddau ym Mhontypridd yn Chwefror, 1902. Symudodd y teulu i Droed-y-rhiw yn 1908 ac yna i Abertridwr yn 1910-11. Erbyn hynny, yr oedd cyflwr David Davies yn gwaethygu ar ôl iddo straenio'i galon yn gwneud gwaith coediwr, a 'doedd dim amdani ond dychwelyd i bentref glan môr rhyw dair milltir o'i bentref genedigol. Daeth y teulu i Aber-arth ar 16 Mehefin 1916 a bu farw David Davies ar ddechrau mis Awst a'i gladdu ym

Mam (ar y chwith), Lil a Liz.   Mam-gu yn 17 oed.

David Davies yn 17 oed.   John Davies, Clydach Vale.

Mhennant. 'Does ryfedd i mam-gu gadw'n ddiogel gopi o gerdd a luniodd John Davies, Clydach Vale ar 'Peryglon y Glowyr':

> . . . Mae llawer hen sholin
> Yng nghanol y wlad,
> Yn siarad am gollier
> Yn llawn o sarhad,
> Heb feddwl y drafferth
> Cael cnapyn o lo,
> Nag am y poor collier
> A'i oleu tan glo.
>
> Os parch sy'n ddyledus
> I rywrai trwy'r byd,
> Y collier sy'n haeddu
> Y blaenaf i gyd;
> Pan byddo fe'n gweithio
> Yn talcen y glo
> Ma'i anadl wrth fesur
> A'i oleu tan glo.

. . . Mae yn y dyfnderoedd
    O hyd ac o hyd,
    Yn debyg i alltud
    Yn mola y byd,
    Gwnewch gadw y collier
    O hyd yn eich cof
    A'i chydig oleuni
    A hwnnw tan glo.

Aber-arth fu cartref mam a'i chwaer hynaf, Modryb Liz, byth wedyn. Bu farw eu chwaer ieuaf, Modryb Lil, o'r darfodedigaeth yn Ebrill, 1936, cwta flwyddyn ar ôl i'w gŵr farw o'r un afiechyd ym mis Mai, 1935. Gadawsant ddau o blant. Magwyd Nesta gan deulu ei thad yn Llanafan a magwyd fy nghefnder, Alun, gan mam-gu yn 3 Picton Terrace, Aber-arth. Yr oedd, ac y mae mam-gu Picton—Pegi Picton oedd ein henw anwes arni—yn arwres yn hanes ein teulu ni. Am ddeng mlynedd ar ôl claddu ei gŵr bu'n glanhau ysgol y pentref am gwpwl o sylltau'r wythnos, yr union ysgol y bu ei gŵr fel certmon bach yn cario cerrig o'r traeth ar gyfer ei hagor yn 1887. Ymhen blynyddoedd y sylweddolais pa mor lew, er mor ddi-gefn a di-fodd, y cariodd ddolur ei thylwyth heb ildio.

Aeth Anna, un arall o chwiorydd mam-gu Picton, i'r 'Sowth' hefyd. Bu'n gweithio am gyfnod byr yn Ffatri Wlân Alltcafan. Priododd fachgen lleol a fu farw ymhen ychydig dros flwyddyn ac wedi hynny aeth hithau i Lanbradach. Yno cyfarfu â William, un o frodorion Penclawdd a droesai'n golier, ac fe'u priodwyd yn 1905. 'Roedd Wncwl Wil wedi bod yn plismona sowldiwrs yn India ond 'collodd ei got' oherwydd hen bwl cas o syched a gollyngodd y fyddin ei gafael arno. Pan briododd Bopa Anna, priododd feis. Daethant i fyw yn 2 Water Street, Aber-arth ym mis Tachwedd, 1933, ac fe gadwodd Anna ei William 'on parêd' tan y diwedd. Hi oedd yr unig Bopa 'rwy'n ei chofio yn Aber-arth a phetai D. J. Williams yn gyfarwydd â hi byddai wedi'i hanfarwoli. Yr oedd yn ben crefftreg ac yn unfed gorchymyn ar ddeg mewn ffedog.

Yn 1925 priododd Modryb Liz löwr o Abercwmboi. Yr oedd Kit, mam-gu Wncwl Mat, wedi symud o Bennant i Aber-arth a daeth Matthew James Jones ar gefn ei feic i dreulio gwyliau haf gyda hi yn 1917. Yr oedd ei fam wedi priodi Gogleddwr, Twm North wrth ei enw, ond ni wn lle y ganed Wncwl Mat. Aeth i'r ysgol ym Mhennant cyn mynd i'r 'Sowth' yn grwtyn colier a thorrwr glo, 'cutter', a ddaeth o Abercwmboi ar ei feic i ddechrau caru gyda Modryb Liz yn

Bopa Anna.   Wncwl Wil.

1917. Yn Rhagfyr, 1925, dechreuasant eu bywyd priodasol yn Abertridwr.

Yr oedd Streic Fawr 1926 yn eu haros. Ganed mab iddynt ym Medi, 1926, a bu farw yn Ionawr, 1927. Fe'u gyrrwyd hwythau yn ôl i Aber-arth yn 1928 gan gyni'r De ac yn 29 oed dechreuodd y cyn-dorrwr glo fywyd newydd ar ddec llong a chael 'arian crots' yn dâl. Aeth ati i wella'i hunan. Erbyn 1939, ar ôl goroesi peryglon y Rhyfel Cartref yn Sbaen, câi gyflog 'Third Mate'. Yn Ionawr, 1940, suddwyd ei long, yr *S.S. Stanburn*, o fewn cyrraedd North Shields gan fomiau'r gelyn a dyna ddiwedd y torrwr glo. Gadawsai'r pwll i gwrdd â'i dranc mewn tanchwa ar y môr.

Daethai i fyw gyda Modryb Liz yn Haulwen, bwthyn bach unllawr ger yr afon, ac y mae gennyf frithgof plentyn amdano heb sôn am storïau mam am ei ddoniolwch beunyddiol. Clywais droeon am y tro hwnnw pan agorodd ddrws canol 2 Water Street fel corwynt adeg 'siesta' Bopa Anna a William dan balmwydd clyd y *Welsh Gazette* a bloeddio, 'Who bloody killed Cock Robin?!' 'Kilt who, Matthew James, kilt who?' sgrechai Bopa tra ymladdai William dan y *Welsh Gazette* fel petai cawod o 'Pathans' wedi disgyn arno ym Mwlch y Khyber. 'Matthew James, nevar you kill nobody in mei house agen', meddai Bopa, gan estyn cic yr un pryd at William druan a gorchymyn, 'Cwyd o fanna'r lwff!'

'Rwy'n cofio'r gwae teuluol pan glywsom am ei dranc, y tro cyntaf i mi weld a chlywed sŵn ing, ac 'rwy'n cofio diwrnod ei angladd ym mynwent eglwys Aber-arth a'i deulu o'r 'Sowth' yn claddu eu colier yng ngolwg y tonnau. Daethant atom ar wyliau haf fwy nag unwaith wedyn, Anti Edie, chwaer Wncwl Mat, ei gŵr, Wncwl George, a'u mab, Mat bach. Dôi'r 'Sowth' gyda hwy yn ei holl liwgarwch ysgyfala a hael. Doent o wlad bell, wahanol, sioncach a pheryclach. Cafodd Myf, fy chwaer, brofi caredigrwydd calon agored Anti Edie ac Wncwl George ar eu haelwyd yn Nhretomas pan fu'n athrawes am gyfnod yng Nghasnewydd. Bu'n rhaid i mi aros tan 1953 cyn cael cyfle i brofi bywyd pentref glofaol.

Dôi merch gyda'i mam a'i brawd i Aber-arth ar wyliau haf. Aethai ei theulu gyda'r llif o'r gorllewin 'i'r gwithe' *via* rownd laeth yn Llundain, ac ymgartrefu ym Mlaengarw, ym mhen ucha'r cwm. Yn Aber-arth dechreuodd gynnau tân ar hen aelwyd ac ym Medi, 1953,

Pontycymer a Phwll y Ffaldau, *c.* 1910.

cyn mentro i'r Coleg yn Aberystwyth, mentrais i Flaengarw. Yn 22 Brynbedw Terrace, nad oedd ond dau can llath o ben pwll yr Ocean, cefais weld y glöwr yn ei briod gynefin. 'Rwy'n trysori'r profiad hwnnw'n fawr.

Yn 1953 'roedd tri phwll yn dal i weithio ym Mlaengarw ac yr oedd yno ddigon o deuluoedd Cymraeg eu hiaith i gynnal achos Methodistaidd bywiog yn y Tabernacl. I grwt o lan y môr 'roedd hwteri'r pyllau a 'larwm y traed' yn ffeithiau afreal a'r olygfa o ben y Garn wrth i'r tai islaw arllwys eu golau a'u glowyr i'r hewl yn un anniffodd. Nid oedd bechgyn y Garw wedi peidio â chwennych dilyn eu tadau i'r pyllau yn y 50au. I'r pwll o'r ysgol yr aeth fy mrawd yng nghyfraith, Dai, er fod ei dad wedi'i ladd yn Hydref, 1937, gan gwymp ym mhwll Ballarat ychydig fisoedd cyn ei eni ef. A than ofal Dai y cefais fynd dan ddaear am y tro cyntaf ar ôl i mi ddod yn athro Cymraeg i Ysgol Ramadeg y Garw ym Mhontycymer ym mis Medi, 1959. Aeth â mi trwy bwll yr Ocean ar fore Sul ac yr oedd unwaith yn ddigon i sylweddoli fod gan y glowyr bob hawl i'w hystyried eu hunain yn frid arbennig o weithwyr. Yng nghartref un ohonynt, Bill Parry a'i wraig Betty, y cefais lety cyn i mi briodi. Y mae'r ddau wedi'u claddu ond mor fyw ag erioed i un a wybu lawnder eu cyfeillgarwch.

Yn ystod fy nghyfnod yn y Garw cefais sawl cyfle i groesi i'r Ogwr a throsodd trwy'r Bwlch i'r Rhondda a draw i Gwm Rhymni. Daeth Cwm Cynon, hefyd, yn gyfarwydd iawn i mi. Bob tro, ac o hyd, yr oedd ac y mae meddwl am yr hyn a fu yn y cymoedd hynny yn gynnwrf yn y gwaed. Yr holl egni a ffrwydrodd drwyddynt, y fath we o obaith ac anobaith, llawenydd a dolur, gormes a gwrhydri, cyfoeth a thlodi, daioni a drygioni a ledodd drostynt. Ni welwyd, o ran dwysedd, ddim i'w gymharu yn unrhyw ran arall o Gymru â'r ymchwydd diwydiannol a lanwodd gymoedd y De i'r fyl â phobol mor ymdrechgar a dygn.

Wedi i mi symud yn 1965 i'r Adran Efrydiau Allanol ym Mhrifysgol Cymru, Abertawe cefais gwmni cyn-lowyr mewn dosbarthiadau nos yng Nghwm Tawe a Chwm Nedd, Cwm Aman a Chwm Gwendraeth. Y brodyr Thomas yn Ystalyfera a fuasai'n aelodau yn y dosbarth cyntaf a sefydlwyd yno gan y Bwrdd Estyn yn yr 20au. Yng Nghwmllynfell, William Howells, is-reolwr yn ei ddydd a chodwr canu ac organydd a oedd megis cymeriad wedi dianc o un o storïau Islwyn Williams, ac am dymor llawer rhy fyr, Josiah Jenkins, yr enwog Joe Brickman, cyn-löwr a chyn-Gynghorwr Sir y mae ei atgofion yn un o drysorau'r archif yn Llyfrgell y Glowyr a gynullwyd gan yr Athro Hywel Francis yn Abertawe. Yn Dre-fach y Gwendraeth, Dai Culpitt, Tom Daniel, Wil Rees a Joe Jenkins—bardd, adroddwr digri, paentiwr a 'connoisseur' cymanfaoedd canu a chyrddau pregethu—heb anghofio'r ddau sydd gyda ni o hyd, sef Jacob Morgan, y canwr alawon gwerin a'r naturiaethwr ac Ivor Kelly, seren lenyddol Eisteddfod y Glowyr ym Mhorth-cawl ers tro byd a gŵr a chanddo'r adnoddau i ysgrifennu hunangofiant gwerthfawr. Ac yn Llanelli, y Parch. Gareth Davies, fy ngweinidog ar y pryd ym Mryn Seion, Llangennech a aeth o'r ysgol i bwll Blaenhirwaun yng Nghefneithin lle treuliodd naw mlynedd cyn mynd i'r weinidogaeth fel ugeiniau o'i flaen. Ar Gwrs Preswyl yng Ngregynog, 7-9 Gorffennaf 1989, pan fuwyd yn trafod 'Llenyddiaeth y Chwarelwr a'r Glöwr', traddododd ddarlith gofiadwy ar ei gyfnod yn golier. Gallai estyn ei ddarlith yn llyfr o bwys, ac fe wnaiff rhyw ddydd os oes coel ar Weinidog Methodist.

Y mae'r cymeriadau hyn wedi bod wrth fy mhenelin am oriau lawer wrth i mi geisio ysgrifennu'r gyfrol hon—ac nid dim ond hwy. Ymsefydlais yn Llangennech yn 1965 pan oedd pwll y Morlais yn rhoi gwaith i gannoedd o lowyr a phan oedd nifer dda o gyn-lowyr yn dal i fyw yn y pentref. Yn nhafarn y Bridge cefais gwmni a chyfeillgarwch sawl un ohonynt ac ers tro byd 'rwy'n cyfrif rhai o'u plith yn ffrindiau tu hwnt i bris. Maent yn Gymry o'r groth ac yn dilyn y 'pethe'—eu 'pethe' hwy—rygbi, ceffylau, difyrrwch tafarn a llawenydd daear. Mae gwneud job onest o waith yn cyfrif ganddynt; maent yn driw i'w gilydd, heb wneud ffys; maent yn falch o'u tras, heb fost. Mae cael bod yn eu mysg yn hyfrydwch. Mae cael eu cefnogaeth yn fraint. Mae eu colli yn byrhau'r einioes.

Droeon wrth feddwl am faes glo'r De ac am lowyr yr wyf wedi eu hadnabod, 'rwyf wedi cael fy hun yn holi cwestiynau am eu lle yn llên y Gymraeg gan ddod yn anfodlon i'r casgliad nad oes iddynt, mewn gwirionedd, fawr o le o gwbwl am nad yw'n llenyddiaeth yn siarad cyfaniaith eu profiad. Cyn lleied sydd gan y Gymraeg i'w ddweud am y diwylliant poblogaidd hwnnw a oedd, yn ôl Gwyn Alf Williams, yn eithriadol gyfoethog, 'wide-open, very Welsh, very British, often travelled, if only in khaki, and increasingly American . . .', diwylliant a greodd ei iaith ei hun 'and which flourished no less in pub and boxing booth and pigeon meets and dog-race compounds, soccer and rugby fields (with baseball down in Cardiff), cricket matches, cat-and-dog in the streets, pitch-and-toss on the tips, railway trips, bikes, soon buses and charabancs to Barry Island and Porthcawl, Gilwern and Pontsarn, Llanwrtyd Wells (Llandrindod was a bit posh and English) and anywhere else the money would stretch . . . ' Mor betrus yn y Gymraeg yw lleferydd trigolion y cymoedd gorlawn y rhoes Gwyn Alf Williams orau'i ddawn i'w consurio:

> 'It was a people sustained by all the dense and interlocking networks of working-class life, with its bubbling world of imprisoned talent often marooned and mauled among the dark and bitter struggles, the harsh, hacking, unremitting labour, the disasters which could kill 300 men and boys at a time and blight whole communities. This was the distinctive, sardonic, complex, warm, picaresque, soft-hearted and malicious, hard-headed and cock-eyed, ambitious and heroic and daft world of the miners, whose disappearance has left South Wales a cubit shorter in spirit.'[1]

Ategwyd y geiriau hyn eleni gan dystion o'r cymoedd a fu'n traethu profiad y maes glo ar Radio Wales yn ystod y gyfres gampus, 'In Living Memory', ond yr oedd cyfres 26 wythnos ardderchog Sulwyn Thomas ar 'Y Glowyr' a ddarlledwyd ar Radio Cymru yn 1984, ac a ailddarlledwyd yn 1989, eisoes wedi gwneud hynny ac o safbwynt y gyfrol hon wedi dangos mor gyffrous o amlweddog y gallasai portread y Gymraeg o'r glöwr fod pe cawsai ddefnyddio'r holl liwiau ar ei phalet flynyddoedd lawer yn gynt. Dylid cydnabod 'Y Glowyr' fel prawf o'r cyfraniad amhrisiadwy y gall radio ei wneud o ran casglu a chadw tystiolaeth fyw a'i gwna'n bosibl i'r presennol a'r dyfodol ymelwa ar brofiadau'r gorffennol.

Os defnyddir y gair llenyddiaeth i olygu cerddi, nofelau, storïau byr a dramâu, gan anwybyddu adroddiadau swyddogol ac erthyglau sylweddol ar gyfer cylchgrawn a phapur newydd, mae'r prinder sôn, chwaethach sôn diangof yn y Gymraeg am y glowyr, yn blino dyn. Rhwng 1850 ac 1950 yr oedd y diwydiant glo yn ganolog i fywyd Cymru a'r glowyr, gan gynnwys degau o filoedd o Gymry Cymraeg, yn elfen lywodraethol yn y gweithlu cenedlaethol. *With Christ among the Miners* oedd teitl cyfrol Elfed ar Ddiwygiad 1904-5, ac esboniodd pam: 'If we have spent most of our time among the miners—using the term in its broadest sense—it is simply because they form the majority of the nation, and affect the whole directly.'[2] Prin fod dim wedi costio'n ddrutach i'r Gymraeg yn y ganrif hon na'i hanallu i adrodd chwedlau'r mwyafrif hwnnw'n rymus. Nid oes gennym yr un stori fawr, waeth ar ba ffurf, sy'n traethu profiad y glöwr o'r tu mewn. Ni chafwyd i ymffrostio ynddi hyd yn oed fersiwn o'r stori a gerddodd gyda'r Chwyldro Diwydiannol drwy sawl gwlad, stori colli'r Eden fore, y stori a adroddodd Richard Llewellyn yn 1939 yn *How Green Was My Valley*, gan lunio, gyda chymorth ffilm John Ford yn 1941, ddelwedd o Gymru nad yw eto wedi gollwng gafael ar y dychymyg. Gallasai, na, dylasai fod yn nofel Gymraeg, oherwydd nid oes fawr ddim ynddi, ac eithrio'r darnau sy'n sawru'n 'bestseller' o drwm o chwantau'r cnawd, nad oedd Roger Thomas (Adolphus), ac yntau'n flaenor gyda'r Bedyddwyr yn Ystalyfera, wedi'u cynnwys, fel y cawn weld, yn ei stori wibiog am 'Walter Llwyd, neu Helyntion y Glowr' yn 1877. Petai ond wedi cloddio mwy o'r wythïen tra addawol honno gallasai'r nofel Gymraeg ennill cynulleidfa yng nghymoedd y De a roesai i'n llên ddyfodol llawer helaethach.

Yr hyn a gafwyd yn lle melodrama bwerus oedd marwnad felys Thomas Williams (Brynfab, 1848-1927) i'r cynfyd amaethyddol yn y Rhondda, marwnad i ddathlu dull o fyw cymdogol, defodol a gwladaidd dan y teitl, *Pan Oedd Rhondda'n Bur*.[3] Fe'i cyhoeddwyd gyntaf yn Aberdâr yn 1912 ac fe'i hailgyhoeddwyd yn 1931 ynghanol dirni dirwasgiad fel petai'r union gordial at glwyfau'r oes. Fel Morris Owen (Isaled) a Glanffrwd o'i flaen, nid oedd gan Brynfab ddim i'w ddweud wrth ddiwydiant.

Cyhoeddwyd molawd Isaled, 'Cymru', yn *Y Traethodydd* yn 1860. Mae i'r gerdd 33 o benillion sy'n dyrchafu clodydd glendid Cymru o ran tirlun a phobol grefyddgar, ddaionus mewn acenion sydd megis agorawd i bryddest goronog Crwys, 'Gwerin Cymru'. Gwahoddir y teithiwr i ryfeddu gyda'r bardd at amrywiol olygfeydd godidog ei famwlad. Nid anwybyddir 'y dref foneddig' sy'n ymffurfio 'ger ein bron yn fyd o hedd a llwydd'. Ond hanner pennill o sylw a gaiff diwydiant:

> ...Ac yna'r weithfa, cell y mŵn a'r golud
> Gawn acw'n edrych dan sylfeini'r tud,
> A thrwst parhâus y gwaith a'r cynhwrf tanllyd
> Fel llais daeargryn yn ngholuddion byd ...

Rhoir yr hanner arall i resynu:

> ...Trueni llygru awyr Cymru hefyd
> Gan fwg-dawch heintus y gweithfäoedd hyn;—
> Ond, tyred, tyred,—digon ar gelfyddyd,
> Am natur yn ei gwylltedd, nant a llyn,
> A chwm wrth ochr cwm a bryn ar ysgwydd bryn.

Mor gyflym y blinodd Isaled ar gelfyddyd, sef diwydiant yn y cyd-
destun hwn. Ailddechreuodd gylchdeithio drwy'r 'bur hoff bau' lle
câi'r 'holl breswylwyr o dan wên boddlonrwydd/Heb adwaen twyll y
byd a'i fwyniant pryn . . .'⁴

Nid ef fyddai'r unig fardd na llenor, ysywaeth, i ddweud 'digon ar
gelfyddyd . . .' Yn 1860 llwyddodd Daniel ap Gwilym i baradwyseiddio
'Dyffryn Tawe' mewn cerdd a roes 'Palasdai gorchestol ei fonedd
haelfrydig', 'A'r mawrion dânweithiau sydd drwyddo'n fflamedig',
'Ac hefyd amaethdai, masnachdai, pentrefydd/Yn gymysg a themlau
ardderchog i'r Iôr' i gyd gyda'i gilydd yn brofion diwahân o
harddwch bro. Daeth Daniel ap Gwilym â'i gerdd i ben heb weld na
gwynto hagrwch o fath yn y byd, ond y mae gennym adroddiad y Dr.
James Rogers, *A Sketch of the Cholera Epidemic at Ystalyfera in 1866*, i'n
sicrhau na ddiwydiannwyd y cwm heb ei ddolurio a'i hyllio.⁵

I'r bardd, fodd bynnag, nid oedd na gweithiwr na chraith, na
mwrllwch na drygsawr na'r un haint marwol i amharu ar Eden ei
Gwm Tawe ef:

> O drigfa hyfrydwiw, pwy na wna ei hoffi
> Tra Tawe yn rhedeg ar hyd-ddo'n ddiball,—
> A glo iddo'n grombil, a mwn iddo'n wythi
> A'r Daren ysgwyddfawr uwch iddo i'w chael?
> Gwastadrwydd ei wyneb—uchelder ei gaerau,
> Tryloewder ei awyr, iachusrwydd ei hin,
> Digonedd amrywiaeth ei ddirif wrthddrychau,
> A fythol ogleisiant y galon a'i rhin.

Yr un mor dalog ei fydryddu â Daniel ap Gwilym sylwodd Samuel
Davies (Cynfelyn) wrth ddisgrifio 'Golygfa ar Ddowlais oddiar Fryn
Cyfagos' ar fawredd Gwaith Haearn Syr John Guest—yn ffwrneisi,
yn daranau ac yn dawch i gyd. Da oedd ganddo weld 'y miloedd
trigolion/Yn gwasgar eu nwyddau a chasglu cynyrchion . . .', ond nid
dyna'r olwg orau arnynt:

> . . .mil mwy dymunol gwel'd plant a'u rhieni
> Yn siriol gyd-deithio i gynes addoli;
> O fewn i'r heirdd Demlau yn Nowlais ganfyddwn,
> Lle traethir am Iesu,—Duw byth ogoneddwn.

Busnes bardd oedd gweld uwchlaw cymylau mwg y gweithfeydd.
Ffaith ddiwydiannol solet oedd y mwg ac yr oedd Cynfelyn yn ddigon

onest i'w chydnabod ac i oddef amhuredd yn enw cynnydd. Wedi'r cyfan, 'roedd ffaith arall yr un mor solet i'w gadw rhag gorofidio. Yr oedd y capeli'n bod i gynnig dihangfa i deuluoedd rhag mwg a tharth pydewau mawr diwydiant.[6]

Mae cerddi eraill i'r cymoedd y gellid eu dyfynnu pe mynnid mwy o dystiolaeth debyg, ond caiff y Parch. William Thomas (Glanffrwd, 1843-90) fod yn dyst olaf am y tro. Yn anfoddog ddigon y derbyniodd dwf y gymdeithas ddiwydiannol fel y prawf ei gyfrol nodedig, *Llanwynno* (1888). Fe'i cafodd hi'n ddiflasach na Chynfelyn i dderbyn fod y gweithfeydd a'u heffeithiau'n ffaith anesgor, yn gnul ac yn arch yr hen ffordd o fyw, ond nid oedd am wneud mwy na thristáu:

'Ow! fy hen Lanwynno, goddiweddwyd dithau o'r diwedd gan draed y gelyn! Sathrwyd ar gysegredigrwydd dy gaeau prydferth, gyrrwyd dy adar perorus ar encil, gweryrodd y march tanllyd, ac ysgrechodd fel mil o foch ar dy lanerchau heirdd! Mor deg, mor dawel, mor bur, mor ddistaw, mor annwyl oeddit cyn i'r anturiaethwyr durio dy fonwes! Ond yn awr, yr wyt fel—wel, fel pob lle y mae glo ynddo.'

Gwaith ofer fyddai gofyn i fasnach ymatal gan nad oedd iddi galon: 'Ni ŵyr hi am wladgarwch, na ieithgarwch, na bryn na dôl-garwch. "Glo, haearn, mwyn, aur ac arian" yw ei hiaith hi.' Eto, ni fynnai Glanffrwd mo'i chondemnio:

'Nid wyf am felltithio masnach, rhaid ei chael a'i chadw. Nid wyf am ddywedyd gair yn erbyn y rhai sydd yn anturio eu haur er chwilio am lo a distrywio harddwch y wlad,—yr wyf yn dymuno eu llwydd,—a llwydd y dynion dewr,—y glowyr sydd yn anturio i lawr i ddyfnderau mawrion ar ôl y glo, ond O! wrth wneud hynny, distrywiant wedd fy ngwlad hoff! Terfysgant y lleoedd llonydd, y cyrrau unigol a barddonol; a sychant ffynhonnau bendithfawr tir fy maboed,—ac felly, rhaid i mi wylo a galaru!'[7]

Yr oedd y Rhamantwyr ar ddechrau'r bedwaredd ganrif ar bymtheg wedi wylo a galaru eu siâr wyneb yn wyneb â 'hagrwch cynnydd' y Chwyldro Diwydiannol, ond yr oedd yr artistiaid mwyaf yn eu plith wedi gwneud eu gofal am y tirlun anrheithiedig yn un â'u gofid am fywydau clwyfus y gweithwyr a wnaed yn estroniaid i lendid byd ac yn gaethion i rythmau llafur mecanyddol. Nid oedd rhaid mynd o Gymru i weld y tirlun diwydiannol ar ei wedd fwyaf dramatig, ond ni fu llenyddiaeth y Gymraeg ddim elwach o hynny.

Ceir cerddi annhrawiadol yn 'rhyfeddu at' ddatblygiadau'r oes a pharagraffau, megis yr un a ddyfynnir o draethawd eisteddfodol yn 1865, sy'n disgrifio mewn cymysgiaith rhwng syfrdandod a ffieidd-dod yr amgylchedd a grewyd gan ddiwydianwyr:

> 'Gan mlynedd yn ôl gallesid sefyll ar un o fynyddoedd Mynwy, ac edrych oddi amgylch am ugeiniau o filltiroedd ysgwar ar nifer o fynyddoedd oerllwm, heb unrhyw fod byw nac annedd dynol yn weledig, oddi gerth ambell ddiadell o ddefaid y mynydd, a bwthyn unigol rhyw fugail hynafol. Heddyw, pe edrychid oddi amgylch, gall yr edrychydd ganfod y mynyddoedd wedi eu britho a simneiau mawrion, a'r mwg o ba rai fel pe yn dyrchafu o geginau rhyw anferth dan-ddaiarol gewri; y cymmoedd yn llawnion o weithfaoedd eang a threfydd poblog; pob cwm yn swnio fel pe byddai ynddo gan miliwn o siopau gof, a phob cwm yn mygu fel gwastadedd Sodom a Gomorrah.'[8]

Yr hyn na chafwyd pan oedd Cymru yn nhrafael ei thrawsnewid oedd bardd neu nofelydd neu ddramodydd a gawsai olwg fawr ar oblygiadau hynny a chanddo'r fenter ofynnol o ran iaith a ffurf i drosi'r olwg honno yn llenyddiaeth rymus, berthnasol.

Fe dâl i ni gofio dau beth yn y cyfwng hwn. Yn gyntaf, yr oedd diwydiannu Cymru i'w ystyried gan flaengarwyr o bob gradd yn ddatblygiad proffidiol a oedd i'w fawr groesawu. Yr oedd cyfoeth cynhenid daear Cymru yn destun balchder cenedlaethol; fe'i gwnâi'n gyfrannwr o bwys ymhlith gwledydd yr Ymerodraeth. I bobol a wyddai beth oedd gwingo dan chwip dirmyg yr oedd bod Lloegr yn barod i fuddsoddi ffortiwn yn nhir eu gwlad yn ffaith i ymlawenhau ynddi. Dyna oedd agwedd selogion 'Social Science Section' Hugh Owen yn Eisteddfodau Cenedlaethol yr 1860au. 'Roedd datgeliadau daearegwyr yn ganmil gwerthfawrocach i wlad dlawd na chanfydd-iadau beirdd. Yn wir, yr oedd Talhaiarn ei hun wedi gosod barddoniaeth gryn dipyn islaw gwyddoniaeth o ran ei lles i ddyn—er cymaint y casâi'r 'Social Science Section'. Petai bardd neu lenor wedi codi yn ei rym i wrthwynebu treisio'r tir byddai'n sicr wedi cyfansoddi yn nannedd cymdeithas ddi-hid. Cawsai'i labelu'n obsciwrant gan gyhoedd a gredai na fedrai fforddio galaru am fod i gynnydd gilgynnrych mall.[9]

Mewn traethawd ar 'Dylanwad Dadguddiad Adnoddau Mwnawl' a ysgrifennwyd gan y Parch. David Evans, Pont-rhyd-yr-ynn mewn ymdrech ofer i ennill gwobr o 5 gini a roddwyd gan Syr John Guest yn Eisteddfod Cymmrodorion y Fenni, 1838, pwysleisiwyd y bendithion a ddaethai yn sgil y diwydiannau trwm. Profodd nifer o'r diwydianwyr eu bod yn noddwyr hael i'r diwylliant Cymraeg gan 'alw i'w tai famaethod ac athrawesau Cymreig' ar gyfer eu plant. Rhoesant arian ym mhocedi eu gweithwyr ac esgorodd hynny ar awydd i ymddiwyllio. Tyfodd yr 'archwaeth ddarllenol' i'r fath raddau fel ei bod 'yn ffaith eithaf adnabyddus fod pawb sydd â llaw ganddynt mewn cyhoeddi a gwasgaru llyfrau yn Nghymru, yn dal eu golwg yn benaf ar y siroedd gweithfaol a'u cymydogaethau.' Yn naturiol, cynyddodd nifer darllenwyr y Gymraeg yn y parthau hynny, ond mwy trawiadol oedd y cynnydd yn nifer darllenwyr y Saesneg: 'Meddyliwn na byddai yn ormodiaith pe y dywedem fod deg, os nid ugain llinell Seisonig yn cael eu darllen yn awr gan gyffredin y Dywysogaeth, am bob un a ddarllenid ganddynt ddeugain mlynedd yn ol; a hyny, nid gan y Saeson a breswyliant yn ein plith yn unig, ond gan hiliogaeth y Cymry.' Llawenhâi David Evans am fod diwydiant yn dwyn y Cymry i gyswllt agosach â diwylliant Lloegr ac yr oedd yn sicr ei farn 'mai y moddion grymusol yn llaw Rhagluniaeth i ddwyn ein gwladyddion at eu llyfrau, ac i ddwyn llyfrau atynt hwythau, fuodd dynoethiad cyfoethau delidol ein gwlad . . .' Yr oedd agwedd gadarnhaol y Parch. David Evans a'i debyg at ddifidends cymdeithasol diwydiannaeth yn forglawdd i wrthsefyll yn hir pa bynnag deid o brotest ramantaidd a allasai lifo o gyfeiriad beirdd a llenorion y Gymraeg.[10]

Yn ail, cafodd llenyddiaethau ieithoedd llawer cryfach eu hadnoddau a lletach eu cyfle na'r Gymraeg hi'n anodd iawn i gymathu'r Chwyldro Diwydiannol a bodau prin fu awduron dosbarth-gweithiol arwyddocaol trwy gydol y ganrif ddiwethaf ac i lawr i'r ganrif hon. Ym marn P. J. Keating, yn Lloegr yr 1840au a'r 50au, cafwyd yn gyntaf mewn nofelau gan Disraeli, Mrs. Gaskell, Charles Kingsley a Dickens ymateb dosbarth-canol, gochelgar i her Siartaeth a'r egin broletariat, ac yna rhwng 1880-1900 cafwyd ymateb ymdrechgar dyrnaid arall o nofelwyr, yn arbennig George Gissing, Walter Besant ac Arthur Morrison, i slymiau'r dinasoedd a her Sosialaeth. Nid oedd yn eu plith nofelydd dosbarth-gweithiol 'bona fide' ac ni luniwyd nofelau sy'n trafod y dosbarth gweithiol fel petai'n cynnwys bodau dynol cyffredin y mae eu clymiadau, eu teimladau a'u syniadau yn briod faes chwilfrydedd y nofelydd. Byddai'n rhaid perthyn i ddosbarth uwch cyn cael yr ystyriaeth a weddai i bobol real mewn amgylchiadau real. Canlyniad gweld y dosbarth gweithiol trwy lygaid gofal awduron dosbarth-canol

oedd ystumio gweithredoedd, cymhellion ac iaith y cymeriadau er
mwyn eu defnyddio yn y pen draw i gyfiawnhau rhyw ddamcaniaeth
dosbarth a goleddai'r awdur. [11]

Bu'n rhaid i Loegr aros tan yr 1920au cyn cael nofelydd yn D. H.
Lawrence i ysgrifennu am y gweithiwr diwydiannol, glowyr swydd
Nottingham yn ei achos ef, ag angerdd hafal i'r Ffrancwr, Zola, yn
Germinal (1885). Bu'n rhaid i Gymru, heb anghofio am nofel Joseph
Keating, *The Flower of the Dark* (1917), aros tan yr 1930au i weld
cyhoeddi yn Saesneg gan Gymry megis Rhys Davies, Jack Jones,
Lewis Jones, Gwyn Jones a Richard Llewellyn nofelau a storïau
fforiol am fywyd y cymoedd. Dywedir fod y Sais o Lerpwl, W. E.
Tirebuck, awdur nofel rymus am bentref glofaol yng ngogledd Lloegr
adeg y 'cloi mas' yn 1893, sef *Miss Grace of All Souls* (1895), wedi
arofun bod yn 'nofelydd Cymru', ond ni chafwyd ganddo namyn
dwy stori a allasai'n hawdd fod wedi'u hysgrifennu ar gyfer ennill y
gwobrau a gynigid am ramantau newyddiadurol yn rhai o
Eisteddfodau Cenedlaethol yr 1880au. [12]

Y mae pwysigrwydd awduron yr 1930au a aeth ati dan sbardun
Streic Fawr 1926 i ddadlennu bywyd yn y De diwydiannol mewn
modd na wnaed cyn hynny yn ddigwestiwn, ond tra'n cydnabod eu
pwysigrwydd ni chred Dai Smith i'r un ohonynt feistroli ei fater: 'No
novelist emerged who understood the individual and social lives of his
characters to the extent that he lost neither psychological truth nor
social complexity. There was no writer who could knit the diffuse,
splintered actuality of life into a reality of vision capable of revealing
meaning, significance, essence, or, if this was the case, absurdity and
nonsense.' I'r un math o gasgliad y daeth sylwebyddion o ansawdd
Raymond Williams, Glyn Tegai Hughes, M. Wynn Thomas a James
A. Davies, a phwysleisiodd Raymond Williams y ffaith fod y rhan
fwyaf o'r nofelau Eingl-Gymreig am fywyd y dosbarth gweithiol
wedi'u hysgrifennu gan awduron a hanfyddai o'r dosbarth hwnnw.
Hynny yw, er eu hysgrifennu 'o'r tu mewn' dim ond darnau o'r
realiti y mynnent ei ddal a ddaeth i'w gafael creadigol. [13]

Mewn erthygl yn *Llafur*, ' ''Kameradschaft'' and After: The
Miners and Film', y mae Peter Stead wedi dangos fod y ffilm wedi'i
chael hi'r un mor anodd â'r nofel i osgoi ystrydebu am y glöwr.
Cyfarwyddwyd '*Kameradschaft*' gan George Pabst yn 1931 ac o'i
lwyddiant tarddodd ffilmiau dogfen pwerus y 30au. Pabst oedd y
cyntaf i ddadlennu 'the full political, dramatic and photogenic
potential of the miners', ond deil Stead nad esgorodd realaeth

sinematig y 30au ar ffilmiau am y glowyr sy'n llwyr argyhoeddi. Yn rhy aml, gwasgwyd glöwr y sinema, ar draul ei unigolyddiaeth fel person, rhwng trychineb a streic a bu'n rhaid aros am bortread Trevor Howard o Morel yn ffilm Jack Cardiff o *Sons and Lovers* cyn cael gweld ar y sgrin gymeriad teilwng o awydd Lawrence i ddelweddu'r glowyr 'not as so many sheep who only had meaning as victims or when brought together in a flock but as individuals who could set their own passions alongside those of their own families and of a wider and pluralistic community in which a number of choices were offered.' I Stead, y mae hyd yn oed ffilmiau mwyaf trawiadol y cyfnod modern yn rhy barod i borthi hen ddisgwyliadau ac osgoi ceisio amgyffred bywydau unigol. Deil fod Graham Greene wrth gollfarnu '*The Proud Valley*' yn 1940 wedi sylweddoli fod y glöwr eisoes wedi'i droi'n ystrydeb sinematig: 'In this respect . . . Greene was experiencing and anticipating a disappointment that was to become general.'[14]

Os cafodd y Saesneg hi'n anodd yn ei llên a'i sinema i gymathu'r byd diwydiannol fel y'i gwelid yn y cymunedau glofaol, cymaint mwy anodd ydoedd i'r Gymraeg a hithau heb draddodiad diweddar o ryddiaith naratif i elwa arno. Y gwir yw fod hinsawdd llenyddol Cymru'r ganrif ddiwethaf yn gwarafun ysgrifennu'n realaidd am gymdeithas ddiwydiannol na ellid mo'i delweddu heb ddefnyddio iaith realaeth. Mewn gwlad yr oedd ei chapel a'i heisteddfod yn sefydliadau a osodai normau na allai'r un awdur a fynnai'i gydnabod fforddio'u hanwybyddu, byddai i bob pwrpas yn amhosibl i ddarpar-awduron o'r dosbarth gweithiol dorri eu cwysi eu hunain. Mae'r hyn a ddywedodd Raymond Williams am y sefyllfa yn Lloegr mor berthnasol i Gymru, hefyd: 'From the beginning of the formation of the industrial working class—as indeed earlier, among rural labourers, craftsmen and shepherds—there were always individuals with the zeal and capacity to write, but their characteristic problem was the relation of their intentions and experience to the dominant literary forms, shaped primarily as these were by another and dominant class.'[15]

Ni raid amau nad oedd yn y De diwydiannol unigolion a allasai ysgrifennu am eu cymunedau a'u profiadau gweithfaol. Eu cael i ysgrifennu oedd y gamp. 'Pa le mae'r gohebydd gweithfaol'? oedd cwestiwn Brynfab yn 1912 wrth resynu fod y Cymry yn derbyn eu goleuo 'yn y dyddiau terfysglyd hyn' gan y wasg Saesneg:

'Gan nad beth fydd yr helynt, nid oes son am y Cymro yn gwyntyllu y peth yn iaith ei fam. Beth sydd wedi dod o'r hen ysgrifenwyr galluog fuont yn taflu goleuni ar bob dyrys bwnc glofaol? A ydynt wedi mynd i ffordd yr holl ddaear i gyd?'

Cofiai Brynfab yr adeg pan oedd Mabon, Dai o'r Nant, Daronwy a Lewis Morgan yn goleuo'r gweithiwr Cymraeg yn ei famiaith. Iaith pwyll oedd y Gymraeg; iaith rhysedd oedd y Saesneg. Gellid ymddiried ym marn y gohebyddion Cymraeg: 'Nid yw gwylltineb yr oes drydanol wedi eu syfrdanu; a thrwy hyny gellir yn hyderus ymddibynu ar yr hyn a draethir ganddynt.' Cofiai, hefyd, pan oedd Lewis Afan, 30-35 mlynedd yn ôl, yn trafod y diwydiant alcan. Ni thraethai neb fel ef bellach:

'Mae beirdd a llenorion o fri tua glannau y Llwchwr a'r Tawe. Ond delwau mudion ydynt mewn cysylltiad ag helyntion gweithfaol. Pe sengid ar fodiau un o honynt mewn ystyr farddol neu enwadol, odid fawr na fyddai y Llwchwr ar dan cyn pen tridiau. Ond am bwnc o bwys rhwng llafur a chyfalaf neu rhwng y rhai a leddir, a'r rhai a gedwir yn fyw, ni chythruddir ac ni ddihunir un o honynt i anfon gair o'r helynt i wasg Gymreig. Paham na chymerai arweinwyr y bobl—mewn pob cangen o lafur—y ddyledswydd o arlwyo bwrdd y Wasg Gymreig, yn lle fod pentrulliaid estronol yn gwneud hyny er eu mantais eu hunain.'[16]

Gwaetha'r modd, ni lwyddodd hyd yn oed *Y Darian* i gynhyrchu gohebyddion diwydiannol er paroted ei gefnogaeth. Mor ddiweddar ag 1926 pan obeithid sefydlu 'Colofn y Pwll Glo' tystiai'r papur fod digon o ddoniau i'w chynnal: 'Mae ymhlith glowyr a goruchwylwyr a swyddogion lawer o ysgrifenwyr Cymraeg da, ac ni all na ddel daioni o wyntyllu materion yn agored a theg yn y Darian.' Y mae'n wir fod ym Morgannwg a Mynwy, heb sôn am faes y glo carreg, i lawr hyd at y Rhyfel Byd Cyntaf filoedd o lowyr a ddarllenai bapurau Cymraeg megis *Y Gwron* (1856-60), *Y Gweithiwr* (1858-60), *Y Gwladgarwr* (1858-82), *Tarian y Gweithiwr* (1875-1914), *Y Darian* (1914-34), *Amddiffynydd y Gweithiwr* (1874-6), *Y Gweithiwr Cymreig* (1885-89)—heb sôn am y papurau Cymraeg cenedlaethol a'r *Faner*, wrth reswm, yn bennaf yn eu plith. Y mae'r un mor wir fod miloedd lawer o lowyr Cymraeg yn gapelwyr cyson ac yn eisteddfodwyr diflino.[17]

Pwy, ar ôl ystyried tystiolaeth ymchwil yr Athro T. J. Morgan, yr Athro Brynley Roberts, y Dr. Huw Walters, y Dr. Siân Rhiannon

Williams a'r Dr. Menna Davies a allai amau nad oedd yng nghymoedd Tawe, Cynon, Aman, Rhymni a'r Rhondda ddarparawduron y gallesid disgwyl i rai ohonynt daro deuddeg wrth lenydda am eu bröydd diwydiannol? Ac onid i'r un casgliad y'n harweinir gan dystiolaeth y Dr. Glyn Ashton a chan Islwyn a Jean Jenkins yn eu llyfr darllenadwy iawn, *Beyond the Black Tips?* Meddylier, drachefn, am y berw cystadleuol mewn canolfannau poblog megis Merthyr, Aberdâr, Pontypridd a Chaerffili lle dôi beirdd ynghyd o bryd i'w gilydd yn gylchoedd, nid cwbl gytûn na sobor, mae'n wir, i ymrafaelio â'r awen yn ystod blynyddoedd ymdrechgar y ganrif ddiwethaf. Ar ryw olwg felly yr oedd posibiliadau llenyddol y De yn ddiamheuol a diolch i'r eisteddfod yr oedd gan y gweithiwr o Gymro a fynnai lenydda lwyfan nad oedd gan ei gydradd yn Lloegr ddim tebyg iddo. Eithr nid llwyfan agored mohono. O ran y cyfansoddiadau i'w harddel arno yr oedd yn llwyfan llym ei normau o safbwynt derbynioldeb cynnwys ac iaith. [18]

Yr oedd diwygiadau crefyddol y ddeunawfed ganrif a bwriadau llenyddol Goronwy Owen a'i ddilynwyr wedi clymu'r Gymraeg naill ai wrth ddisgwyliadau byd a ddaw neu ddigwyddiadau'r gorffennol pell. Trwy destunau gosod yr eisteddfod a oedd i ddatblygu'n gyflym yn brif sefydliad diwylliannol y Cymry o 1789 ymlaen, gwysiwyd y Gymraeg i ateb gofynion crefydd a moes a hynafiaeth. Rhaid oedd iddi fod yn iaith llenyddiaeth buredig ac ar ôl ymosodiad y Llyfrau Gleision yn 1846-7 troes y gofal hwnnw'n orofal. O ran testunau disgwylid i'r Gymraeg gadw cwmni da; o ran ffurfiau yr oedd i gadw'r nofel a'r ddrama o hyd braich gyhyd ag y gallai.

Yn nwylo'r bagad o bregethwyr a chlerigwyr, yn gystadleuwyr a beirniaid, a'i cynhaliai ni allai'r eisteddfod lai na bod, ar bob gwastad, yn sefydliad ymatalgar a byddai'n annichon i feirdd a llenorion y dosbarth gweithiol a fynnai 'ymddyrchafu' drwyddi droseddu yn erbyn ei chwaeth. Fel eu cymrodyr yn Lloegr, trwy ymdebygu i'w 'gwell' yr oedd profi eu gallu, nid trwy lenydda'n 'wreiddiol' neu'n feiddgar am brofiadau'r gweithiwr. Pan oedd y Gymraeg ar ei chryfaf ym maes glo'r De nid oedd lle yn ei llên i'r hyn a alwodd D. H. Lawrence yn 'pit talk'. Ffordd o 'godi mas' o'r lofa oedd llenydda'n gystadleuol fel y dangosodd T. J. Morgan a Huw Walters, ac wrth ddarllen eu hunangofiannau ni all dyn ond gresynu nad oedd modd i gyn-lowyr megis Ben Davies, Glasnant, neu H. T. Jacob a aned yn fab i löwr ynghanol berw'r Rhondda yn 1864, siarad mwy o iaith pwll a llai o iaith pulpud. Gallasent ddweud cymaint am lowyr wrth eu gwaith petasai hynny ond yn cwrdd â gofynion celfyddyd eu Cymru eisteddfotgar hwy.[19]

Nid yw'n syn, o gofio'i defnydd cymeradwy, fod y Gymraeg wedi methu ag ymateb yn eofn yn ei llên i'r Sosialaeth a'r Undebaeth a gafodd ddaear yn y maes glo o'r 90au ymlaen. Y mae'r wasg Gymraeg, yn bapurau a chylchgronau, yn frith o rybuddion rhag undeba byrbwyll trwy gydol y ganrif ddiwethaf a gwnaeth yr eisteddfod hithau ei rhan i ddiogelu perthynas gall, os nad cyfiawn, rhwng meistr a gweithiwr. Iaith trefn a chymod oedd y Gymraeg i fod. 'Roedd hi mewn cytgord ag undebaeth Mabon ond yr oedd yr undebaeth anghymodlon a'i gorchmynnodd ef i siarad Saesneg pan safodd ar Y Garreg Siglo ar y cytir uwchben Pontypridd i annerch miloedd o lowyr adeg Streic yr Haliers yn 1893 yn gwbwl groes i'w graen. O flwyddyn sefydlu'r 'FED' yn 1898, ymlaen trwy gyfnod helbulus yr Undebaeth Newydd rhwng 1899 a 1912, gwanhau'n gyson a wnaeth pa ddylanwad bynnag a fuasai gan y wasg Gymraeg ar weithlu'r diwydiant glo. Disgynnodd gwerthiant *Tarian y Gweithiwr* —papur y glöwr yn anad neb—o ryw 15,000 o gopïau'r wythnos yn yr 1880au i ryw 2,000 yn 1914 er fod hanner ei gynnwys erbyn hynny yn Saesneg. Y mae'n sicr fod a wnelai'i bwyll â'i ball. Mor gynnar ag 1887 yr oedd un, 'Casawr Gormes', am ysgrifennu cyfres o lythyrau ar 'Sefyllfa y Glowyr' a thaerai fod y Rhyddfrydwyr cynddrwg â'r Torïaid yn eu dibristod ohonynt:

> 'Ar ol hir brofiad yr ydym yn llwyr argyhoeddedig fod ymddygiadau Rhyddfrydwyr proffesedig lawn mor Doriaidd a'r eiddo y Torïaid eu hunain. Pa le y ceir mwy o Doriaeth grefyddol nag yn mhlith bugeiliaid y Methodistiaid, gweinidogion yr Annibynwyr, a phwy sydd yn proffesu ac yn siarad yn gryfach ar Ryddfrydiaeth na hwy? Felly, y gellir dweyd am feistri a llywodraethwyr glofeydd. Y maent mewn proffes yn Radicaliaid, ond mewn gweithred a gwirionedd y Torïaid mwyaf eithafol.'

Ni ddaeth dim o gyfres lythyrau arfaethedig 'Casawr Gormes' ar ôl y llythyr cyntaf hwnnw a'r flwyddyn ddilynol 'roedd un, 'Pwll Scott', yn *Y Gweithiwr Cymreig* yn annog ei gydweithwyr ar gân i roi'r gorau i bapur John Mills:

> Gwybydded pawb drwy'r eang fyd
> Fod 'Tarian' Mills yn dyllau i gyd;
> Rhaid newid hon a bloeddio'n hy,
> 'Y Gweithiwr' fydd ein tarian ni.

Mynnodd y Parch. Tywi Jones ar ôl 1914 gadw'r *Darian* yn bapur Cymraeg digymysg a chododd ei gylchrediad i 3,500 erbyn 1921, ond rhoes streiciau difäol yr 20au stop ar unrhyw gynnydd pellach. Trwy'r Saesneg yr ymladdwyd brwydrau'r degawd adfydus hwnnw.[20]

Rhoesai'r Gymraeg ormod ohoni ei hun i Ryddfrydiaeth ym mlynyddoedd cytgord 'Lib-Lab' cyn 1914. Yn ofer, fodd bynnag, o safbwynt cylchrediad y ceisiodd *Y Gweithiwr* (1858-60), *Amddiffynydd y Gweithiwr* (1874-6) a'r *Gweithiwr Cymreig* (1885-9) wneud defnydd mwy ymosodol o'r Gymraeg wrth ddadlau dros hawliau'r gweithwyr, rhagor eu haeddiannau. Mae'n wir fod gan *Y Gweithiwr* fawr awydd i ddyrchafu eu cyflwr moesol ond fel y prawf llythyrau 'Nai Shon y Gof' ar 'Meddygon y Gweithfeydd' ac erthyglau 'Glan Cadnant' ar 'Gwerthfawredd a Dyrchafiad y Dosparth Gweithiol', yr oedd o blaid diwygiadau solet a fyddai'n ennill parhaol i'r gweithwyr, ac i'r glowyr yn arbennig. Yr oedd *Y Gwladgarwr*, 'papur y meistri', yn gwrthwynebu'r ymgyrch dros sicrhau gwasanaeth meddygol iddynt yn y glofeydd am ei fod yn dibynnu ar boced Alaw Goch. Ymffrostiai'r *Gweithiwr* nad oedd ym mhoced yr un meistr, ond ni bu fawr elwach o hynny.[21]

Daeth *Amddiffynydd y Gweithiwr* allan yn gwbwl agored o blaid undebau heb betruso condemnio'r meistri mewn iaith blaen iawn. Adeg y 'cloi mas' yn 1875 ymosododd ar ffug-Ryddfrydiaeth y *South Wales Daily News*, 'oracl ffafriol y meistri', a galwodd ar y Cymdeithasau Cenhadol 'i anfon cenadon i bregethu Cristionogaeth, a dyledswydd dyn tuag at ei gyd-ddyn, yn mhlith perchenogion glofeydd Deheudir Cymru.' Dylai holl weinidogion ac offeiriaid Cymru gondemnio'r addolwyr Mamon a oedd yn newynu teuluoedd y De, onide ni fyddent yn weinidogion teilwng 'i'r Hwn a borthodd filoedd o bobl newynog yn y diffaethwch.' 'Does ryfedd i lythyrwr o Ferthyr gael rhyddid i ymosod ar *Y Tyst a'r Dydd* pan anghefnogodd safiad y glowyr yn 1875. Barnai fod gweinidogion wrthi'n creu anffyddwyr: '. . . wfft i fradychwyr a rhagrithwyr o bob math, ond saith wfft i'r dosbarth crefyddol o honynt. Gwared ni Arglwydd daionus oddiwrth y cŵn drwg a'r cathau barus.' Nid dyna ydoedd priod gywair y Gymraeg wrth swcro'r gweithwyr a bu'n rhaid i'r 'Amddiffynydd' dalu pris ei dôn.[22]

Cwta bedair blynedd fu oes *Y Gweithiwr Cymreig*, hefyd, ac er fod ei dranc wedi'i briodoli i wenwyn enwadaeth a diffygion dosbarthwyr y mae'n sicr na wnaeth les i'w gylchrediad drwy wrthwynebu'n ffyrnig

ymgeisiaeth Mabon am sedd seneddol y Rhondda yn 1885 gan ddal
ei fod yn ormod o ffrind i'r *Western Mail.* Mynnodd *Y Gweithiwr
Cymreig* o'r cychwyn ei fod yn bapur Rhyddfrydol, anenwadol a
bucheddol â'i fryd ar lesoli gweithwyr o bob gradd, a cheisiodd brofi
ei fod o ddifrif ar unwaith trwy gyhoeddi yn ei grynswth draethawd
buddugol Evan Powell, Tredegyr yn Eisteddfod Iforaidd Aberdâr,
1875, sef 'Safle y Gweithwyr yn y Cyfansoddiad Prydeinig.' Fodd
bynnag, drwy wrthwynebu Mabon peidiodd â bod yn dafodog
dibynadwy dros werthoedd y Rhyddfrydiaeth a addawai gymaint i
Gymru yn 70au, 80au a 90au'r ganrif ddiwethaf. O'u cymharu â'r tri
phapur hyn yr oedd *Y Gwladgarwr, Tarian y Gweithiwr* a'r *Faner*
cymaint sicrach eu traw Rhyddfrydol gan ateb gofyn cynulleidfa
eang, ond y mae'n ddiamau fod tranc papurau a allasai drymhau'r
pwyslais ar y 'Lab' yn hytrach na'r 'Lib' yn golled ddirfawr i'r
Gymraeg. Yn anorfod o 1898 ymlaen peidiodd hi â bod yn iaith
weithredol maes glo'r De er iddi ddal ei gafael ar y maes glo carreg tan
yr 1920au. Ymledodd Sosialaeth law yn llaw â'r Saesneg. Hyhi oedd
yr iaith ar gyfer newid y drefn.[23]

Petasai'r Gymraeg wedi llwyddo i fod yn iaith stori a drama'r
glöwr gallasai ddal ei gafael yng nghymoedd y De, ond methu a
wnaeth. Yn Eisteddfod Genedlaethol Aberdâr, 1861, galwodd Henry
Austin Bruce, A.S., am lenyddiaeth i lefaru dros y cyflwr dynol cyfoes
ond nid oedd hynny'n flaenoriaeth gan arch-feirniad y cyfnod, y
Parch. William Williams (Caledfryn). Iddo ef, nid oedd dim deunydd
barddoniaeth i'w gael yn amgylchiadau cyffredin pobol a'r un fyddai
safbwynt ei olynydd, John Morris-Jones, a oedd i dra-arglwyddiaethu
fel deddfwr ar fater cerdd a'i hieithwedd o 1902 tan ei farw yn 1929.
Am ddwy ran o dair y ganrif rhwng 1850 ac 1950 ni wnaeth yr
eisteddfod fawr o ymdrech i geisio gwneud y De diwydiannol yn un o
diriogaethau dychymyg y Cymry llengar. Prin iawn oedd y testunau
penodol a ddarparai gyfle i ysgrifennu llenyddiaeth ddychmygus am
y cymoedd. Prinnach oedd unrhyw feirniadaeth â'i bryd ar amlygu
pwysigrwydd ysgrifennu o'r fath os oedd y Gymraeg i oroesi'n
gyfrwng llenyddiaeth a fyddai'n berthnasol i'r ardaloedd mwyaf
poblog yng Nghymru'r ugeinfed ganrif. Ni chafwyd arweiniad gan
na'r *Traethodydd,* na'r *Beirniad* na'r *Geninen* a bodlonodd sylwebyddion
effro megis y Parch. David Adams (Hawen), Edward Foulkes ac
E. Morgan Humphreys ar lunio ambell erthygl fer yn hytrach na
chreu corff o feirniadaeth gymdeithasegol ei phwyslais a allasai yrru'r
Gymraeg i gloddio mewn tiroedd profiad proffidiol.[24]

David Davies (1842-1928). Glôwr ym Mhwll y Maerdy o 1849 tan 1922.

Cyngor Bwrdeistref y Rhondda

O. J. Buckley. Glöwr ym Mhwll y Maerdy am dros hanner canrif a Chadeirydd
Cyngor Dosbarth Trefol y Rhondda.

Cyngor Bwrdeistref y Rhondda

Bu'n rhaid i'r glöwr Cymraeg, o'r foment y canodd Ieuan Gwynedd o'i blaid ychydig cyn marw yn 1852, fodloni ar gymryd ei le ymhlith y 'gwerinwyr da a defnyddiol' yr oedd 'Cymru lân, Cymru lonydd' i bwyso mor drwm arnynt.[25] Ei ddefnyddioldeb ochor yn ochor â'r chwarelwr, y bugail a'r Gymraes rinweddol fel un o gymeriadau stoc y llenyddiaeth gyfadferol a grewyd yn Oes Victoria yw'r ffaith amlycaf ynglŷn â'i fodolaeth lenyddol rhwng 1850 ac 1950. Cadwodd y Gymraeg ef yn arwr dolurus nid oherwydd iddi ddatblygu'n gyfrwng i ddyrchafu gwroniaid Sosialaeth, ond am iddi fynnu dal wrth y delfrydau gwerinaidd a briodolai i'r glöwr, fel ei gyd-wasanaethwyr, swyddogaeth gymdeithasol gadarnhaol.

Yn llenyddol, er gwaethaf blynyddoedd o derfysg yn y maes glo, cariai'r glöwr Cymraeg ddigon o rinwedd o hyd yn 1934 i beri storm pan roes Kitchener Davies le amlwg i golier dirywiedig yn ei ddrama, *Cwm Glo*, ac yr oedd digon eto ar ôl yn 1950 i alluogi Tilsli yn Eisteddfod Genedlaethol Caerffili i ganu iddo Awdl Foliant fwyaf poblogaidd y ganrif. Pan ddarllenir awdl fuddugol y Prifardd Emrys Roberts i'r 'Chwarelwr' yn Eisteddfod Genedlaethol Bangor, 1971, gwelir fod stoc y gweithiwr emblematig hwnnw, hefyd, wedi dal yn ddigon henffasiwn o uchel i ddiflasu'r beirniaid fwy nag unwaith, a darganfu Dafydd Roberts yn 1988 na châi ddangos i wrandawyr 'Stondin Sulwyn' a llythyrwyr *Y Faner* a'r *Cymro* fod chwarelwyr lawer na ffitiai'r ystrydeb a naddwyd iddynt yn Oes Victoria heb ennyn yr un math o ddicter ag a enynnodd Kitchener Davies yn 1934. 'Roedd sentiment cwpled Eos Bradwen yn dal yn arfwisg i'r chwarelwr:

> Pa ffodus ŵr a faidd roi sen
> I'r gŵr sy'n gwisgo'r siaced wen . . .

O safbwynt llenyddiaeth y Gymraeg byddai mwy o'r 'annheyrngarwch' y cyhuddwyd y ddau o'i arddangos wedi gwneud llawer mwy o les, wrth gwrs, na'r teyrngarwch rhigolus sydd yn ei hanfod yn wrth-lenyddiaeth, ond yr oedd argyfwng y Gymraeg, gwaetha'r modd, wedi peri meddwl ers tro byd fod pob 'annheyrngarwch' o reidrwydd yn ddinistriol. Y gwrthwyneb, fynychaf, sy'n wir ym myd celfyddyd ac yn llenyddiaeth y Gymraeg gellir pwyntio at y glöwr fel enghraifft o gymeriad a grebachwyd gan deyrngarwch.[26]

Yn y cyswllt hwn y mae'n rhaid nodi cyn lleied o sylw a roes O. M. Edwards, arch-lwyfannwr y werin ddyrchafol, i'r glowyr. O hyd ei din, chwedl Ellis Wynne, y dewisodd ymwneud â'r dosbarthiadau

diwydiannol bron yn ddieithriad ac y mae ei ddiffyg cydymdeimlad
â'r proletariat a'r 'bourgeoisie' fel y'i gilydd wedi'i ddinoethi'n
ddiseremoni gan Emlyn Sherrington yn ddiweddar.[27] Heb os, yr
oedd yn amheus o'r defnydd y gallai ei wneud o'r glöwr yn enw'r
'Gymru lân' y gwnaeth gymaint dros y blynyddoedd i'w harddangos
yn ei thegwch. Ag ochenaid o ryddhad y gorffennodd ei adroddiad ar
yr Eisteddfod Genedlaethol stormus honno yn Abertawe yn 1891 lle'r
ymosododd corwynt ar y pafiliwn ac y daeth y miloedd glowyr ar
ruthr i gefnogi'r corau. Tystiodd fod 'Shoni', er iddo gael ei brofi'n
galed gan sawl gwlychfa, wedi dangos ei fod yn un piwr a boneddigaidd
er gwaethaf popeth: 'Clywais droion mai creadur garw ac anhyblyg
ydyw glowr y Deheudir; ond, wedi ei weled yn ei Eisteddfod ei hun,
bydd gennyf barch iddo tra byddaf byw.' Eto i gyd ymhen dwy
flynedd, pan ymddangosodd hanes 'Diwrnod ym Mlaenau Ffestiniog'
yn *Cymru*, fe'i gwnaeth yn glir fod y chwarelwyr y ceisiodd glowyr y
De eu perswadio yn 1887 i daflu eu Beiblau o'r neilltu yn rhy dda i
gymryd eu tywys gan gynhyrfwyr sosialaidd. 'Roedd yr amgylchedd
diwydiannol a fridiai'r rheini yn 'lladd y meddwl' ac yn creu
meddwon. 'Does ryfedd, felly, mai'r glowyr crefyddgar, 'Duwiolion
y Dyfnderoedd', yw'r unig gategori o lowyr i gael sylw penodol yn
Cymru.[28]

Â theip o löwr gwladgarol-ddefnyddiol yn hytrach nag â glowyr fel
unigolion amryfath yn byw a llafurio mewn diwydiant a ofynnai
ormod ganddynt y bu'r Gymraeg yn ymwneud yn bennaf rhwng
1850 ac 1950. Nid yw bron byth i'w weld wrth ei waith, hyd yn oed
pan ysgrifennir amdano gan gyn-lowyr, ac yn anwesiaith yr
edmygedd a'r cydymdeimlad a lapiodd Ieuan Gwynedd amdano yn
1852 y cyflwynir ef dro ar ôl tro. 'Dyn at iws gwlad' ydyw nad yw bron
byth yn dramgwydd i neb. Nid yw'r Gymraeg wedi sôn am ei gieidd-
dra, fel y gwnaeth Rhys Davies yn ei stori ddidostur, 'Nightgown', ac
nid yw wedi ei ddal yn ei ddolur arwrol wrth y ffas fel y gwnaeth
B. L. Coombes yn *These Poor Hands* (1939). Gŵr unwedd ei
ddymunoldeb fu glöwr y Gymraeg am y rhan orau o'i oes.[29]

Yr oedd iddo, wrth gwrs, fwy nag un wedd—rhai ohonynt yn bur
arw fel y gellid disgwyl o gofio amodau'i waith a'r tensiynau a achosid
ganddynt. Ni raid ond darllen hanes achosion llys mewn papurau fel
y *Western Mail* a'r *South Wales Daily News* i ddod wyneb yn wyneb ag
elfennau treisgar ym mywyd y De diwydiannol—ac nid oedd y De yn
hynny o beth yn wahanol i ardaloedd eraill ym Mhrydain a
ddiwydiannwyd yn drwm. Mae ysgolheigion fel D. J. V. Jones a

W. R. Lambert wedi llwyddo i drafod egrwch troseddol y De yn wrthrychol heb geisio celu ffeithiau annymunol. Yr oedd yn llawer anos i Gymry Cymraeg Oes Victoria drafod y mater yn sobor gan fod baich delwedd 'Cymru lân' yn pwyso mor drwm ar eu hysgwyddau. Osgoi sôn amdano oedd y peth callaf i'w wneud—ond weithiau ni ellid dal rhag protestio.[30]

Yn *Codi'r Hen Wlad Yn Ei Hôl* (1989)[31] dyfynnwyd collfarn y Parch. Gwilym Davies ar anfoesoldeb Cymru, yn arbennig felly yn y parthau diwydiannol. Yn 1893 yr oedd golygydd *Tarian y Gweithiwr* wedi galw am fflangellu'r treiswyr a ymosodai ar ferched a gwragedd y cymoedd a gellir olrhain ei ddicter at lith olygyddol, 'Gwersi y Brawdlys', a ymddangosodd ar 17 Chwefror 1887 yn dilyn cynnal brawdlys yng Nghaerdydd. Bu cywair ei gonsýrn yr un mor uchel ar hyd yr amser:

'Bu y barnwr am agos i wythnos yn myned trwy y llechres ddu o droseddau a ddeuai ger ei fron; ac yr oedd rhai o'r cyfryw mor ffiaidd ac mor aflan, ac mor anifeilaidd a dim a ddaeth dan ein sylw erioed.'

Cafwyd tri yn euog o dreisio merched bach o wyth i ddeuddeg oed:

'Amlwg ydyw nad yw yn ddyogel gadael i ferched bychain wyth mlwydd oed i fyned allan i'r heol i chwarae yn Nghwm Rhondda, a hyny ganol dydd goleu ...'

Rhybuddiwyd y mamau i ofalu am eu merched:

'Peidier eu gadael i fyned i chwareu i'r heolydd, oddieithr yn ngofal rhywun y gellir ymddiried yn ei onestrwydd a'i synwyr; ac yn arbenig peidier eu gadael allan y nos ar oriau anmhriodol. Dangosodd y brawdlys diweddaf nad yw hyn yn ddyogel hyd yn nod mewn lleoedd poblogaidd.'

Gallai'r golygydd nodi dau wreiddyn, nid annisgwyl, i'r drwg—y ddiod feddwol a'r 'estron ddyn' dirywiedig:

'Yr oedd yn dda genym weled nad oedd yr un o'r dyhirod hyn, mor bell ag y gellid casglu oddiwrth eu henwau, yn Gymry o ran gwaedoliaeth. Trueni dirfawr fod estroniaid yn dyfod i'n gwlad, ac yn cyflawni pob erchylldod y gall y diafol awgrymu iddynt, a thrwy hyny yn tynu gwaradwydd arnom fel bydd yn sicr o gydio mewn ereill, ac ofnwn i Gymry glan, gloew gael eu llygru ganddo. Peth heintus yw llygredigaeth. Y mae drygioni yn fwy "catching" na'r dwymyn waethaf. Rhaid i ni wneud ein goreu i ysgubo y tir oddi wrtho.'[32]

Dyna'r agwedd a'i gwnaeth hi'n bosibl i Richard Llewellyn gyhoeddi nofel yn 1939 ac ynddi'r bennod anhygoel honno, pennod 17, lle mae'r glowyr dan arweiniad y gweinidog, Mr. Gruffydd, yn dal treisiwr y ferch fach ar y mynydd a'i roi yn nwylo ei thad a'i brodyr i'w ddifa. Cofiwn eiriau Mr. Gruffydd:

> ' "Beasts live among you," he shouted, "working with you shoulder to shoulder, who will kill your children and go their ways unpunished. They will make of your community a morass of corruption . . . Such beasts you shall exorcise, as He did with the Gadarene swine . . ." ' '

Gofalodd Richard Llewellyn fod Idris Atkinson, y treisiwr, yn wawdlun o lygredd 'the dross of the collieries'. Un o'r 'inter-breed Welsh' ydoedd ac y mae'r bennod yr ymddengys ynddi ar ei hyd yn deilwng o foesoldeb y Ku Klux Klan.[33]

Y mae tystion eraill y gellid eu galw. Datgelodd y Parch. Tywi Jones[34] yn ei 'Atgofion' nad peth anarferol oedd cynnig gwaith i löwr yn gyfnewid am gyfathrach â'i wraig a disgrifiodd ymladdgarwch digymell rhai o'r glowyr. Gwnaeth David Williams (Alaw Orchwy)[35] yr un peth:

> 'Gwelais gymeriadau garw iawn, oherwydd yr oeddynt yn dod o bob man. Yn aml chwi a welwch chwech, neu saith ymladdfa o flaen Tafarn Cwmdar ar yr un pryd. Yr oeddwn yn aros o fewn pump drws i'r dafarn, ac edrychwn ar yr ymladdfeydd hyn gydag atgasrwydd—ond heddiw fe'i gelwir hi yn "noble art of self-defence". Ond, er hynny, y mae y ffurf yna wedi diflannu bron yn llwyr, a diolch am hynny.'

Disgrifiodd Daniel Davies ymladdfeydd a oedd hyd yn oed yn waeth na'r rhai a gofiai Alaw Orchwy:

> 'Women under the influence of drink quarrelled; and, incited by the men-folk, would fight each other, usually by digging their nails into the other's face and pulling handfuls of hair. Some, more skilled, used their fists like men. I remember several such bouts where the men formed a ring and the women doffed their jackets. These brutish displays occurred as a rule on the Monday following pay-day.'

Nid oes dianc rhag canlyniadau'r diota trwm a oedd yn ffaith holl-bresennol ym mywyd y cymoedd glo. Pan oedd modd cael peint o'r cwrw gorau am dair ceiniog, cofiai Daniel Davies dafarnwr yn Ferndale, lle'r oedd pum tafarn yn yr 1880au, yn datgan iddo gael nos Sadwrn wael os nad oedd wedi derbyn £350 dros y cownter![36]

Yr oedd yn annichon i awduron y Gymraeg gymathu defnyddiau o'r fath i'w llenyddiaeth ond i'r graddau fod arnynt eu hangen i bropagandeiddio dros fuchedd dda. Defnyddiau ar gyfer pregeth a thract oeddynt yn bennaf ac fe wyddai Daniel Owen hynny cystal â neb. Mae teip yn llai o fygythiad i'n dynoliaeth nag unigolyn. Perygl storïa am gymeriadau drwg yw eu gwneud yn bobol ddiddorol ac ni ellid goddef hynny yng Nghymru Oes Victoria, nac am ran dda o'r ganrif hon, chwaith. Yr oedd yn rhaid i Daniel Owen, a greodd yn Capten Trefor un o gymeriadau mwyaf atynnol llenyddiaeth y Gymraeg, ofalu fod ei ddrygioni yn cael ei gosbi'n hen-destamentaidd o lym er mwyn i'r gymdeithas a'i dyrchafodd gael ymblesera yn ei chyfiawn lid. Ond y peth callaf i'r Gymraeg oedd mynd o'r naill ochor heibio i bob anfadwaith.

Yn 1911 achwynai W. Rowland Jones, Merthyr, yn *Y Geninen* am fod cyn lleied o feirdd Cymru wedi canu 'dros ryddid a chyfiawnder ac yn erbyn gormes a thrais.' O ddosbarthu'r beirdd a ganodd i'r werin yr oedd 'Yr Arlunwyr', beirdd y golygfeydd a'r sentimentau neis, yn llawer lluosocach na'r 'Diwygwyr', sef y rhai a oedd 'yn dadleu hawl y gweithwyr hyn i fanteision a breintiau bywyd.' Bu'r awen Gymraeg yn rhy barod i anwireddu am 'y bwthyn bach tô gwellt.' Yn yr un cylchgrawn, yn 1922, gresynai J. Griffiths, Rhydaman (James Griffiths, mae'n siŵr) wrth ystyried 'Llen Cymru a Llafur' am fod ei gydwladwyr mor araf i ganfod arwyddocâd cymdeithasegol llenyddiaeth: 'Prin y gallwn gredu rywsut i feirdd a llenorion Cymru rodio llwybrau'r meudwy, a dianc ar bob cyffro a fu o bryd i bryd ym mywyd cymdeithas. Mwy naturiol yw tybio mai diffyg diddordeb ym mhynciau cymdeithas a barodd inni i fesur golli golwg ar y wedd hon ar ein llen.' Nid am fod ganddo 'unrhyw weledigaeth ar y pwnc' yr aeth ati i ysgrifennu ond am fod ganddo 'awydd gwybod i ba fesur y mae llen Cymru'n ddrych o fywyd cymdeithas, ac y bu'n beirdd a'n llenorion yn mynegi dyheadau dyfnaf gwerin yn ei chyni.' Y mae'n drueni, yn wyneb gwerth ei awydd, i J. Griffiths ymgyfyngu ei hun i'r blynyddoedd rhwng 1815 ac 1820, heb fentro cam yn nes at ei gyfnod ei hun.[37]

Bydd y gyfrol hon o leiaf yn mentro cyn belled â throthwy ail hanner yr ugeinfed ganrif ond rhag i ryw adolygydd mwy delff na'i gilydd ei chollfarnu am anwybyddu glowyr llên yr Eingl-Gymry, gwell dweud nawr na fwriadwyd iddi fod yn astudiaeth gymharol. Byddaf yn fodlon os gwelir hi fel cam i gyfeiriad astudiaeth o'r fath. Ni bydd, chwaith, yn mentro i fyd glowyr Gogledd Cymru. Mae

gennyf ddau reswm dros ymatal. Yn gyntaf, 'rwy'n gwybod rhy
ychydig amdanynt i'w trafod yn deilwng. Yn ail, y mae ganddynt yn
y ddau frawd, T. Wilson Evans ac Einion Evans, ddau ladmerydd
sydd eisoes wedi dangos mai sialens i awduron o'u gallu a'u profiad
hwy yw dal dros fyth mewn geiriau gamp a rhemp glöwr y Gogledd.
Cynhyrfwyd Saunders Lewis gan ddefnydd Wilson Evans o dafodiaith
glowyr gogledd-ddwyrain Cymru yn ei nofel, *Rhwng Cyfnos a Gwawr*
(1964), i lawenhau am 'fod yr iaith hon yn frawychus ogoneddus
fyw.' Gwnaeth iddo feddwl am Ffrangeg Céline ac ychwanegodd:
'Dyma nofel sy'n peri i mi gofio am nofelau cynnar D. H. Lawrence.
Ar air, nofel i beri i John Morris-Jones droi yn ei fedd ac i Dostoiefsci
godi ohono.' Er nad yw *Rhwng Cyfnos a Gwawr* wedi elwa ar glod
Saunders Lewis i'r un graddau â phryddest Dyfnallt Morgan, 'Y
Llen', y mae eraill wedi cael achos da er hynny i gydnabod dawn
Wilson Evans. Yn 1983, tro tri beirniad cystadleuaeth Y Fedal
Ryddiaith yn Eisteddfod Genedlaethol Ynys Môn ydoedd i'w
chlodfori wrth wobrwyo ei nofel fer fuddugol, *Y Pabi Coch*—nofel a
wnaeth i Islwyn Ffowc Elis synhwyro fod athrylith ar waith ac a
wnaeth i Branwen Jarvis ddal fod ynddo 'ddeunydd nofel epig
fawr.'[38]

Ni chaf mohoni'n anodd i gytuno â'r beirniaid ac fel y prawf
hunangofiant ei frawd, *Tri-Chwarter Colier* (1989), y mae Einion
Evans yntau wedi'i gynysgaeddu yr un mor hael. Pwy ŵyr nad yw'r
nofel fawr a'r gerdd fawr am y glöwr Cymraeg i godi, nid o faes glo
tymhestlog y De, ond o faes glo llai trystfawr y gogledd-ddwyrain. Y
parthau hynny a roes Daniel Owen i ni wedi'r cyfan ac ni raid amau
ar ôl darllen eu gwaith fod yr Ifansiaid, ganrif wedi ei farw, yn dal
mewn cyswllt â'r Gymraeg a glywsai ef yn feunyddiol. At hynny, y
maent yn ddychanwyr wrth reddf. Siaradant briod iaith Daniel Owen
fel artistiaid, hefyd.

Bellach bydd yn rhaid i awduron Cymru ailddarganfod ac ail-greu
cyfnod arwrol y diwydiant glo cyn y cloddir llenyddiaeth o bwys
ohono. Ffrwyth ymchwil synfawr a dychymyg eofn wedi esgor ar iaith
ddi-dderbyn-wyneb fydd honno. Prin fod yn weddill erbyn hyn
ddiwydiant i sylwi arno a'i ddelweddu'n realaidd. Rhwng 1850-1950
y dylasid gwneud hynny. Ni wnaed am fod gormod o ystrydebau, fel
drams wedi mhoelyd, ar ffordd y Gymraeg. Y mae ei glöwr hi o'r
herwydd yn ffigur lledfyw ac yn y gobaith y caiff fywyd helaethach yn
llên y dyfodol yr ysgrifennwyd y gyfrol hon. A yw hi'n rhy hwyr i
Eisteddfod y Glowyr wneud cynhyrchu llenyddiaeth o bwys am

fywyd y glöwr yn briod bwrpas iddi? Y mae'r corau wedi cilio. Dyma'r amser i annog amryfal ysgrifenwyr i ymroi i ddweud stori fawr y De—a stori fwyaf y Gymru fodern. Ni allai dim fod yn fwy teilwng o'r weledigaeth a ddaeth â'r Eisteddfod glodwiw hon i fod yn 1948.

NODIADAU

[1] Gwyn A.Williams, *When was Wales?* (Penguin, 1985), 224.

[2] H. Elvet Lewis, *With Christ Among the Miners. Incidents and Impressions of the Welsh Revival* (London, 1906). Gw. y 'Preface'.

[3] Thomas Williams (Brynfab), *Pan Oedd Rhondda'n Bur* (ail argraffiad: 1931). Ceir golwg ddifyr ar ei fyd llenyddol gan Beti Rhys, 'Bywyd Llenyddol Pontypridd a'r Cylch yn ystod y Bedwaredd Ganrif ar Bymtheg gan gynnwys Hanes Clic y Bont,' *Y Traethodydd*, Gorffennaf 1990, 131-50.

[4] *Y Traethodydd*, VI, 1860, 132-40.

[5] *Y Gweithiwr,* 5 Mai 1860, 6; Dr. James Rogers, *A Sketch of the Cholera Epidemic at Ystalyfera in 1866* (Swansea, 1867).

[6] *Y Gweithiwr*, 26 Tachwedd 1859, 6.

[7] Glanffrwd, *Llanwynno* (argraffiad newydd: Caerdydd, 1949), 13, 238-9. Fe'i cyhoeddwyd gyntaf yn llyfr yn 1888 ar ôl ymddangos fesul darn yn *Tarian y Gweithiwr*, 1887-8.

[8] O. ap Harri, *Y Dosbarth Gweithiol yng Nghymru* (Caerfyrddin, 1867), 45.

[9] Hywel Teifi Edwards, *Gŵyl Gwalia. Yr Eisteddfod Genedlaethol yn Oes Aur Victoria 1858-1868* (Llandysul, 1980). Gw. penodau II, III.

[10] *Yr Adolygydd*, I, 1850, 385-99. Enillwyd y wobr gan Thomas Jenkins, ysgolfeistr yn Nowlais ond nid ymddengys i'w draethawd gael ei gyhoeddi. Gw. Mair Elvet Thomas, *Afiaith yng Ngwent* (Caerdydd, 1978), 75.

[11] P.J.Keating, *The working classes in Victorian fiction* (London, 1971: ail argraffiad 1979). Gw. '1. The two traditions, 1820-80,' 1-30.

[12] ibid., 235-6. Yn Eisteddfod Genedlaethol Llandudno, 1896, traddododd Tirebuck ddarlith gerbron y Cymmrodorion ar 'Welsh Thought and English Thinkers.' Ple ydoedd dros gyfieithu gweithiau Cymraeg i'r Saesneg gan fod Lloegr yn cymryd yn ganiataol nad oedd y fath beth â 'Welsh thought' yn bod. Cyfrifoldeb y Cymry oedd defnyddio'r Saesneg i amlygu eu golud llenyddol, nid dim ond trwy gyfieithu ond trwy ddysgu cyflwyno yn y Saesneg yn ogystal â'r Gymraeg 'Welsh life, character, history, sentiment, and thought.' Mewn gair, yr oedd Tirebuck yn galw am greu corff o lenyddiaeth Eingl-Gymreig er mwyn gwared Cymru o'i dinodedd: 'Not until this literary justice was done to Wales would the Welsh have justice in other ways, or that fuller recognition in the affairs of Great Britain and Greater Britain to which their history, their poetry, their love of their country, and their duty to the empire had long since entitled them.' Gw. *National Eisteddfod Association Report. Llandudno National Eisteddfod*, 1896 (1897), 48-54.

[13] David Smith, 'Myth and Meaning in the Literature of the South Wales Coalfield—The 1930s,' *The Anglo-Welsh Review*, Spring, 1976, 21-41; Raymond Williams, *Problems in Materialism and Culture* (London, 1980: second edition 1982). Gw. 'The Welsh Industrial Novel,' 213-29; Glyn Tegai Hughes, 'The Mythology of the Mining Valleys,' yn Sam Adams and Gwilym Rees Hughes (eds.), *Triskel Two* (Llandybïe, 1973), 42-61; M.Wynn Thomas, *Internal Difference* (Cardiff, 1992). Gw. 'Writing Glamorgan,' 25-48; James A. Davies, 'Kinds of Relating: Gwynn Thomas (Jack Jones, Lewis Jones, Gwyn Jones) and the Welsh Industrial Experience,' *The Anglo-Welsh Review*, 86, 1987, 72-86. Yn ei erthygl ar 'The Future of the Industrial Novel in Great Britain,' *Welsh Review*, 2, 1939, 154-8 yr oedd 'Mulciber' yn daer dros weld cyfansoddi'r epig ddiwydiannol ddiamheuol gan rybuddio na cheid mohoni ar chwarae bach.

[14] *Llafur*, 5, No.1, 37-44.

[15] Raymond Williams, 'The Welsh Industrial Novel,' 219.

[16] *Tarian y Gweithiwr*, 8 Chwefror 1912, 7.

[17] ibid., 16 Rhagfyr 1926, 1.

[18] T. J. Morgan, *Diwylliant Gwerin ac Ysgrifau Eraill* (Llandysul, 1972); Brynley F. Roberts, 'Argraffu yn Aberdâr,' *Journal of the Welsh Bibliographical Society*, XI, 1973-4, 1-53; Huw Walters, *Canu'r Pwll a'r Pulpud* (Cyhoeddiadau Barddas, 1987) a *Cwm Glo* (Abertawe, 1976); Siân Rhiannon Williams, *Oes y Byd i'r Iaith Gymraeg* (Caerdydd, 1992); Menna Davies, *Traddodiad Llenyddol y Rhondda*. Traethawd Ph.D. Prifysgol Cymru, 1981; Glyn Ashton, 'Literature in Welsh c.1770-1900,' yn Prys Morgan (ed.), *Glamorgan Society 1780-1980*. Vol. VI of the Glamorgan County History (Cardiff, 1988), 333-52; Islwyn and Jean Jenkins, *Beyond the Black Tips* (Aberystwyth, n.d.).

[19] Gw. Martha Vicinus, 'Chartist Fiction and the Development of a Class-based Literature,' yn H. Gustav Klaus (ed.), *The Socialist Novel in Britain* (New York, 1982), 7-25; Y Parch. T. Eirug Davies (gol.), *Ffrwythau Dethol, sef cyfrol o weithiau'r Parch. Ben Davies (Pant-teg)*. (Llandysul, 1938), 35-43; Glasnant, *Cyn Cof Gennyf a Wedyn* (Abertawe, 1949), 6-15; H. T. Jacob, *Atgofion H. T. Jacob* (Abertawe, 1960).

[20] *Western Mail*, 15 August 1893, 6; *Tarian y Gweithiwr*, 17/24/31 Awst, 7/21 Medi 1893; ibid., 17 Mawrth 1887, 3. *Y Darian*, 29 Ionawr 1925, 3; ibid., 29 Gorffennaf 1926, 5; Aled Jones, *Press, Politics and Society. A History of Journalism in Wales*. (Cardiff, 1993), 284 (troednodyn 107).

[21] Aled Jones, *Press, Politics and Society*, 39; *Y Gweithiwr*, 25 Medi 1858, 4; 23 Ebrill 1859, 4—dechrau cyfres lythyrau 'Nai Shon y Gof'; 30 Gorffennaf 1859, 6—dechrau cyfres erthyglau 'Glan Cadnant'; 26 Tachwedd 1859, 4-5; 10 Rhagfyr 1859, 2; 17 Rhagfyr 1859, 2.

[22] *Amddiffynydd y Gweithiwr*, 16/23 Ionawr 1875, 5; 6 Chwefror 1875, 5; 26 Mehefin 1875, 3.

[23] *Y Gweithiwr Cymreig*, 29 Ionawr 1885, 5; 5 Chwefror 1885, 1—dechrau cyhoeddi traethawd Evan Powell; 10 Rhagfyr 1885, 5; 31 Rhagfyr 1885, 3; 26 Medi 1889; Ioan Matthews, 'Maes y Glo Carreg ac Undeb y Glowyr 1872-1925,' yn Geraint H. Jenkins (gol.), *Cof Cenedl VIII*, 1993, 133-64.

[24] *The Cardiff Times*, 23 August 1861.

[25] Y Parch. T. Roberts (gol.), *Gweithiau Barddonol Ieuan Gwynedd* (Dolgellau, d.d.). Gw. 'Can y Glowr', 231-2.

[26] *Cyfansoddiadau a Beirniadaethau Eisteddfod Genedlaethol Bangor a'r Cylch, 1971*, 1-16; Dafydd Roberts, 'Y Deryn Nos a'i Deithiau: Diwylliant Derbyniol Chwarelwyr Gwynedd,' *Cof Cenedl III*, 1988, 151-79. Am ymateb i'r cythrwfl a achoswyd gan yr erthygl gw. Emyr Price, 'Y Chwarelwr a'i Fyd: a'r Cymry croendenau unllygeidiog,' *Barn*, Mai 1988, 9-10.

[27] Emlyn Sherrington, 'O. M. Edwards, Culture and the Industrial Classes,' *Llafur*, 6, Rhan 1, 1992, 28-41.

[28] O. M. Edwards, 'Abertawe' yn *Tro i'r De* (Caernarfon, 1907), 79-102; idem., 'Llwybrau Newydd,' yn *Er Mwyn Cymru* (Wrecsam, 1922), 86-9.

[29] Cyhoeddwyd 'Nightgown' yn Rhys Davies, *A Finger in Every Pie* (London, 1942); B. L. Coombes, *These Poor Hands: the autobiography of a miner working in South Wales* (London, 1939).

[30] Ceir golwg glir ar droseddau a meddwdod yn y De diwydiannol gan D. J. V. Jones, *Crime and Punishment in Nineteenth-Century Wales* (Cardiff, 1992) a chan W. R. Lambert, *Drink and Sobriety in Victorian Wales c.1820-c.1895* (Cardiff, 1983); idem., 'Drink and work-discipline in Industrial South Wales, c.1800-1870,' *The Welsh History Review*, 7, 1974-5, 289-306.

[31] Hywel Teifi Edwards, *Codi'r Hen Wlad Yn Ei Hôl 1850-1914* (Llandysul, 1989), 13.

[32] *Tarian y Gweithiwr*, 17 Chwefror 1887, 5.

[33] Richard Llewellyn, *How Green was My Valley* (New England Library. New Edition, 1987), 157.

[34] 'Atgofion Hen Lowr,' *Y Brython*, 21 Mawrth—16 Mai 1935. Yn rhifyn 28 Mawrth t. 3 disgrifiodd drip i Lyn y Fan Fawr ar y Sul cyntaf yn Awst pan aeth yn ymladdfa rhwng glowyr a fuasai'n diota am fod rhywrai heb dalu rownd. Fe'u cosbwyd: 'Ni welais erioed y fath farbareiddiwch. Cicient hwy yn eu pennau a'u hwynebau a'u hochrau nes oeddynt yn ddiymadferth, a'u gwaed yn llifo.' Brwydr rhwng cydweithwyr oedd hi! Yn rhifyn 18 Ebrill, t. 2 adroddodd ei brofiad yn un o byllau Powell and Dyffryn: 'Nid oedd lewyrch ar ddim yno, a hen swyddogion di-egwyddor, aflan, mewn awdurdod. Y peth cyntaf a ofynnai rhai ohonynt i ddyn a geisiai waith oedd:
"Wyt ti'n briod?"
Pan fyddai'r ateb yn gadarnhaol gofynnid eto:
"Shwd wraig sy' 'da ti?"
Clywais am weithwyr felly a werthai anrhydedd eu gwragedd eu hunain er mwyn cael lle da yn y gwaith. Gadewais y pwll hwnnw gyda dirmyg.'

[35] David Williams (Alaw Orchwy), *Atgofion Bore Oes yn y Rhondda* (Pontypridd, 1937), 22-3.

[36] David Davies, 'The Rhondda in the Eighties,' *The Quarterly Review*, 1961, 217-30.

[37] W. Rowland Jones, 'Dyngarwch a'r Beirdd Cymreig,' *Y Geninen*, XXIX, 1911, 133-7. J. Griffiths, 'Llen Cymru a Llafur,' *Y Geninen*, XL, 1922, 10-16.

[38] *The Western Mail*, 28 January 1965, 11; *Cyfansoddiadau a Beirniadaethau Eisteddfod Genedlaethol Ynys Môn, 1983*, 113-9.

Gwyrthiol Hil y Graith Las

'Ond i mi bro lludw a mwg
Yw'r geinaf ym Morgannwg
Lle mae clytwaith gymdeithas
A gwyrthiol hil y Graith Las'.

Morgannwg. (T. Llew Jones)

Pan ysgrifennodd W. J. Perkins, Caerdydd ei erthygl ar 'Masnach y Glo a Llongwriaeth' ar gyfer yr arolwg, *Cymru: Heddyw ac Yfory*, a gyhoeddwyd yn 1908, ni allai ond rhyfeddu at ryferthwy maes glo'r De a welsai ddyfodiad 320,000 o ymfudwyr rhwng 1851 ac 1911. Erbyn 1906 rhôi waith i 175,000 o lowyr a'r flwyddyn honno codwyd 47 miliwn tunnell o lo, sef y ddeuddegfed ran o holl gynnyrch glofeydd y byd. Teyrnasai'r 'Brenin Glo' yng Nghymru dros diriogaeth helaeth: 'Y mae'r wlad o Bontypwl, yn y dwyrain, hyd Bembre, rhyw 750 milltir ysgwar, wedi dod yn grwybr o weithfeydd, yn yr hwn y preswylia dwy ran o dair o boblogaeth Cymru.'[1]

Bŵl y deyrnas oedd Morgannwg, trysorfa'r glo ager. Cynyddodd nifer trigolion plwyf Aberdâr o 14,999 yn 1851 i 32,299 yn 1861. 'Roedd y Morlys wedi barnu yn 1851 fod yn rhaid i'r Llynges Brydeinig wrth lo ager Cwm Cynon, a'r cwm hwnnw'n bennaf a atebodd y galw cynyddol amdano tan i Gwm Rhondda gymryd y blaen yn y 70au. Cododd cynnyrch glo'r Rhondda rhwng 1874 ac 1913 o 2.1 i 9.5 miliwn tunnell y flwyddyn a chynyddodd poblogaeth y cwm o 951 yn 1851 i uchafswm o 167,000 yn 1924—mwy na chyfanswm trigolion Ceredigion, Meirionnydd a Threfaldwyn gyda'i gilydd. O'r 144,705 o ddynion a gyflogid ym mhyllau glo a chwareli Cymru yn 1891, gweithiai 82,160 ohonynt ym Morgannwg. Codasai'r ffigur i 107,859 allan o 188,958 erbyn 1901 ac erbyn 1911 'roedd yn 150,694 allan o 256,250.[2]

Yn 1920 yr oedd cynifer â 271,000 o lowyr ym maes glo'r De a dywedir eu bod, ynghyd â'u teuluoedd, yn cyfrif am 35% o boblogaeth Cymru gyfan. Y mae cyfrol David Egan ar *Y Gymdeithas Lofaol* (1988) yn gyflwyniad ardderchog i'w byd ac wrth geisio dirnad aruthredd llif y bywyd nad yw'r ystadegau namyn chwisigod ar ei wyneb, y mae'n dda cael golau geiriau John Davies: 'Erbyn 1880, ac

Pwll Glamorgan, Llwynpia, *c.* 1910.

Amgueddfa Genedlaethol Cymru

am hanner canrif wedi hynny, gweithiai rhwng chwarter a thraean
llafurlu gwrywaidd Cymru yn y diwydiant glo. O ychwanegu'r rheini
a ddarparai wasanaethau ar gyfer y glowyr, ynghyd â'r docwyr a'r
gwŷr rheilffordd a oedd yn ymwneud â chludo glo, bu cyfnod pan
oedd dros hanner y genedl Gymreig yn ddibynnol ar un diwydiant,
sefyllfa hynod, os nad unigryw, yn hanes yr Ewrop ddiwydiannol.'[3]

O ganol y ganrif ddiwethaf ymlaen byddai cymoedd y De a'u
cymunedau cymysgryw yn eplesu nes dod yn nod amgen Cymru yng
ngolwg y byd. Wrth ddilyn tywysydd o hanesydd cymdeithasol mor
sicr ei gam â Ieuan Gwynedd Jones, deuwn i ddeall sut a pham y
digwyddodd hynny, a chawn ymgydnabod ag amrywiol deithi
diwylliant y pentrefi glofaol a oedd o'r cychwyn yn gynnyrch egnïon
crefydd hyderus, caledwaith diarbed a chyd-ddibyniaeth—diwylliant,
hefyd, y bu'r Gymraeg o'r cychwyn yn fold ac yn llais iddo. Yn
goron ar y cyfan, o safbwynt mater y gyfrol hon, cawn wrando arno'n
trin priodoleddau glowyr Oes Victoria a dysgu na ddylid eu gweld
bryd hynny—nac wedi hynny chwaith—megis gweithlu unwedd gan
fod y cymunedau a grewyd ganddynt mewn gwahanol fannau ac ar

wahanol adegau yn tystio i'w hamrywiaeth. Ni chaniatâi daeareg y maes glo dwf cymunedau unffurf. Nid tan yr 80au, er enghraifft, y dechreuodd y maes glo carreg i'r gorllewin o Gwm Tawe ddatblygu mewn difrif, ac erbyn hynny 'roedd oes y glo ager yn ei hanterth. Ni phrofodd y maes glo carreg dwf mor ffrwydrol ac felly bu cynnydd cymunedau glofaol y gorllewin yn fwy cydnaws â'r hen gynefin. 'Mae Colier y Glo Carreg,' meddai Johnny James a fu'n asiant iddo o 1913 tan 1940, 'yn ddyn sydd a mandrel yn yr un llaw a pâl yn y llaw arall, yn gorfforol ac ysbrydol.'[4]

Ni all rhybudd Ieuan Gwynedd Jones, fodd bynnag, ond ein gwneud yn fwy ymwybodol o'r ffaith mai unwedd ac unffurf yw glöwr cynddelwig llên y Gymraeg rhwng 1850 ac 1950, a bod ei ddelwedd yn Oes Victoria wedi ymgaledu'n ystrydeb na fedrodd Undebaeth Newydd y cyfnod Sosialaidd ar ôl 1910 mo'i chwalu. Ar sail ei ddewrder wrth wynebu peryglon beunyddiol dan ddaear a dioddefiadau streic a 'chloi mas' pan anwybyddai'r perchnogion ei ble am degwch; ar sail ei barch at grefydd ac addysg a'i ymroi cyson i ymddiwyllio; ar sail ei ddyngarwch a'i sêl radicalaidd dyrchafodd y Gymraeg yn ei llên glodydd glöwr a oedd yn ei hanfod yn gynhaliwr arwrol teulu a chymdeithas.

Mae'n wir fod y wasg Gymraeg, er nad i'r un graddau â'r wasg Saesneg, droeon wedi edliw iddo ei eithafion a'i rysedd pan heriai'r drefn neu pan ddathlai'i ddiwrnod gŵyl, a'i bod ar hyd y blynyddoedd wedi ymboeni am burdeb ei fuchedd a'i gynghori'n fynych i ymddiwygio. Yr un, yn hynny o beth, oedd hanes y glöwr yn Lloegr a'r Alban, hefyd. Ond ni raid ond darllen adroddiadau'r wasg Gymraeg ar streiciau ciaidd 1871, 1873, 1875, 1893, 1898, 1910, 1912 ac 1926 i weld pa mor ddwfn oedd ei chydymdeimlad â'r arwr dioddefus. Ni raid ond darllen hanes trychinebau maes glo'r De i sylweddoli maint ei hedmygedd ohono.

Rhwng 1844 a diwedd 1871 'roedd 914 o ddynion a bechgyn ym Morgannwg wedi'u lladd gan ffrwydriadau yn unig. Collwyd 279 o fywydau rhwng 1865 ac 1866, sef un bywyd a hanner am bob 100,000 tunnell o lo a godwyd. Ar ddiwedd y 70au 'roedd cyfradd marwolaethau dan ddaear yn y De 50% yn uwch na chyfradd y diwydiant glo ym Mhrydain yn gyffredinol ac 'roedd yn dal i fod 25% yn uwch yn 1914. Mewn erthygl ar 'Workmen's Compensation of the South Wales Miner, 1898-1914', dangosodd Dot Jones fod dros 5,000 o lowyr wedi'u lladd yn ystod y cyfnod hwn. Mae'n hysbys fod 2,578 o drueiniaid wedi'u lladd mewn ffrwydriadau rhwng 1874-1914, 290 ohonynt ym Mhwll yr Albion, Cilfynydd yn 1894 a 439 yn yr Universal, Senghennydd, yn 1913, ond pan ychwanegir at yr ystadegau enbyd hyn niferoedd y rhai a ddioddefodd niweidiau drwg y mae'n anodd peidio â gweld maes glo'r De ond yn nhermau maes rhyfel gwaedlyd. I ddyfynnu Dot Jones : 'In the seven years, 1908-14, for which detailed statistics are available the aggregate number of reported serious injuries is 8,674 in 8,127 separate accidents. If the datum is taken as "all non-fatal injuries causing disability lasting more than seven days", the astonishing total is 245,564, or an average annual injuries to workmen ratio of 1:7. Even if no allowance is made for the probable understatement of accidents, it seems not unreasonable to suggest that in the years 1898-1914 as many as 400,000 individual cases of injury, fatal and non-fatal, occurred within the South Wales coalmining industry which were potentially compensatable under the terms of the Workmen's Compensation Acts of 1899 and 1906.'[5]

O ystyried tystiolaeth mor sobreiddiol ac o gofio mor anaml, diolch i Farnwyr o frid y Barnwr Bryn Roberts yng nghylch Pontypridd, y gelwid y perchnogion a'u rheolwyr i gyfrif am ddiofalwch troseddol—prin y cyffyrddodd trychineb Senghennydd â chroen yr un ohonynt gan mai £24 oedd cyfanswm y dirwyon y bu'n rhaid i'r Lewis Merthyr Consolidated Colliery Company eu talu—nid yw'n

Pwll y Maerdy cyn gwladoli'r diwydiant glo.

Cyngor Bwrdeistref y Rhondda

rhyfedd fod 'aberth y glöwr' yn ganolog i'w lên trwy gydol y ganrif sydd dan sylw yn y gyfrol hon. Gallai ddianc yn ddianaf weithiau rhag peryglon y ffas ond ni châi ddianc rhag hawl yr awen Gymraeg ar ei ddolur. Ystrydebwyd yr arwr dioddefus. Fe'i tynghedwyd i fyw'n llenyddol o drychineb i drychineb nes gorfodi'r Parch. J. J. Williams wrth feirniadu'r cywyddau i'r 'Glowr' yn Eisteddfod Genedlaethol Treorci, 1928, i brotestio: 'Pe bae cynifer o ddamweiniau yng Nghwm Rhondda ag y sydd yn y cywyddau hyn, lladdesid y glöwr olaf ers cenedlaethau.'[6]

Mae'n briodol iawn, o gofio pa mor daer yr aeth ati i achub cam Cymru ar ôl cyhoeddi Llyfrau Gleision 1847, fod Ieuan Gwynedd wedi cyfansoddi 'Can y Glowr' dridiau cyn marw yn 1852. O'r pedwar ffigur cynrychiadol a wysiwyd yn llenyddol i adfer enw da gwerin Cymru, sef y Gymraes, y bugail, y chwarelwr a'r glöwr, y ddau olaf, a'r glöwr yn bennaf, oedd y tystion agosaf at law i'r sawl a fynnai edliw bai. Dioddefai ef gam yn feunyddiol. Pwy'n well nag ef i ymgorffori loes cenedl a warthruddwyd. Wrth ganu iddo ni allai Ieuan Gwynedd wneud mwy drosto na llunio 'pastiche' o gerdd enwog Thomas Hood, 'The Song of the Shirt':

> With fingers weary and worn
> With eyelids heavy and red,
> A woman sat, in unwomanly rags,
> Plying her needle and thread—
> Stitch—stitch—stitch!
> In poverty, hunger and dirt,
> And still with a voice of dolorous pitch
> She sang the 'Song of the Shirt!'

Cynhyrfwyd awen Hood gan erthygl yn *Punch*, 4 Tachwedd 1843, ar 'Famine and Fashion'. Rhoddwyd gwraig dlawd a chanddi ddau o blant i'w cadw o flaen ei gwell am wystlo peth o eiddo'i chyflogwr. Datgelwyd yn y llys ei bod yn ennill saith geiniog am wneud pâr o drowseri ac na allai ennill mwy na saith swllt mewn wythnos pe gweithiai bedair awr ar ddeg y dydd. Aeth cerdd Hood drwy'r wlad fel fflam. Fe'i cyfieithwyd i'r Almaeneg a'r Eidaleg, Ffrangeg a Rwsieg, a'r Gymraeg a gwnaed drama ohoni. Fe'i clodforwyd gan Dickens ac eraill o wŷr mawr yr oes ond yn anad dim cafodd le yng nghalonnau'r bobol: '. . . it became one of the genuine songs of the people, an inspired cry from Hood's heart made their own by the sweated and exploited who had no voice to protest against monstrous injustice.' Gwnaeth 'The Song of the Shirt' fwy i gyffroi cydwybod gwsg Lloegr na miloedd o erthyglau golygyddol yn y wasg ac aceri o bropaganda llesolgar.[7]

Ni ddylanwadodd 'Can y Glowr'[8] yn yr un modd ar y Cymry, ac nid yw cystal â cherdd Hood fel darn o farddoniaeth bolemig. Ond fel gwniadyddes Hood, ffigur pathetig yw glöwr Ieuan Gwynedd, hefyd, un sy'n ymdreulio'n gyflym wrth gyflenwi anghenion byd materol:

> 'Glo, glo, glo!
> Ofynir yn ddiball;
> Glo, glo, glo!
> Bob diwrnod fel y llall:
> Glo, glo, glo
> Trwy gorff y flwyddyn hir,
> Nes yw fy nerth, wrth dori glo,
> Yn prysur wywo'n wir.

Â'r gân yn ei blaen i geisio anesmwytho cymdeithas sy'n ymgysuro ac elwa'n ddifeind ar fynych ddolur y glöwr:

> . . .Glo, glo, glo!
> Pan y cymero dân,
> Nes llosgi'n fyw y glowr tlawd,
> A'i chwythu'n ddarnau mân:
> 'Glo, glo, glo!'
> Er hyn yw llef y llu,
> Heb neb yn dangos gofal dwys
> Am fywyd glowr du!

> . . .Glo, glo, glo!
> Er pob dychrynllyd ffawd,
> Ac er mai cymysgedig yw
> A dynol waed a chnawd
> Glo, glo, glo!
> Fel pe na bawn yn frawd;
> Ac eto'r Duw a'ch creodd chwi
> Yw Tad y glowr tlawd.

Oedd, 'roedd ganddo yntau gorff ac enaid i'w diogelu. Nid bwystfil tanddaearol mohono a daw'r gerdd i ben ar nodyn cyhuddgar a oedd i'w estyn dros ganrif dda gan yr edmygwyr niferus a fyddai'n cefnogi'r glowyr yn eu brwydro yn erbyn eu meistri crintach:

...Glo, glo, glo,
Os felly gloddiaf fi,
Glo, glo, glo,
Fydd ar eich elw chwi:
Ni ddaw dialedd gwaed,
I ddifa dim o'ch hedd,
Am wneud i mi, wrth dori glo,
Ar unwaith dori'm bedd!'

Ymhell cyn i'r sosialwyr Cymreig godi eu gofal dros yr 'exploited' megis baner mewn cad, codasai Ieuan Gwynedd ei lef olaf dros y glowyr. Nid ef oedd y cyntaf i siarad o'u plaid yn Gymraeg, wrth gwrs, ond rhoes Llyfrau Gleision 1847 siars amgenach i'w ble dros eu cydnabod yn ddynion, yn frodyr ac yn blant i Dduw. Nid offer at iws diwydiant mohonynt. Y mae'n sicr i gollfarn Comisiynwyr 1846-7 danio awen Ieuan Gwynedd ond y mae'n bwysig iawn cofio'r pwynt sylfaenol a wnaed gan Ieuan Gwynedd Jones, a'i ategu gan Siân Rhiannon Williams, sef fod wrth fôn eu collfarn hwy dystiolaeth gignoeth Adroddiadau blaenorol Pwyllgor y Cyfrin Gyngor, yn enwedig Adroddiad Seymour Tremenheere ar gyflwr addysg elfennol ym Merthyr a'r plwyfi o gwmpas Bedwellte a gyhoeddwyd yn 1840, a'i Adroddiad pellach ar gyflwr trigolion ardaloedd glofaol y De a gyhoeddwyd yn 1846.[9]

Ym marn Ieuan Gwynedd Jones: 'O adroddiad 1840 y mae adroddiadau 1846-7 yn deillio: yr un yw eu gwraidd a'r un yw'r dwylo'n rhoi bwyd a diod iddynt.' Tynasai Tremenheere sylw yn 1840 at fodolaeth rwystrus y Gymraeg a phoblogaeth o ryw 58,000 'immersed in habits of sensuality and improvidence, earning very high wages, wasting nearly one week out of five in idleness and drunkenness: working their children in the mines and elsewhere at the earliest possible age: a very small proportion of the adults of either sex being able either to read or write, and neglecting the means of education for their children, except what was scantily and imperfectly given at Sunday-schools.' Erbyn 1846 buasai cynnydd yn nifer yr ysgolion elfennol er 1840, ond parhâi anfoesoldeb y dosbarth gweithiol yn rhemp. 'Vices of deep and reckless sensuality are widely spread . . .' Yn 1847, nid oedd Adroddiad Jelinger C. Symons o ran cynnwys a chywair namyn carreg ateb i ddatganiadau Tremenheere, ac o'r tri Adroddiad a ddarparodd 'Frad y Llyfrau Gleision', eiddo Symons, yn ôl Ieuan Gwynedd, oedd '. . . probably the most incorrect in language, objectionable in style, reckless in assertion,

Glowyr Cymru, *c.* 1860.

Amgueddfa Genedlaethol Cymru

abundant in fallacies, illogical in deduction, determined in purpose and heedless in proof . . .'[10]

Ni ddylid anghofio mai cyflwr y glöwr oedd mater cerdd olaf Ieuan Gwynedd, cerdd a fynnai degwch i'r gweithiwr a fyddai cyn hir yn arch-gynrychiolydd gwerin ddiwydiannol y De. 'Roedd rhaid ceisio sicrhau lle iddo yntau yng nghorlan 'Cymru lân, Cymru lonydd.' O'r 1850au ymlaen y mae papurau a chylchgronau Cymru, diolch droeon i gystadleuaeth eisteddfodol, yn rhoi cryn dipyn o le i erthyglau'n trafod amodau gwaith y glowyr ac ansawdd eu bywyd teuluol a chymdeithasol. I lesolwyr dosbarth-canol pob rhan o Brydain lle'r oedd y glowyr yn garfan gref—a bygythiol pan fynnai—yr oedd eu perswadio i arddel eu dyletswyddau fel dinasyddion cyfrifol a phenaethiaid teulu gwâr yn grwsâd. Trafodid y berthynas rhwng meistr a gweithiwr yn fynych oherwydd heb i'r naill gydnabod hawliau'r llall byddai parch at gyfraith a threfn yn siŵr o wanhau. Dwysäodd gofid y llesolwyr pan ddaeth undebaeth i fygwth chwalu hen gysuron 'deference' ac yng Nghymru, lle'r oedd y glowyr yn prysur dyfu i fod yn elfen ddominyddol yn y boblogaeth weithiol, yr oedd eu delwedd yn fater o bwys cenedlaethol. Gan mor werthfawr oedd glo'r De, y deimwnt du, i'r Ymerodraeth, byddai llygaid Lloegr ar ei gyflenwyr a byddai'u diffygion, real ai peidio, yn destun trafod yn y wasg Saesneg.

Ym Medi, 1851, cyhoeddwyd erthygl ddienw ar 'Bywyd Cyffredin y Glowr' yn *Yr Adolygydd,*[11] cylchgrawn y buasai Ieuan Gwynedd yn ei gyd-olygu am gyfnod. Bwriadai'r awdur 'wrth ddilyn y Glowr drwy holl gysylltiadau ei fywyd gweithiol . . . roddi ergyd marwol ar bob camdrefn, a llygredigaeth, a chanmol pob peth sydd yn dda a rhinweddol.' Nodir peryglon ac egrwch ei waith gan ddechrau gyda'r crwtyn wyth mlwydd oed a oedd yn codi rhwng tri a phedwar yn y bore i ennill chwe cheiniog y dydd. O hynny ymlaen ni byddai ei gyswllt â'r bywyd awyr agored, iach ond ysbeidiol. Colli golau dydd oedd y gyntaf o'i golledion. Colli bywyd oedd y golled derfynol ac fe allai ddigwydd dan ddaear unrhyw foment.

Yr oedd o'r pwys mwyaf, gan mor beryglus oedd ei waith beunyddiol, fod arferion byw'r glöwr yn rhai cynhaliol. At ei gilydd, er gwaethaf y diota trwm ar ddechrau'r mis, yn enwedig dydd Llun cynta'r mis, ni haeddai'r glöwr fod namyn targed i saethau'r ceidwaid moes. Pe câi waith cyson—cyson, noder, nid caletach—a'i dalu'n wythnosol ceid gweld gwell llun ar ei fywyd mewn dim o dro,

Hen ac Ifanc yn Ferndale,
1907.
Amgueddfa Genedlaethol Cymru

a phan ddeallai nad pwrpas perthyn i undeb oedd mynd i ryfel yn
erbyn y meistri pob cyfle posibl, buan y peidiai â bod yn greadur i'w
ofni gan y dosbarthiadau uwch. Rhaid oedd i'r glowyr a'r meistri
ddeall ei gilydd a rhaid oedd i gymdeithas gydnabod ei dyled i'r
glöwr: 'Diamheuol fod cymdeithas o dan rwymau mawr i'r dosbarth
hwn o'n cyd-ddynion . . . Mae y llafurwr, yr amaethwr, y masnachwr,
y celfyddydwr a'r boneddwr yn rhwymedig i'r Glowr. Dymunem i'r
dosbarth hwn gael mwy o sylw ac ystyriaeth cymdeithas o'i rhwymau
iddynt.'[12]

Tra'n pleidio hawliau'r glöwr yn enw cyfiawnder ni pheidiwyd â'i
atgoffa mai bod moesol ydoedd. O'i gydnabod yn gymwynaswr dewr
fe weddai iddo yntau ymddwyn fel cynhaliwr gwerthoedd cymdeithas.
Wrth ddarllen yn y Gymraeg am ei fyw helyntus synhwyrir fod nifer
dda o'r sylwebyddion yn trin eu mater mor ofalus â thaniwr yn trin
ei bowdwr. Mae'r aml gydnabyddiaeth i natur dda'r glöwr megis dull
o ochel ffrwydriad pan gâi ei alw i gyfrif am ei ddiffygion honedig.
Cafwyd enghraifft o'r cystwyo gochelgar hwn yn y *Cronicl* ar derfyn
streic un wythnos ar bymtheg ofnadwy 1893, streic y dywedwyd ei

bod wedi parlysu masnach y wlad, tlodi cannoedd am oes, prysuro
marwolaeth ugeiniau a niweidio iechyd miloedd am byth. Ni ddylai
fod rhaid i'r glowyr greu'r fath anhrefn: 'Pe dysgai pob glowr gynilo,
buan y deuai ei fyd yn well. Y mae'r glowyr fel dosbarth yn awr yn
drewi gan gwrw a myglys. Peidiwch a'm camddeall. Y mae genyf
gyfeillion personol yn mysg y glowyr, ac nid oes dynion ffyddlonach,
cynilach, sobrach, mwy deallgar i'w cael yn Nghymru, ond fel
dosbarth mae'r glowyr ar ol yn druenus.'[13]

Pan ysgrifennodd y Parch. D. Roberts, D.D., amdano yn
Y Dysgedydd, 1895, fe'i dyrchafodd yn uwch na'r milwr a'r morwr a'r
chwarelwr fel un o bennaf gymwynaswyr y ddynoliaeth. Ef ydoedd 'y
llinyn arian, y cawg aur, yr olwyn, a'r piser sydd yn rhaid gael gerllaw
ffynon pob masnach. Pe safai gydag ef, safai y cwbl'. Nid oedd
peryglon bywyd milwr i'w cymharu â pheryglon dyddiol y glöwr: 'Y
mae yn cyrhaedd at enau y pwll (bu agos i ni ysgrifenu y ffau) wedi
myned i'r Celwrn, gyda nifer o'i gydweithwyr, dechreuir ei ollwng o
dir y rhai byw; y mae am ysbaid yn grogedig uwchben dyfnder o
ganoedd o droedfeddi—ffarwelia â melusder goleuni—abertha yr
hyfrydwch o weled yr haul—yn ufudd â i dir tywyllwch fel y fagddu,
a gweithia yn ddiarswyd yn nghysgod angeu.' Nid oedd nac ofn tân
na dŵr na chwymp a allai gadw'r glowyr rhag gwneud eu gwaith, ac
'roedd pawb yn eu dyled: 'Y mae ein rhwymedigaeth oll, yn fawr
iddynt. Hwy sydd yn troi ein Gauaf yn Haf, a'n nos yn ddydd: ar eu
traul hwy yr ydym yn gallu mwynhau ein nosweithiau hirion yn y
Gauaf mewn cysur. Nid oes yr un aelwyd nad ydyw y Glowr wedi
anfon cysur arni, ac na fydded yr un aelwyd heb weddi ar ei ran, am
i'r Arglwydd daenu ei asgell drosto, fel y caffo, dan ei adenydd Ef, fod
yn ddiogel.' Â'i statws mor ddyrchafedig, rhesymol wasanaeth y
glöwr oedd byw'n fucheddol ac ystyried ei ddiwedd fel gŵr doeth:
'Nid ydyw anystyriaeth yn gweddu i neb, ond y mae gweled
ymddygiad anystyriol mewn Glowr yn un o'r pethau mwyaf
anghyfaddas a ellir ei ganfod. Glowr annuwiol ydyw un o'r pethau
ffieiddiaf ellir weled, a Glowr duwiol, yn ofni yr Arglwydd, ydyw un
o'r golygfeydd prydferthaf dan y nefoedd. Y mae amryw o honynt
drwy drugaredd, a bydd eto lawer mwy, prysured y dyddiau.'[14]

Mae'r llenyddiaeth anogaethol a anelid at y glöwr yn helaeth. Ni
ellid fforddio gadael iddo anghofio fod cymaint yn dibynnu arno,
gartref ac oddi cartref. Yn 1907 'roedd 'W.H.' yn *Y Geninen*[15] yn
cwyno am nad oedd y glowyr 'wedi cyrhaedd eu safle priodol yn mysg
y teulu dynol hyd yma; a hyny, i raddau helaeth, o ddiffyg ymdrech

i ymddyrchafu o'u tu eu hunain.' Edliwiodd iddynt eu prinder gwybodaeth gyffredinol a'u harferion isel—llysenwi ei gilydd, potio'n ddiarbed, torri'r Sabath: 'Treulia llawer o honynt y Sabboth hyd y prydnawn yn eu gwelyau; eraill i lercian yn haner gwisgo mewn diogi trwy y dydd; ac eraill wedi hyny a ymgynullant at eu gilydd i heolydd culion, congl cae, cysgod odyn galch, neu rhywle cyffelyb, i adrodd chwedlau cnawdol a llygredig, chwareu "pitch and toss," etc.' Rhaid oedd dweud y caswir, sef fod 'cyfangorff y glowyr, ogystal a gweithwyr ereill, yn mhell islaw eu safle priodol, o ran eu cyflwr cymdeithasol a moesol . . .' Ond nid dyna'r gwir i gyd. Testun diolch oedd fod 'ugeiniau o honynt yn ddynion parchus, deallus yn y celfau, y gwyddorau, a gwleidyddiaeth, yn gydnabyddus âg awdwyr goreu yr oes, ac yn awdwyr eu hunain hefyd, yn cyfodi fel bryniau a mynyddoedd o'r gwastadeddau, yn cael eu goreuro gan oleuni llachar gwybodaeth, ac yn addurn i'r teulu dynol.' Â'r rheini'n bennaf, wrth gwrs, y bu llên Cymru'n ymwneud o'r dechrau.

Fel y prawf y baledi galar a ddilynai'r naill drychineb ar ôl y llall, manteisid ar ddolur y glöwr gan ei lesolwyr dyfal. Fe'i siarsiwyd i ystyried ei fuchedd a'i ddiwedd bob tro yr ymwelai'r 'angau myglyd meddw' â'r pwll. Wrth ddadansoddi testunau 410 o faledi'r ganrif ddiwethaf cafodd Ben Bowen Thomas fod 64 ohonynt yn faledi'n ymwneud â damweiniau diwydiannol, a phrawf y rheini pa mor rhwydd y trôi cydymdeimlad yn rhybudd o'r Farn nad oedd mo'i hosgoi. Ac nid dim ond baledwyr a fanteisiai ar eu cyfle trist fel y tystiodd John Harvey wrth drafod celfyddyd Nicholas Evans. Tröwyd y pwll droeon at iws y pulpud: 'For example, mining disasters served both as a context in which to address issues of life and death, and as a parable of man's spiritual plight. Thus, because of the unusually precarious nature of his work, the miner's lot was made to epitomize the insecurity of all men's lives, particularly those who were unconverted, and the miner to symbolize all men in their need to prepare for death.'

Yn *Seren Gomer*, 1861-3, ymddangosodd 'Gwersi o Ddyfnderoedd y Ddaear', sef pregeth y Parch. J. R. Morgan (Lleurwg) yng Nghapel Seion, Llanelli ar ôl boddi chwech o lowyr ym mhwll yr Hen Gastell ar 3 Gorffennaf 1862. Craidd ei bregeth oedd y ffaith alaethus mai un yn unig o'r chwech a oedd yn proffesu crefydd. Dan y pennawd, 'Y Dyoddef yn Neheudir Cymru', cyhoeddodd *Y Drysorfa* bregeth y Parch. Thomas Rees yng nghapel Pontmorlais, Merthyr Tudful ar 17 Chwefror 1878, pan gymerodd yn destun 'Yn amser adfyd, ystyria' (*Llyfr y Pregethwr*, vii, 14). Eto, mor ddiweddar ag 1935 cyhoeddwyd yn *Yr Eurgrawn* bregeth y Parch John Evans, Eglwysbach yn Neuadd y Dref, Pontypridd y nos Sul wedi'r danchwa yn Tylorstown ar 27 Ionawr 1896 a laddodd 57 o weithwyr. Ei destun ef oedd: 'O herwydd dringodd angau i'n ffenestri, ac efe a ddaeth i'n palasau, i ddistrywio y rhai bychain oddi allan, a'r gwŷr ieuaingc o'r heolydd etc.' (*Jeremiah*, ix, 21-24). Pregeth o ysgrif a luniodd 'J.H.' *Y Brython* pan ymwelodd yntau â phwll glo Vauxhall yn y Rhos ar ddechrau'r 1920au. Dwysäodd ei gydymdeimlad â'r glöwr o'i weld wrth ei waith ond mynnai wybod yn gyntaf dim a oedd 'Trefn y Cadw'n cyrraedd i lawr i'r gwaelod yna . . .'[16]

Yr un oedd neges Thomas Rees a John Evans. Dysged y glowyr wersi trallod, 'megys yr anghenrheidrwydd am arferion gwell, cynnildeb, rhagddarbodaeth, ac addysg, i wneyd y goreu o lwyddiant, a deall egwyddorion cyntaf amlwg trefnidedd gwladol, fel y maent yn rheoli masnach, yn lle gwrando ar gynhyrfwyr diegwyddor yn eu tynu i fewn i ddwyn ymlaen eu hunan-les hwy.' Ond yn bennaf dim, dysged y glowyr nad oedd eu hadfyd daearol yn ddim o ystyried y gosb a'u disgwyliai oni ddychwelent at Dduw yn ddi-oed, canys 'y mae dyoddef i ddilyn pechod nad yw hyn i'w gymharu âg ef.'[17]

Clywsai'r Parch. John Evans fod lampau nifer o laddedigion Tylorstown yn dal ynghŷn wedi'r danchwa a manteisiodd ar y rhyfeddod trist: 'Y mae'r amgylchiad yn peri i mi feddwl am rywbeth cyffrous—gweld pobl o Gymru trwy ddifaterwch wedi syrthio yn ysglyfaeth i afael yr ail farwolaeth a'u lampau golau yn eu dwylaw, wedi eu colli o wlad Efengyl! A bydd goleuni adnodau o'r Beibl a ddysgwyd yn yr Ysgol Sul, a darnau pregethau a gofiwyd ac a draddodwyd yn y dafarn, yn chwanegu at wae y dyn wedi syrthio i ddinistr tragwyddol.' Clywsai, hefyd, am lewder rheolwr y pwll a fentrodd ei fywyd dan ddaear i achub rhai o'i weithwyr a manteisiodd arno yntau: 'Y mae pwll dyfnach na phwll Tylorstown wedi mynd ar dân—torf, fwy na rhyw 80 wedi ei dal yn y dinistr ac y mae Un mwy na'r "manager" wedi gadael Tŷ ei Dad a disgyn i'r pydew erchyll i chwilio am y colledigion . . . Un o'r moddion sydd yn achub ac yn cadw ydyw'r weinidogaeth yr ydych yn eistedd dani heno, ac y mae Iesu Grist yr Hwn sydd wedi disgyn a chodi, wedi marw a dyfod yn fyw drachefn, yn ei gynnig ei Hunan yn Gyfaill personol i chwi a minnau. A ddeuwch ato? Os ydych yn gwrando ar "brif" genadwri Tanchwa Tylorstown "chwi a ddeuwch" ato.'[18]

David A. Evans

Glowyr Pwll Tir-y-dail, *c.* 1915.

Yn 1920 cyhoeddodd *Y Geninen* erthygl Gwilym Myrddin o'r Betws, Rhydaman ar 'Y Glowyr: Eu Rhagoriaethau a'u Diffygion'. Mae ei ofal am ddelwedd y glöwr yn peri meddwl ei fod wedi rhagweld y streic ffyrnig a wnaeth Gwm Aman, fel y tystiodd Josiah Jones (Joe Brickman) wrth yr Athro Hywel Francis, yn faes y gad yn 1925 ac y mae'n amlwg ei fod yn poeni am ddrwg effeithiau'r undebaeth ymosodol a wnâi i'r glowyr ymddangos yn weithlu pur anhydrin. 'Roedd eu parodrwydd i streicio am gyflogau uwch 'wedi peri i'w henwau ehedeg ar adanedd ofn a dychryn braidd i bob congl o'r byd. Mae difrïaeth a chanmoliaeth, cydymdeimlad a chas, wedi ychwanegu yn fawr at eu henwogrwydd, ac wedi peri i'r byd ailadrodd geiriau yr hen wraig honno pan welodd lowyr am y tro cyntaf: "Rhyfedd mor debig i ddynion ydynt wedi'r cwbl!"' [19]

Eu rhagoriaethau oedd eu diwydrwydd a'u haberth beunyddiol, eu teyrngarwch i'r undeb a'u haelioni di-feth. Eu diffygion oedd eu byrbwylltra, eu hymffrost yn eu llafur fel na phetrusent herio deddf gwlad, a'u bydolrwydd: 'Cyflog uchel a bywyd o bleser yw eu delfryd uchaf hwy. Gwyddom y perthyn iddynt unigolion—dynion ysbrydol eu delfrydau, ac yn edrych "uwchlaw cymylau amser". Ond, fel dosbarth, uchelderau yr Undeb yw uchelderau eu bywyd hwythau.' Ni rôi'r glowyr, at ei gilydd, ym marn Gwilym Myrddin fawr o werth bellach ar na'r Gymraeg na gwladgarwch. Eto i gyd: 'Ceir yn eu mysg rai o ragorolion y ddaear, yn arweinwyr mewn gwleidiadaeth, llenyddiaeth, a chrefydd,—dynion y sydd yn rhoddi eu holl ymdrech i buro a dyrchafu cymdeithas; ond ychydig yw eu nifer o'u cymharu â'r lleill.' Ofnai y byddent ymhen cenhedlaeth neu ddwy wedi darfod o'r tir ac ni allai ond gobeithio y deuai 'rhyw ddylanwad mawr yn fuan i achub y genhedlaeth o lowyr sydd yn codi'. Pe gellid eu rhyddhau hwy 'o afael dylanwad cul a materol Undeb y Mwnwyr, i weled bywyd yn ei gyfanrwydd a'i oleuni priodol', siawns na cheid fod yn rhai ohonynt 'ddefnydd diwygwyr a phroffwydi.' [20]

Fel yr âi'r ugeinfed ganrif yn ei blaen ac y caledai delwedd y glöwr yng ngolwg y cyhoedd, poenai'r Gymraeg fwyfwy amdano. 'Roedd *Y Gwladgarwr* (1858-82), wythnosolyn a sefydlwyd yn Aberdâr gyda chymorth David Williams (Alaw Goch) i wasanaethu glowyr y De, wedi'i ddisodli gan *Tarian y Gweithiwr* yn 1875 ac ar ôl newid ei enw yn 1914 a mynd rhagddo fel *Y Darian*, daliodd ati tan 1934 i ymladd brwydrau'r glöwr. Fe'i sefydlwyd gan John Mills (Tarianydd) ynghanol cynnwrf streic fawr 1875 a dywedir fod ei gylchrediad wythnosol rhwng 1880 ac 1890 yn 15,000 o gopïau. Gwnaeth

arweinwyr llafur y De ddefnydd effeithiol ohono ac am hanner canrif
dda llwyfannodd ddramâu'r maes glo gan sicrhau i'r glöwr ran
arwrol. Yn Rhagfyr, 1924, a'r papur o fewn deng mlynedd i'w dranc,
cyhoeddwyd llith olygyddol gan y Parch. Tywi Jones, hyrwyddwr
cynnar y ddrama ddaionus yng Nghwm Tawe a gwaredwr *Y Darian*
yn 1914. Pennawd ei lith oedd, 'Y Glowyr. Paham y maent yn
Amhoblogaidd?'[21]

Erbyn canol yr 20au, wrth gwrs, gallai collfarnwyr y glowyr borthi
rhagfarn wrth sôn am eithafion bolsheficaidd arweinwyr megis C. B.
Stanton (1873-1946) a wahoddodd Keir Hardie (1856-1915) i geisio
am sedd Merthyr Tudful yn 1900; Noah Ablett (1883-1935); A. J.
Cook (1884-1931) ac Arthur Horner (1894-1968). Gallent gyfeirio at
derfysg Tonypandy yn 1910 ac 1912, a streic fradwrus haf 1915, heb
sôn am gyhoeddi'r maniffesto enbyd a ysbrydolwyd gan Ablett, *The
Miners' Next Step*, a oedd yn ôl rhai papurau husterig yn 1912 yn brawf
fod cynllwyn syndicalaidd ar droed yn y De. Ac onid oedd y 'FED'
(Ffederasiwn Glowyr De Cymru) a sefydlwyd yn sgil streic golledus
1898 yn erbyn y 'Sliding Scale', wedi ymgynghreirio â'r Blaid Lafur
yn 1908 ac wedi cynnwys yn ei Gyfansoddiad yn 1917 y bwriad i
ddileu cyfalafiaeth. Heb os, bu maes glo'r De yn ferw droeon rhwng
1914 ac 1926 wrth i syniadau Marcsaidd o'r Coleg Llafur ei gerdded
o 1909 ymlaen ac wrth i'r Blaid Gomiwnyddol agor cwys ynddo ar ôl
1920. Bu'n rhaid cael milwyr a heddlu drachefn i fynnu trefn yn ystod
y 'cloi mas' a barhaodd am dri mis yn 1921, ac yr oedd ing saith mis
o 'gloi mas' i'w brofi eto yn 1926. Hawdd fyddai i'r sawl a fynnai
besgi ar ei ragfarn gyfystyru'r glöwr ag aflywodraeth gostfawr.

Edliwiodd y Parch Tywi Jones i'r collfarnwyr eu parodrwydd i
anghofio arwriaeth ddyddiol y glowyr. (Gallasai eu hatgoffa, hefyd,
waeth beth am streic 1915, fod 100,000 o wirfoddolwyr wedi martsio
o Forgannwg i wynebu'r Kaiser). Ni chaent eu cydnabod yn deilwng
am eu bod yn amhoblogaidd: 'Clywn ni lawer o bethau amdanynt na
byddai perygl i neb eu hyngan pe digwyddai glowr fod yn y cwmni.'
Hwy oedd ar fai yn ddieithriad: 'Os bydd darogan rhyw anneall-
twriaeth yn y glofeydd, bydd siopwyr, trafaelwyr, ffermwyr,
tafarnwyr, bragwyr a phob math ar Phariseaid i lawr yn drwm ar yr
"hen goliers" yna. Y glowyr yw publicanod a phechaduriaid yr oes,
a phawb yn bwrw eu llid arnynt yn eu cefnau.'[22]

Ofnai Tywi Jones eu bod yn dioddef collfarn oherwydd eu
hymddangosiad ac am eu bod yn dod adref 'yn gwisgo dillad garw,
budron . . . a'u hwynebau yn dduon. Y mae mwy yn hyn nag a dybir.

Anodd gan lawer gredu y gall neb fod yn deilwng o barch, oni bydd mewn galwedigaeth y geill gadw ei ddillad yn lân ynddi! Gwaith brwnt yw torri glo, a'r casgliad yw mai dynion is-raddol yw y rhai y mae'n rhaid iddynt wrth alwedigaeth o'r fath . . . Y mae barn a sylwadaeth y lliaws mor arwynebol fel na allant ddirnad bod dyn sydd a'i wyneb yn ddu yn ddyn parchus. Rhyw bethau "tebig i ddynion" ydynt ar y goreu ym marn llawer.'[23]

Druan o'r glöwr. Yn ei ddüwch, os oes coel ar Tywi Jones, yr oedd yn wrthodedig gan lawer ac yn ei dwba wrth ymolch o flaen y tân yr oedd yn destun gwawd. Aeth yr hen biwritan ati i'w amddiffyn rhag y gwawdwyr a'i godi'n noethlymun wyn o'i dwba heb ddim i gywilyddio o'i blegid, fel y gwyddai ef ei hun yn dda: 'Bu raid i ni ymolchi felly ein hunain ganwaith. Y peth na all llawer ei ddirnad yw y parchai y glowyr a'u teuluoedd reolau lledneisrwydd a gweddeidd-dra o dan yr amgylchiadau hynny. Ni bu erioed ddosbarth o bobl burach a lledneisiach na'r glowyr y buom ni yn troi yn eu plith. Holai rhai weithiau paham nad âi'r teulu o'r golwg pan fyddai'r dyn yn y twbyn? Na, hynny a fyddai yn aflednais ac yn arddangos meddwl amhur . . . Buasai yn dda i lawer pe llygrasid cyn lleied ar eu meddwl mewn llawer lle ag a wnaed yn nhŷ'r colier. Bu hyn, beth bynnag, yn achos i lawer gyfrif y glowyr yn amharchus.'[24]

Teimlai'r Parch Tywi Jones fod y pwynt yn ddigon dilys i haeddu ei ailadrodd adeg Streic 1926 ac y mae ei sylwadau yn ddiddorol o gofio cymaint pwys a roes y beirdd ar arwedd nobl y glöwr creithiog.[25] Wrth reswm, ni fentrodd yr un ohonynt ganu clodydd yr arwr porcyn yn ei dwba. O am ambell Werful Mechain yn y Rhondda ers talwm! Ta waeth, nid yw'n anodd credu y byddai ymddangosiad y glöwr yn nod dirmyg i lawer un a ofnai'i rym. Yn sicr, ni ellid mo'i anwybyddu. Teimlai T. Jones, Treherbert yn 1917 fod rhaid iddo, o barch i 'Wŷr y Gloran' a garai'r 'hen Rondda', amddiffyn y cwm rhag ei watwarwyr: 'Ymha le bynnag y clywir enwi'r Rhondda cyfyd gwên wawdlyd, ddirmygus hyd yn oed gan y rhai sydd yn derbyn eu gwala a'u gweddill trwy lafurwaith caled y glowr du. Clywais droion redeg ar yr hen gwm a'r "coliars," ond pur anaml y clywais eu codi hwy.' Y mae'n arwyddocaol mai am ramant y cwm y dewisodd ef sôn. Mewn erthygl fer ar 'Ffarmwr a Choliar' a ysgrifennodd yn 1931, galwodd y Dr. Gwenan Jones am gymod rhyngddynt er lles Cymru. Gwyddai nad hawdd fyddai iddynt ollwng yr ystrydebau a'u cadwai o hyd braich i'w gilydd ac y mae'n werth dyfynnu ei geiriau

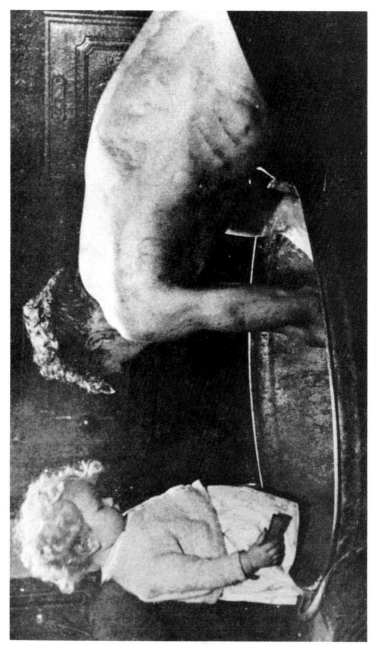

Wrth y twba.

wrth iddi drin syniad parod y ffarmwr o'r glöwr ar drothwy'r 30au
creulon rhag inni gredu ei fod yn arwr ledled Cymru:

> 'Ond i'r ffarmwr, coliar yw'r coliar, a bron bod yn ddiobaith. Ni châr
> lafurio, ond bod â'i holl egni yn ceisio cwtogi oriau a blynyddoedd ei
> amser gwaith. Cais gyflog mwy beunydd, ni waeth o ba le, na pha fodd
> y daw. A phan ddaw, nid oes ganddo ofal mwy, yn ddibris a diofal
> gwastraffa'r cyfan. Allan o waith a heb ddim—ond ar bwy y mae'r bai?
> Chwarae, gamblo, pictiwrs—rhaid cael y rhain, hyd yn oed pan fo ar ei
> _gythlwng! Gellid tybio bod pob hunangais a diofalwch ac anghwrteisi
> wedi ymgnawdoli dan greithiau'r glo.'²⁶

A da y cofiwn pa mor ddefnyddiol fu'r syniad hwnnw i'r sawl a fynnai
ymwrthod â brwydr y glowyr adeg streic fawr derfynol 1984-5. Rhyw
bethau 'tebyg i ddynion' oeddent bryd hynny, hefyd, yng ngolwg
llawer.

Ynghanol terfysg streic 1910 protestiodd *Y Dysgedydd* mai gwehilion
o Saeson a Gwyddyl oedd arweinwyr yr 'anfadwaith' a welwyd yn
Nhonypandy, 'ond eto, fe fyddwn ni fel cenedl yn cael ein
gwaradwyddo o'u herwydd.' Nid oedd modd esgusodi'r pethau a
wnaed: 'Gallesid meddwl, rai nosweithiau, fod pyrth annwn ddu
wedi eu taflu yn llydan agored, a'r gethern ellyllaidd sydd "yn y lle
poenus hwnw," wedi ei gollwng yn rhydd i wneud y galanas a'r
erchyllwaith a fynai.' Ni ellid ond gresynu fod cynifer o'r glowyr 'yn
fwy parod i wrando ar aflonyddwyr penboeth, nag ar ddynion
synwyrol a theg sydd wedi profi eu hunain yn arweinwyr doeth, ac yn
gyfeillion cywir iddynt'. Mabon, wrth gwrs, oedd y cyfaill cywir,
gwrthodedig. Estroniaid, wrth gwrs, oedd y twyllwyr. 'Roedd beio'r
rheini am arwain glowyr Cymru ar gyfeiliorn yn hen dacteg gan
apologwyr y genedl erbyn 1910, fel y prawf traethawd y Parch. David
D. Evans yn Eisteddfod y Fenni, 1838. Bu'n ddigon digywilydd i
gyfeirio at barodrwydd pechadurus rhai glowyr i newid lle heb dalu
dyledion, ac yna ychwanegu: 'Drwg genym nad allwn daflu y bai hwn
yn fwy hollol ar enghreifftiau y dyfodiaid.' Gan dystion o'r fath y
dysgodd Abel Hughes amau'r estroniaid ymhlith glowyr Cymru a
thros y blynyddoedd bu sawl Abel Hughes mewn sgwrs â sawl Mari
Lewis yn ceisio'n gwared 'ni fel cenedl' rhag cael 'ein gwaradwyddo
o'u herwydd.' Ni fynnai 'amddiffynwyr' y Cymry, fel y dangosodd
Dai Smith, wynebu'r ffaith mai cynnyrch cymoedd y De oedd C. B.
Stanton, Noah Ablett ac Arthur Horner, ac mai llanc dwy ar bymtheg
oed oedd A. J. Cook pan ddaeth o Wlad yr Haf i Gymru. Ei brofiad

ym maes glo'r De a'i cododd i fod yn Ysgrifennydd Cyffredinol
Ffederasiwn Glowyr Prydain Fawr ac yn adyn Streic Fawr 1926 yng
ngolwg y Torïaid. Ni châi'r glowyr ddim trafferth i'w arddel fel un
ohonynt hwy.[27]

Byddai ceisio trafod ymwneud y wasg Saesneg â glowyr Cymru
rhwng 1850 ac 1950 yn dasg a haeddai gyfrol ynddi ei hun a byddai
honno'n gyfrol losg a dweud y lleiaf. Rhaid bodloni ar ddweud fod yr
awydd i ddangos 'ochor arall' y glöwr i'r sylwebyddion o Saeson a
fynnai ganolbwyntio ar egrwch ei fywyd yn awydd cryf iawn yn ei
amddiffynwyr o'r 1870au ymlaen. Ac fel y tyfodd ei wleidyddiaeth
yng ngolwg Llundain yn fwy o dramgwydd na'i ymddangosiad a'i
arferion, cryfhaodd yr awydd i'w ddangos yn ei degwch. Ar
drothwy'r Ail Ryfel Byd 'roedd y frwydr dros ei ddelwedd yn parhau.
Rhwng 30 Mai a 15 Gorffennaf 1939 llwyfannwyd *Rhondda Roundabout*
Jack Jones yn Theatr y Globe. Daeth y sioe i ben ar ôl 53 perfformiad a
chafwyd ymateb y dramodydd, 'Shoni in Shaftesbury Avenue', yn y
Welsh Review. Ar ôl amau parodrwydd y dosbarth gweithiol i dalu am
weld portread realaidd o'u byw beunyddiol ar lwyfan, mynegodd Jack
Jones ei falchder yn yr hyn a gyflawnwyd, gan bwysleisio fod tir
newydd wedi'i dorri:

> 'For the first time in its long and historic career the Globe Theatre shone
> with the beauty of homeliness. From the stage a miner in his pit-clothes,
> his walking-out clothes, and his "bit o' best," walked right into the heart
> of audiences who will never forget him.

> 'The spirit of Shoni will linger in Shaftesbury Avenue long after Mervyn
> Johns, who played the part, has departed to play elsewhere. For Shoni's
> spirit is the undying spirit of the miners of South Wales, and once that
> spirit is sown anywhere there is no getting rid of it.'[28]

Mae'r geiriau hyn i'w clywed yng nghyd-destun menter theatraidd a
fethodd, ond maent i'w hamgyffred yng nghyd-destun perfformiad
parhaus a fynnai gael y byd i weld gwerth 'Shoni'.

Tynnodd Streiciau 1871, 1873 ac 1875 sylw'r wasg Lundeinig,
wrth gwrs, a rhyngddynt llwyddodd y *Times*, yr *Illustrated London News*
a'r *Graphic*, er enghraifft, i ddelweddu bywyd glowyr Cymru mewn
arddull groch a barai feddwl am derfysg Merthyr, 1832 a Chasnewydd,
1839. Ni ellir darllen adroddiadau gohebydd arbennig y *Times* ar
'The Strike in South Wales' yn 1873 heb sylweddoli y byddai'i
ddisgrifiadau o lowyr Cwm Rhondda yn sicr o beri gofid yng

Nghymru, yn enwedig pan ryfeddai at eu diota: 'Public houses there are in abundance in all these villages. The drinking that goes on in them is beyond anything that could be conceived by ordinary imagination... A pint is but a small potation for one man, but the one measure makes the round of perhaps half a dozen pairs of black lips, and if a half gallon is called for it is drunk out of the pint mugs ...' Yng Ngwesty Treorci gwelsai neb llai nag arweinydd 'Y Côr Mawr' yn llewys ei grys 'serving colliers with their pints of beer as fast as he could work at the syphon. Mr. Jones commenced life as a blacksmith, his portrait has been published down here at a guinea for a proof impression, and the work people are all proud of him.' Rhaid fod gweld y fath eiriau mewn print wedi esgor ar lawer ochenaid yn y Gymru barchus. Caradog—o bawb![29]

Nid busnes y glöwr yn ôl y *Times* oedd dadlau am well cyflog: 'The calculation of profits is easy to nobody, and impossible to the working man.' Busnes y glowyr oedd byw'n sobor a chyflawni eu gorchwylion. O'u gweld yn para'n styfnig dechreuwyd eu galw'n 'dupes', yn ddryllwyr y cymod rhyngddynt hwy a gweddill y gymdeithas, yn ormeswyr hen bobol a orfodwyd i sythu heb dân, yn rhwystrwyr masnach Prydain Fawr. Ac yr oedd eu holl ymdrech mor ofer, eu hymfyddino mor seithug: 'The army consists of men who generally represent hunger, improvidence, an ineffective encumberance of women and children, and, worse than all, a credulity little short of superstition.' Pan fu'n rhaid iddynt ildio nid oedd gan y *Times* ond dirmyg at arweinwyr yr undeb, a dim ond 'pity ... without much respect' i'w gynnig i'r glowyr. Nid, wrth gwrs, ei fod am gydlawenhau â'r meistri glo a dur: 'All the circumstances of their condition are adverse to sympathy.' Ond hwy oedd yn iawn.[30]

Sut oedd cyfrif am streic mor niweidiol â streic 1873? Pam mynnu dioddef cymaint dros achos mor anobeithiol? 'Roedd gan y *Times* hen ateb parod wrth law—twpdra hiliol, twpdra'r Celt—neu, o'i roi mewn neisiach iaith, plentyneiddiwch y Celt. Dilynai bob ryw ffliwt: 'The population of Merthyr and its neighbourhood consists chiefly of Irish and Welsh, both fanatical in their way, both credulous, both very much at the mercy of those who would trade on their moral softness or their mental infirmities. All that both want is to be told something in a perfectly unhesitating, unflinching manner, with that sternness of utterance and that fixedness of expression which are supposed to indicate sincerity and truth. What they are in religion they are also in common affairs, and, indeed, are poor, lost creatures if they cannot find somebody so good as to command their allegiance, and save them all further trouble of thinking for themselves.' Fel llefydd tebyg yn America ac Awstralia nid oedd ym Merthyr na'r dosbarthiadau cyfrifol na'r sefydliadau solet i sicrhau trefn gymdeithasol lesol: 'Merthyr is, indeed, a huge child, an infant Hercules, gigantic and strong, but not come to the power of controlling its own instincts and putting its strength into proper form. The hard lesson it has just set itself, and learnt, will help it to do this in future.'[31]

Iaith gelyn fyddai iaith ymwneud y *Times* â'r glowyr dros ddegawdau lawer a byddai 'the intrigues and intimidations of the despotic and unreasonable oligarchis' yr haerid eu bod yn eu camarwain yn darged i gawodydd o saethau gwenwynig. Gellid hyd yn oed droi eu hing a'u hangen adeg streic a 'chloi mas' yn chwip a phastwn i'w diraddio, fel y gwnaed yn 1875: 'It is no little matter that an entire district should have become degraded by dependence upon poor relief. The memory of it will remain when the present necessity has gone by, and the men who have once been supported by the Rates will be deficient afterwards in the self-reliance and sturdy independence of character for the loss of which nothing can make up.'[32]

Fel y tyfai grym undebaeth âi lleferydd y *Times* yn grasach. Yn 1893 fe'i ffyrnigwyd gan y 'marching gangs' yn y De a gorfoleddodd pan wrthwynebwyd hwy'n llwyddiannus yng Nglyn Ebwy: 'The pretension of any set of men, be they a majority or a minority, to control the right of others to sell their labour as they please is a claim to a lawless and intolerable despotism which must be promptly and firmly met and denied.' Yn syml, 'roedd y *Times* o blaid 'repression' ac yr oedd y *Daily Telegraph* yn ysu am weld y milwyr a anfonwyd i'r De yn agor clwyfau: 'It is enough to sicken honest men at the bare name of "Labour Questions", and to make modern civilization seem a mockery, when we contemplate the proceedings which have been disgracing South Wales during the past few days.'[33]

Chwydodd y *Telegraph* ei ddigofaint gan sôn am 'hideous spectacle' ac am 'a savage, selfish, brutal war' a ymladdwyd 'without one spark of manly spirit.' Ond fel y *Times*, llawenhâi yn y gosfa a roddwyd i'r streicwyr yng Nglyn Ebwy a Threforys, '. . . which prove that the Welsh colliers and mine hands are not always and everywhere the murderous, bullying and cowardly rascals who mass together on these occasions to break the heads of the fellow-workmen differing from them in opinion. To kill their comrades is what these miserable wretches desired and were ready for . . . Is our vaunted civilization, then, only skin-deep, and must we be prepared to find the hide of a wolf or a tiger if we wash away the coal-dust from a Welsh miner?'[34]

Yn 1893 gwelai'r *Telegraph* arwyddion Rhyfel Cartref yng nghymoedd glofaol Cymru. Atgoffodd ei ddarllenwyr am y terfysg yng ngwaith halen Aigues Morte, ger Nimes yn Ffrainc lle'r oedd Ffrancwyr wedi lladd nifer o Eidalwyr am weithio am gyflog is: 'In point of cruel and selfish brutishness, which throws reason, and manhood, and fair play to the winds, there does not seem a pin to choose between the murderers of Aigues Mortes and the would-be murderers of Ebbw Vale.' Mewn amgylchiadau o'r fath 'roedd 'repression' yn gwbwl dderbyniol ond pwysleisiodd y *Telegraph*, ar ôl rhoi barn bendant ar fater ymddygiad y glowyr, nad oedd ganddo farn ar achosion y streic. Problem i rywun arall oedd honno.[35]

Ymofidio'n olympaidd a wnaeth y *Times* yn 1898. Yr oedd y streic a oedd i arwain at sefydlu'r 'FED' i'w gweld fel 'a satire upon our boasted civilisation, and a melancholy commentary upon the usefulness of a quarter of a century of education . . . It is, unfortunately, only too easy to manipulate the masses for the attainment of political ends; it ought not to be quite impossible to make them listen to reason, not only for their own sakes, but also for the sake of the Empire.' Gwaethygu'n ddirfawr, wrth gwrs, o safbwynt y *Times* a wnaeth y sefyllfa ym maes glo De Cymru wrth i Sosialaeth a Chomiwnyddiaeth fwrw gwreiddiau ynddo ac ar ôl cyhoeddi *The Miners' Next Step* yn 1912 byddai'r wasg gyfalafol, a'r *Times* yn bennaf genau iddi, yn gyson chwerw ei chollfarn wrth drin y glowyr Cymreig.[36]

'The Welsh Miners Again' oedd pennawd llith olygyddol yn y *Times*, 16 Medi 1915, ar ôl clywed fod streic eto yn un o byllau'r Rhondda. 'Roedd yr undebwyr a'r Almaenwyr yn un yn eu gwyrni a'u rhagrith a'u rhyfelgarwch. Anian gwerylgar anaele oedd wrth wraidd helyntion llafur. Bwch dihangol cyfleus oedd cyfalafiaeth: 'If the Welsh miners have no quarrel with the owners they get one up among themselves. The war is too remote to satisfy their fighting instincts. If a German cruiser anchored off Penarth Head and dropped a few long-range shells into Pontypridd they would stop all this nonsense.' Ni chafodd y *Times* mo'i ddymuniad yn 1915, ond yn 1926 cafodd fod yn Howitzer ymhlith y cyflegrau cyfalafol a daniodd yn ddi-baid trwy gydol gwarchae Streic Fawr seithmis y glowyr.[37]

Prin fod yr un corff arall o weithwyr ym Mhrydain erioed wedi wynebu mileiniach ymosodiad gan y wasg Saesneg nag a wynebodd y glowyr yn 1926 ac wrth ddarllen *The Miner* (1926-30), cylchgrawn a ymroes i'w hamddiffyn mewn erthygl a chartŵn, clywir eto elwch y frwydr yn ei holl chwerwedd. Yn *Y Darian* ni pheidiodd Tywi Jones, chwaith, â siarad dros ei lowyr ef. Yn Rhagfyr, 1925, rhoesai'r bai am y streic yn y maes glo carreg ar ysgwyddau'r cyflogwyr anhydrin a phleidiodd ran y glowyr yr un mor blaen yn 1926 er iddo yn gyntaf dim obeithio y trechent eu gormeswyr trwy droi'r streic yn un Saboth gwynfydedig ar ei hyd. Carai weld 'y distawrwydd llwyraf yn teyrnasu. Fe lefarai Duw eto yn y distawrwydd hwnnw. Ped arosai pob un yn ei dŷ, i feddwl, i fyfyrio ac i ddioddef yn dawel, os bydd raid, byddai buddugoliaeth yn sicr ... Fe darawai distawrwydd felly ddychryn i galonnau rhai a ddibynnant ar lu ac ar nerth ... Cofier bod grym diniweidrwydd yn gryfach na grym arian.'[38]

Da y gwyddai golygydd *Y Darian* na chymerid mo'i gyngor o

An Intervention
MINEOWNER : "*Who's this fellow butting in?*"
BALDWIN : "*Don't know—never saw him before. Anyhow, he's got no business here.*"

An Intervention (*The Miner*, 23 July 1926).

AUGUST 1914, AUGUST 1926: "THEY SHALL NOT PASS!"

As in Flanders in August, 1914, a few ill-equipped men turned back the whole Prussian army, so in Britain the miners are repulsing the massed attack of Owners, Press, and Government

The Owners' Attack Repulsed (*The Miner*, 28 August 1926).

ddifrif. Mater o gylchredeg hen eiriau arferedig oedd siarad felly. Ni olygai iaith y grefydd a arddelai ef ddim i fwyafrif mawr y glowyr erbyn 1926, ni waeth pa mor angerddol y dyheai am eu gweld 'eto dan faner y gweithiwr tlawd o Nasareth, ac yn dibynnu ar y nerth sy'n dileu pob pendefigaeth ac awdurdod a nerth—nerth ysbryd Duw a bywyd santaidd.' Ni fyddent yn deall pethau o'r fath ond byddent yn cytuno ag ef pan ddywedai mai bwriad y meistri glo wrth fynd i ryfel oedd 'gwasgu gweithwyr y glofeydd i'r llwch.' Byddent yn deall, hefyd, pan fynegai ddirmyg at y sawl a garai weld eu chwalu a phan ddadleuai nad oedd yn amhosibl i streic fod yn weithred odidog: 'Meddylier am adran o weithwyr dan gamwri a'u cydweithwyr yn taflu eu hoffer i lawr—lu ohonynt mewn cydymdeimlad â'r ychydig. Y mae egwyddor felly'n dod o fewn ychydig i Deyrnas Nef.'[39]

Yn Awst, 1926, bu'n rhaid i Tywi Jones wadu ei fod yn eithafwr a olygai bapur coch, gwrth-Lloyd George. Y *South Wales News* a'i cyhuddodd ar ôl iddo draethu'n blaen iawn ar y streic a oedd yn gwenwyno 'ffrydiau bywyd gwlad heddyw yn eu ffynonellau'. Tra ymgyfoethogai'r perchnogion fwyfwy ar lafur y glöwr, mynnid ei yrru 'fel bwch gafr i'r dyfnder a phechodau pob dosbarth hunangar ar ei ben.' Dôi dydd dial yn anorfod: 'Y mae tân gwrthryfel eisoes i'w weled yn llygaid plant, ac y mae cochni byw, ymladdgar Rwsia yn well na'r llwydni gwaseiddiwch y ceisir ei wthio ar ddynoliaeth yn ein gwlad ni.' Ni thawelwyd mohono gan y *South Wales News*. Edliwiodd ei rhagrith i'r Llywodraeth gan ddal fod 'dynion fel Birkenhead a Churchill yn fwy o berigl i'r wlad na mil o Folshefiaid.' Mynegodd ei ddirmyg at fwlgariaeth Evan Williams, Cadeirydd Cymdeithasfa Perchnogion Glo Mynwy a De Cymru a gŵr traws na pharchai na Duw na dyn. A phan fu'n rhaid i'r glowyr ildio rhoes ei farn ar ran y Llywodraeth a'r Wasg yn y frwydr: 'Ni chafwyd yn un o'r rhai hyn y duedd leiaf at na gonestrwydd na geirwiredd.'[40]

Ni siaradodd Tywi Jones erioed yn blaenach dros y glowyr nag a wnaeth yn 1926, ond nid am ei fod yn sosialydd y gwnaeth hynny, (fel mae'n digwydd yr oedd yn gefnogwr cynnar i Blaid Cymru) ond am ei fod yn arddel safbwynt *Tarian y Gweithiwr* a'i fod yn gyn-löwr a droesai'i gof yn seintwar i'r gymdeithas lofaol a'i moldiodd. Yr oedd golygydd *Tarian y Gweithiwr* wedi datgan ei bolisi'n glir yn 1879: 'Rhyddfrydwyr trwyadl ydym, ac a fyddwn byth, trwy gymhorth y nefoedd. Nis gallwn beidio bod felly a chadw cydwybod ddirwystr yn ngoleuni Gair Duw.' Yn 1897 yr oedd wedi anghymeradwyo'r I.L.P. a chyhuddo'r mudiad o fod 'yn erbyn safio arian, ac yn erbyn i neb feddu cyfoeth. Mewn geiriau ereill, y maent am ffurfio nefoedd i'r diog.' Yn 1919, wrth ladd ar Ddug Newcastle am erlid Robert Smillie, rhybuddiodd Tywi Jones yntau y glowyr rhag dilyn eithafwyr, 'dynion Stantonaidd ac Ablettaidd sy'n credu mewn rhuthro ac ymladd ar eu cyfer.' Dylent ddilyn yr Iesu ond 'gwaetha'r modd, mae gwaeddi dros hawliau'r werin wedi mynd yn grefft ac yn hobi i rai sydd mor ddiegwyddor, mor hunangar, mor feddw, mor rheglyd a'r Diwc mwyaf di-enaid pwy bynnag yw hwnnw. Un perygl mawr heddyw yw methiant y werin i adnabod ei gwir gyfeillion.' Na, nid oedd Tywi Jones yn sosialydd er gwaethaf ei honiad adeg streic 1915 fod perthyn i undeb yn rhoi i'r gweithwyr 'ymwybyddiaeth o'u hurddas a'u gwerth fel dosbarth, ac yn rhoddi iddynt flas ar fod yn allu yng nghynghorau'r byd. Ac yn fwy o allu y delont.' Yr heddychwr sy'n siarad, nid y sosialydd a methu â dal yn wyneb dioddefaint a wnaeth iddo siarad iaith gwrthryfel o leiaf unwaith yn ei golofn. Dicter ac nid ideoleg a'i hysgogodd y tro hwnnw. Profiad personol o'r peryglon beunyddiol a'i bygythiai ac ofn 'gorfod marw fel llygoden mewn twll' a barodd iddo godi llais mor gyson gadarnhaol dros y glöwr.[41]

Ar y llaw arall, gofal arbennig am fuddiannau'r perchnogion a gofal cyffredinol am helaethiad teyrnas cyfalafiaeth a wnaeth y *Western Mail* o 1893 ymlaen mor galed ei agwedd at y glowyr. Yn wir, dechreuodd siarad iaith y wasg Doriaidd, Lundeinig mewn difrif ar ôl sefydlu'r 'FED' yn 1898 gan ddewis anghofio, mae'n siŵr, ei fod yn barotach na'r *South Wales Daily News* i ochri gyda'r glowyr yn ystod yr 1870au. Yng ngholofnau'r *Western Mail* yn 1873 y cystwyodd y Parch. John Griffiths, Rheithor Merthyr yr *Illustrated London News* am ddarlunio glowyr Cymru fel anwariaid a dyrrai i ymladdfeydd cŵn mewn tafarndai ar y Sul pan oeddent ar streic, ac edliwiodd y 'Mail' i'r *Times*, y *Daily Telegraph*, y *Morning Star* a'r *Birmingham Morning News*, bob un yn eu tro, eu bod yn camliwio'r sefyllfa ym maes glo'r De oherwydd anwybodaeth a rhagfarn. [42]

Canmolodd y *South Wales Daily News* ymddygiad y streicwyr yn 1873: 'Both the colliers and ironworkers of South Wales, as a class, are to be respected for their uprightness, honesty of purpose and sterling integrity.' Eto i gyd, er na fynnai eistedd mewn barn ar na gweithiwr na meistr, maentumiai fod y glowyr wedi'u camarwain gan 'agitators' o Ogledd Lloegr a'r un oedd ei ddadl yn 1875 pan ddywedodd eu bod mewn 'stupor' wedi rhoi clust hygoelus i Thomas Halliday ac Alexander Mac Donald, fel petai rhaid i Gymry fenthyca doethineb gan Saeson ac Albanwyr. Yn waeth na dim, cymerasant eu twyllo gan y *Western Mail*: 'They have allowed themselves to be misled—egregiously and pitifully misled—by the managers and writers of a Tory newspaper, who deceived them for party purposes, and to increase the profits and to advance the projects of that paper.' [43]

Adeg streiciau'r 70au mynnai'r *South Wales Daily News* iddo roi cyngor da i'r glowyr. Dylent ymbwyllo. Yr oedd yn barod, yn unol â'i ryddfrydiaeth, i'w beirniadu, ond nid i'w collfarnu, ac os na bu erioed mor gyflwyr ei gefnogaeth iddynt â'r *Darian*, yr oedd fynychaf o'u plaid. Condemniodd 'utter antagonism' y meistri yn 1898 o'u cyferbynnu â'r glowyr: 'Under provocation and insult they have manifested a patience and loyalty altogether admirable.' Trwy'r blynyddoedd tymhestlog ar ôl 1898 nid ymwrthododd â hwy er cael eu dulliau o ymgyrchu droeon yn annymunol, ond ymbellhaodd yn yr 1920au (newidiodd ei enw yn *South Wales News* yn 1922) a phan ddaeth streic 1926 i ben siarsiodd y glowyr, mewn tôn mwy cyfarwydd i ddarllenwyr y *Western Mail*, i ymddwyn yn fwy cyfrifol o hynny ymlaen er eu lles eu hunain a'r wlad. Ni fuasai raid iddynt ddioddef cymaint '. . . if they had not deceived themselves by foolish slogans, if they had paid more heed to the voice of reason, if they had displayed more courage in facing the plain facts of the situation, and more confidence in their own Executive . . . However difficult the effort may be, they should strive to recover the disposition of good will.'[44]

Erbyn 1926 yr oedd y glöwr yn hen gyfarwydd ag ymosodiadau'r *Western Mail*. Pa raid oedd iddo boeni am ergydion y *Times* a'r *Telegraph* a chernodiwr mor barod ei ddyrnau yng Nghaerdydd. Cythruddwyd hwnnw gan helyntion Tonypandy yn 1910; ymffyrnigodd i'r mêr pan gyhoeddwyd *The Miners' Next Step* yn 1912. 'An astounding conspiracy against the private ownership of coalmines has been disclosed in South Wales.' 'This amazingly wicked proposal . . .'; '. . . this pamphlet has been carefully prepared by a band of determined agitators . . .' Prin y gwyddai'r *Western Mail* sut i gyfleu erchylltra'r ddelfryd y gobeithiai'r cynhyrfwyr ei sylweddoli, sef 'an industrial democracy, in which the men working in the mine shall own it.'[45]

Fel ci ffroenfain, gwrth-derfysgiaeth 'roedd y *Western Mail* i wynto Bolsheficiaid ym maes glo'r De o 1912 ymlaen. Pan alwyd y dynion diogelwch allan o'r pyllau ym mis Hydref, 1926, 'roedd ei ateb i'r 'wreckers' a fygythiai gyfraith a threfn Prydain yn ddi-lol: 'Sabotage must be put down with a heavy and relentless hand . . .'[46] Gellid dyfynnu'n helaeth iawn o'i golofnau cethin dros y blynyddoedd ond bydd gweld ei agweddau wedi'u crisialu yn rhai o'r cartwnau a ategai'r colofnau hynny rhwng 1893 ac 1926 yn debycach o adael argraff ddyfnach ar y cof. Daw eu crefft â chynnwrf y gorffennol yn ôl yn ei rym.

Er gwaetha'r wasg Saesneg, a'r *Western Mail* yn arbennig, byddai'r beirdd a olynai Ieuan Gwynedd yn canu mewn cyd-destun a oedd wedi'i ddiffinio gan eu hymwybod â gwerth y glöwr fel eicon cenedlaethol. Waeth pa mor aml y byddai ar drugaredd siglen y farchnad ni ellid caniatáu dibrisio'i ddelwedd lenyddol. Rhoes Ceiriog a Mynyddog bwysau eu poblogrwydd o'i blaid, ac yn 1876 'roedd lle mewn cylchgrawn mor swmpus â'r *Beirniad* i gerdd David Bowen (Deheufardd) ar 'Peryglon y Glowr'. Llawn mor drawiadol yw'r gerdd eisteddfodol gyntaf sy'n dangos dylanwad Ieuan Gwynedd ar waith, sef cerdd fuddugol 'Maelgwn Gwynedd' ar 'Y Glowr' a wobrwywyd yn Eisteddfod Llangollen, 1857.[47]

HOW A MEETING IS DISPERSED.—" SOWJWRS, MYN JÀWL.
(*Western Mail*, 25 Awst 1893)

The Lodger. (*Western Mail*, 10 Mai 1898)

DANGEROUS DISEASES NEED DRASTIC REMEDIES

(*Western Mail*, 9 Tachwedd 1910)

HIS OWN REPUTATION.

(*Western Mail*, 10 Tachwedd 1910)

IN THE COMMONS AND OUT OF IT.
(Rhagrith Keir Hardie yn ôl y *Western Mail*, 17 Tachwedd 1910)

EXPECTING TOO MUCH.
(Y glowyr yn gofyn am gefnogaeth. *Western Mail*, 20 Chwefror 1912)

WITHIN THE DREAD SHADOW.
(Dewi Sant yn cydymdeimlo â Chymru. *Western Mail*, 1 Mawrth 1912)

A DOG'S LIFE.
How much longer will he stand it ?

(*Western Mail*, 22 Hydref 1926)

Mae'n amlwg erbyn hynny fod prif elfennau'r fformiwla farddol ar ei gyfer wedi'u sefydlogi, oherwydd yn yr un flwyddyn cyhoeddwyd yn *Y Bedyddiwr* 'Can i'r Glowr' gan F. Jones, Brymbo sydd mewn cytgord llwyr â cherddi 'Maelgwn Gwynedd' a Deheufardd. Clodforodd 'Maelgwn Gwynedd' barodrwydd y glöwr i wynebu llafur caled a pheryglus bob dydd er mwyn llonni 'aelwydydd myrddiwnau'. Mae'n colli mwynderau daear, ac yn gweithio ar drothwy trychineb bob amser. Fe'i dychmygir rhyw fore yn mynd i'w waith yn ddi-ofn dim ond i'w chwilfriwio gan danchwa—a cheir pwt o bregeth:

> . . . Fe ddylai y Glowr bob awr drwy ei oes
> Ar Iesu lwyr roddi ei obaith,
> A threiglo ei hunan ar haeddiant y groes,
> Nis gŵyr y dydd torir ef ymaith.

Wedi'r bregeth rhaid teyrngedu i'r glöwr llengar sy'n mynnu ymddiwyllio dan ddaear er gwaethaf ei holl anfanteision:

> . . . Ceir llawer du Lowr yn Nghymru'n fwy doeth
> Nag aelod o dŷ yr Arglwyddi,
> Yn deall gwleidiadaeth, a'i farn yn fwy coeth,
> Na bonedd mewn palas uchelfri.

A gorffennir trwy hawlio iddo fwy o barch nag a haedda'r un milwr, oherwydd hebddo ni welid neb 'Yn ddedwydd heb nychdod, ac anwyd', ac ni byddai rhyfeddodau Cynnydd i'w gweld ar bob llaw:

> . . . Na chwaith un agerddlong yn chwai ar ei hynt
> Dan gorddi hellt wenyg yr eigion,
> Na phrysur gerbydres mor gyflym a'r gwynt,
> Yn rhedeg drwy'r dolydd deleidion;
> Ac ni cheid masnachaeth mor fywiog o hyd
> Heb fawr o beirianwaith celfyddgar,
> Na nwy i oleuo dinasoedd y byd,
> Pryd na byddo llewyrch haul llachar. [48]

Aeth Ceiriog a Mynyddog ati, hefyd, i ddeffro cydwybod eu cynulleidfa trwy ddangos iddynt 'Fyd bychan y glowr llafurus'. Atgoffa'r cyhoedd crintach a gwynai fod y glo yn ddrud cymaint y costiai'i godi oedd pwrpas cerdd Mynyddog, 'Pris y Glo'. Darluniodd Ceiriog yn 'Y Glowr' y dychrynfeydd tanddaearol a'i hwynebai a'r calongaledwch a'i gadawai i'w hwynebu mor ddiymgeledd. Yr oedd y danchwa erchyll a laddodd 114 o ddynion a bechgyn yn Hen Bwll y Cymer yn y Rhondda ar 15 Gorffennaf 1856 yn amlwg yn ei feddwl ac y mae chwerwedd y ffaith fod y perchennog a'i swyddogion wedi'u cael yn ddieuog o ddynladdiad i'w flasu yn ei eiriau:

> . . .O! Arglwydd, pa hyd
> Bydd tlodion ein byd
> Fel ychain yn lladdfa eu meistriaid.

Galwodd am ei gydnabod yn frawd gan y sawl a'i cymerai'n ganiataol:

> . . . Ti hauwr yr ŷd,
> D'wed inni pa hyd
> Y cwyni ar hyd dy ddyffrynoedd:
> Mae glöwyr di ri
> O frodyr i ti,
> Bydd 'frawd' iddynt yn dy farchnadoedd.
>
> Chwi fawrion y byd,
> Wrth eistedd yn glyd
> O amgylch eich tân i fyfyrio:
> Doed weithiau i'ch co'
> Mor 'ddrud' ydyw'r glo
> I'r hwn roddo'i 'fywyd' am dano.

A gresynodd fod pobol mor amharod i weld Duw mewn cyd-ddyn:

> Ond bywyd rhy rad
> Yn ngolwg ein gwlad
> Yw bywyd anfarwol y glowyr:
> Gwyn fyd na bai'r byw
> Yn edrych ar Dduw
> Yn 'nynion' 'run fath ag yn natur.

Tristâi Ceiriog wrth feddwl am ddioddefaint y glöwr a'i deulu. Ymgroesodd rhag sôn am nac undeb na streic fel dulliau ymwared. Dychmygodd iddo glywed llais distaw a phrudd yn esgyn 'O'r ddaear at fyddar ddynoliaeth' yn ymbil am gyfrannu ' "i'n mysg/Wybodaeth a dysg/Am natur a Duw yn helaethach." ' Nid mewn maniffesto y ceid ateb i angen y glöwr ond mewn gweddi:

I'r byd mae fy nghân,
Gwyn fyd na b'ai tân
Yn enyn y geiriau sydd ynddi -
Ond ofer yw cri,
O!ddyn, atat ti!
I'r nefoedd drugarog mae'm 'gweddi'.[49]

Nid anobeithiai 'Deheufardd' i'r un graddau ac wedi rhestru peryglon y glöwr apeliodd at gydwybod foesol cymdeithas, yn unol ag arfer cynifer o feirdd Oes Victoria a gredai yng ngallu'r sentimentau gwâr, o'u deffro, i wella stad y darostyngedig:

Pwy na theimla dros y glowr?
Pwy mor galed yn un man?
Treulia'i einioes mewn peryglon—
Llwyr abertha'i fywyd gwan;
Mae yn hen cyn haner dyddiau,
Cryma'n welw tua'r bedd,
Mae mewn dychryn braidd bob eiliad,
Gwael ac egwan yw ei wedd.

Boed i bawb i barchu'r glowr,
Cymwynaswr iddynt yw;
Boed i'r glowr barchu ei hunan,
A'i hoff deulu tra fo byw;
Mae dynoliaeth yn dibynu
Ar y naill a'r llall trwy'n hoes,
Os dymunwn lwyddiant ereill,
Fe arbedwn lawer loes.[50]

Ysbryd y weddi a'r apêl foesol, ysbryd cydymdeimlad ac edmygedd yw'r ysbryd sy'n pennaf nodweddu'r llenyddiaeth Gymraeg a luniwyd am y glöwr wrth iddo droeon a thro ymrithio'n ddioddefydd gwrol, yn weithiwr hanfodol ddaionus a chymdeithasgar a ffraeth ar drugaredd trefn fasnachol, farus, yn ŵr a haeddai well ystyriaeth gan ei gyflogwyr a'r cyhoedd fel y'i gilydd am ei fod yn wynebu cynifer o dreialon yn dra ymatalgar. Dyna'r darlun enillgar, cyfarwydd na lwyddodd Sosialaeth bropagandyddol R. J. Derfel, Pan Jones a Niclas y Glais i'w dywyllu, gan fod ei briodoleddau wedi'u sefydlogi a'u hurddasoli gan J. J. Williams, Crwys, Wil Ifan, D. J. Williams, Islwyn Williams, T. Rowland Hughes, Amanwy a Gwenallt. O'i weld yn ffrâm eu canfyddiad Cristnogol hwy ohono fe'i

gwelwn yn goncwerwr, yn berson byw yn soned orfoleddus Gwenallt
i 'Sir Forgannwg' na all goruchwyliaeth y farchnad mo'i ddifa wrth
ei ddibrisio am fod ei ffydd mewn goruchwyliaeth uwch sy'n abl i'w
godi '. . . o waelod pwll i'r Nef/Â rhaffau dur ei hen olwynion Ef.'
    Ni ellir llai na rhyfeddu at ysfa ambell fardd i'w ddwyfoli. Yn 1916
cyhoeddodd Wil Hopkin o Gwm Tawe gasgliad bach chwe cheiniog o
ddarnau adrodd i blant, *Tannau'r Bore*, ac yn eu plith 'emyn' i'r math o
löwr y byddai'n dda iddynt fod wrth ei draed ym more oes.

> Hyf a gwrol anturiaethwr
>   Ar hyd ei oes,
> Ydyw ein grasusaf lowr
>   Ar hyd ei oes;
> Llai ei werth yngolwg meistri
> Na'r distadlaf yn y tloti,
> Ar ei gefn mae hwy'n marchogi
>   Ar hyd ei oes.
>
> Mae ei ffyrdd yn llawn peryglon
>   Ar hyd ei oes;
> Eto maent yn ffyrdd bendithion
>   Ar hyd ei oes.
> Llusern ydyw ei gymeriad,
> Cerub byw dan haul gwareiddiad,
> A dyngarwch yw ei gariad
>   Ar hyd ei oes.
>
> Mae efe wrth fynd a dychwel
>   Ar hyd ei oes;
> Yn arddangos ysbryd angel
>   Ar hyd ei oes;
> Yn y dyfnder mawr y cenfydd,
> Rhwng ysbrydion a llifogydd,
> Ardderchowgrwydd y Gwaredydd
>   Ar hyd ei oes.
>
> Bendith ydyw ei wasanaeth
>   Ar hyd ei oes;
> Rhodio wna yn ffyrdd Rhagluniaeth
>   Ar hyd ei oes;
> Wedi suddo i'r dyfnderau
> Yn ei ing, er ymladd brwydrau,
> Dal i nofio wna'i rinweddau
>   Ar hyd ei oes. [51]

Prin fod angen dweud nad canfyddiad plentyn o ragoriaeth y glöwr a geir yn y gerdd hon. I'r gwrthwyneb, y mae wedi ei wisgo â chynodiadau gwaredigol mewn ymgais i wneud i blant sylweddoli fod o dan y llwch a'r baw enaid mawr Crist-debyg. Siawns nad oedd bod yn afradlon yn rhinwedd wrth ddysgu plant i adnabod gwerth glöwr da.

Wedi'r cyfan, erbyn 1916 'roedd y Gymraeg yn hen gyfarwydd â moli'r glowyr crefyddgar hynny a âi â'r Crist gyda hwy i'r ffas, ac 'roedd crefyddwyr wedi hen ymarfer y grefft o 'ddofi'r' glowyr trwy eu codi uwchlaw terfysgoedd daear i ystyried gofynion byd a ddaw, fel y dangosodd Christopher B. Turner wrth drafod y sefyllfa yn Aberdâr adeg diwygiad 1859. Rhoes gwaredigaeth Pwll Tynewydd yn 1877 fwy fyth o sylw i'r addolwyr tanddaearol ac yr oedd Diwygiad 1904-5 i sicrhau iddynt eu hawr fawr. Mewn erthygl ddi-enw ar 'Y Glowr Cymreig' a ymddangosodd yn *Tarian y Gweithiwr* yn 1883 nodwyd pa mor aml y cyfrannai'r gwron at godi capeli, ffaith a oedd yn fwy na digon o ateb i'r cyhuddiad sarhaus fod glowyr Cymru 'yn enill eu harian fel ceffylau ac yn eu gwario fel asynnod.' Nodwyd, yn ogystal, eu bod wedi hen arfer â chrefydda ac ymddiwyllio yn y ffas. Yn 1887 daeth Gwalch Ebrill ar ymweliad â Chymru o America a chofiai am Bwll y Gwter Fawr ym Mrynaman lle buwyd yn cynnal cwrdd gweddi mewn tŷ cwrdd a naddwyd o'r glo bob bore Llun am ymron ugain mlynedd, 'ffaith werth ei chrybwyll, ei hadrodd, a'i hysgrifenu mewn llythyrenau o aur', a chofiai am y bri a fu ar ddirwest yn y pwll hwnnw am gyfnod a bod penderfyniad wedi'i basio unwaith er atal rhegi. Drachefn, yn *Cymru* O. M. Edwards bu Gwilym Hywel Thomas o Gwmbwrla yn dyrchafu clod 'Hen Gymeriadau'r Dyfnder' a 'Duwiolion y Dyfnderoedd', ac yn disgrifio 'Cymanfaoedd Glowyr Mynydd Newydd' a'r cyrddau gweddi fore Llun 'O'r Dyfnderoedd'. Bu farw'n ifanc ar ôl colli ei iechyd yng ngwaith alcan Cwmbwrla ond daeth S. Rees, Tre-boeth i'w ddilyn a thystio i dduwiolfrydedd 'Glowyr Mynydd Newydd' a 'Glowyr Glannau Tawe'. Nid yn ôl eu düwch yr oedd eu prisio.[52]

Aeth y cyrddau tanddaearol yn rhan o fyth y colier da, ond yn llenyddol ni wnaed mwy nag emosiyna'n atgofus amdanynt. Heddiw, rhaid edrych ar baentiadau Nicholas Evans, cyn-löwr a phregethwr lleyg yn yr eglwys Apostolaidd, i sylweddoli pa mor rymus y gellir delweddu urddas llafurfawr y glöwr ar sail ffydd Gristionogol sy'n gweld gwaith nid fel modd i sicrhau gwaredigaeth ond fel ffrwyth gwaredigaeth. Wrth edrych ar ei baentiadau y mae'n hawdd iawn credu eu bod, fel y dywedodd, i'w hystyried megis gweddïau, a'i fod ef wrth baentio yn addoli Duw. Ymwrthyd ag ystrydebu am y glendid ysbrydol dan y bryntni corfforol. Nid oes arlliw o 'apologetics' yn ei bortreadau. I'r gwrthwyneb, y mae ei gelfyddyd ef yn troi'r düwch sy'n cyson amgylchynu'r glöwr yn ddatguddiad ohono fel person byw sy'n gymysg oll i gyd o'r arwr a'r sant a'r pechadur, ac y mae ganddo'r ddawn, fel y sylwodd John Meirion Morris, i fynegi ei ymwybod crefyddol yn ffurfiau'i ffigurau. Nid cenadwrïwr elfennol mohono.[53]

Ymroi a wnaeth beirdd a llenorion y Gymraeg, fodd bynnag, i godi'r glöwr yn arwr i'r ifanc ac yna'i gadw'n fyw mewn atgof.

Paentiadau Nicholas Evans

sefyll postyn

Victor Evans

wrth y ffas

Victor Evans

Dyna'r gofyn. Yn ei 'Ragair' i *Straeon y Gilfach Ddu* a gyhoeddwyd yn 1931 pan oedd y De yng ngafael dirwasgiad dirdynnol, dywedodd y Parch. J. J. Williams fod y mwyafrif o'r storïau'n ceisio portreadu 'bywyd glowyr Morgannwg ddeugain mlynedd yn ol.' Dychwelwn, felly, i Ynys-y-bŵl a Rhondda'r 90au, degawd trwblus arall yn hanes y maes glo, ond ni ddychwelwn i brofi adfyd: 'Bywyd yn llawn hapusrwydd, diddordeb, direidi, a natur dda oedd hwnnw', yn ôl yr awdur, ac 'roedd am i'w ddarllenwyr ddeall mai o'i gof ac nid o'i ddychymyg 'y daeth y rhan fwyaf o lawer o gynnwys y llyfr.' Yr oedd, fel y gwyddom, wedi byw ynghanol glowyr o 1882, pan symudodd y teulu o Geredigion i Benrhiw-ceibr, hyd at 1915, pan dderbyniodd alwad gan eglwys y Tabernacl, Treforys. Yn wir, bu'n grwt o lôwr ei hun ym Mhenrhiw-ceibr ac Ynys-y-bŵl, lle'r aethai'r teulu i fyw yn 1886, a dan ddaear y bu nes iddo ddechrau paratoi ar gyfer y weinidogaeth yn 1891. Derbyniodd alwad gan eglwys Bethania, Abercynon yn 1895. Oddi yno aeth i eglwys Moreia, y Rhymni, yn

1897 a symudodd drachefn i eglwys Seilo, y Pentre, Rhondda yn 1903 lle treuliodd dymor trawiadol o ddiwyd tan 1915.[54]

Cawsai J. J. Williams flynyddoedd o gyfle i adnabod glowyr y De mewn mwy nag un ardal a than amrywiol amgylchiadau, ond dim ond un teip o löwr a oedd yn bod iddo mewn gwirionedd, sef yr un a grewyd gan gof y crwt o'r wlad a fu'n löwr ei hun cyn tyfu'n weinidog llengar a allai droi'i atgofion, yn ôl y patrwm, yn fân bregethau difyr. Cyfuniad o rinweddau'r capelwr, yr eisteddfodwr a'r crefftwr yw glöwr J. J. Williams fynychaf, gŵr sy'n werth gadael iddo gyfeiliorni ychydig weithiau am fod ei edifeirwch wedyn yn llifoleuo'i ddaioni cynhenid nes troi pawb o'i blaid. 'Bachan bidir' yw pob 'Dai' yn y bôn, swcrwr pob amddifad, atgyfodwr pob 'Magdalen'. Fe all gael ei demtio i chwarae a thân Sosialaeth a Chomiwnyddiaeth, ond yn y gwaelod Crist piau 'Dai'. Dyngarwch y Crist yw ei ddyngarwch ef a'r Crist, nid Marx, piau'i achub. Ac y mae'r glöwr Cymraeg cynddelwig yn ei hanfod yn löwr achubadwy.

Mor ddiweddar ag 1944 gofalodd T. Rowland Hughes yn *William Jones* na châi Shinc bara'n Gomiwnydd colledig. Trech gweinidog yr efengyl na Stalin, a daw Mr. Rogers â Shinc at ei goed yn ddiddig. Daeth T. Rowland Hughes â William Jones o chwareli'r Gogledd i ganol y De dirwasgedig yn y 30au er mwyn i'r 'picaro' bach synfawr yn ei fowler gael agor llygaid ei gydwladwyr unwaith eto i rinweddau'r glöwr go iawn ac ennyn cydymdeimlad ag ef yn ei ddolur. Ei frawd yng nghyfraith, Crad, Northyn o löwr sy'n dihoeni o ddwst y garreg, a Shinc na all ymwrthod â'r 'pethe' er taered ei sôn am chwyldro— dau dyst ydynt i ddynoliaeth gynnes y cymoedd. Pa raid amau cymeriadau a oedd wrth fodd calon William Jones?

Gwnaeth T. Rowland Hughes Crad yn glaf i'w edmygu. Anelodd ei beswch at ein tosturi, nid ein dicter. I Islwyn Williams, a faged yng Nghwm Tawe, yr oedd 'y dwst' yn fater rhy erchyll iddo'i drafod yn uniongyrchol, fel y cyffesodd yn ei sgwrs radio â Saunders Lewis a gyhoeddwyd yn 1949 yn *Crefft y Stori Fer* pan oedd *William Jones* yn dal i ddifyrru'r miloedd. Teimlai fod 'y peth yn rhy ofnadwy i fynd i fanylu arno, ac yn enwedig ei ddefnyddio mewn gwaed oer i bwrpas celfyddyd', ac y mae'n arwyddocaol fod ei ymgais fwyaf cofiadwy i'w drafod, sef stori 'Y Pren Rhosyn', yn glasur bach o ysgrifennu pathetig.[55]

Ar ddiwedd yr 1940au gallai Islwyn Williams gyfaddef nad oedd a wnelai'i storïau ef â thrafael cwm diwydiannol. Ni ddioddefasai Cwm Tawe ddiweithdra fel y Rhondda gan mor sefydlog fuasai'r farchnad

Bartholomew Ashton o Gwm Tawe yn 65 oed. Glöwr am 27 mlynedd:
gweithiwr tun am chwarter canrif.

Y Glöwr (Paentiad Evan Walters).

Oriel Gelf Glynn Vivian, Abertawe

glo carreg, ac at hynny llwyddasai diwylliant Cymraeg y Cwm i gymathu'r cannoedd estroniaid a ddaethai yno i weithio ym mlynyddoedd canol y ganrif ddiwethaf. O'r cenedlaethau buddugoliaethus hynny nad ildiodd i ddylanwadau estron, na gormes meistri, nac amodau byw diraddiol, na chaledwaith na phrinder disgynnodd 'teip arbennig o Gymro', yn ôl Islwyn Williams, a'r teip hwnnw a aethai â'i fryd ef fel llenor: 'dynion hapus, afieithus, ffraeth eu tafod a miniog eu hymadrodd, dynion eofn, cyflym eu parabl, braidd yn gellweirus, yn byrlymu o hiwmor, dynion annibynnol, balch eu hysbryd, heb ofni neb na dim, ac eto'n hynod o gynnes a charedig.'[56]

Cafodd eu hadnabod ar ei aelwyd ei hun, diolch i'w dad a'i frodyr, a'r cof amdanynt pan oedd yn llanc yn union wedi'r Rhyfel Byd Cyntaf a roes fod i'w storïau, storïau am fywyd cymdogol, cymwynasgar na fynnai awduron dosbarth-canol yr Eingl-Gymry mo'i drin. Ni chredai 'mai hanfod llenyddiaeth broletaraidd yw portreadu'r ochr drist a thywyll i fywyd y werin.' Nid felly y gwelsai ef bethau: 'Ie, bywyd llawen, teuluol, cymdogol. Mi gefais febyd a llencyndod hynod hapus a digwmwl; ac er gwell neu er gwaeth, dyna'r bywyd y gwn i amdano *fel llenor* . . . Eisteddais i ddim i lawr erioed i ysgrifennu stori gyda'r bwriad o ddangos bod gennyf gydwybod gymdeithasol neu i brofi bod gofid a thywyllwch o'm hamgylch yn ogystal â llawenydd.'[57]

Ar derfyn eu sgwrs diolchodd Saunders Lewis iddo am 'ddatguddio inni ran, nid y cyfan o lawer, o gyfoeth ac egni ac athrylith Cwm Tawe . . .' Mae'r 'nid y cyfan o lawer' mewn cytgord â'i sylwadau ar *William Jones* pan feirniadodd T. Rowland Hughes am ysgrifennu'n orlawen am y De dirwasgedig. Yr oedd yn wir fod arwriaeth a brawdgarwch wedi tarddu o drueni'r cymoedd: 'Ond nid hanes dewrder a chariad a duwioldeb yn gorchfygu pob adfyd yw llawn hanes blynyddoedd y diffyg gwaith. Na, bu drygau moesol, bu colledion moesol anadferadwy, bu dirywiad ar bob llaw, ac ar fywyd teuluol Cymraeg yn ogystal ag ar y rhai digapel.' 'Roedd T. Rowland Hughes yn orbarod i achub ei gymeriadau: 'Ond y gwir am y dirwasgiad yn Neheudir Cymru yw ei fod—hyd y meiddia *dyn* farnu—wedi dwyn damnedigaeth i ddegau o feibion a merched, ac wedi creu uffern a dibristod am bob dim da yn eneidiau llawer. Nid oes digon o bechod, nid oes digon o ''wylo'' yn narluniad Mr. Hughes o fywyd Shoni.' I'r un casgliad y daeth John Rowlands yn ei ymdriniaeth gadarn ef â gwaith y nofelydd.[58]

Nid dyna'r tro cyntaf i Saunders Lewis graffu ar ddelwedd y glöwr. Ar ôl gweld arddangosfa o baentiadau Archie Griffiths, A.R.C.A., yn Abertawe yn 1929 ysgrifennodd erthygl i'r *Ddraig Goch* ar ei gelfyddyd ef a'i gyd-arlunydd, Evan Walters. Gwelai ôl dylanwad Augustus John arnynt ond pwysicach oedd y ffaith eu bod ill dau yn Gymry Cymraeg ac yn gyn-lowyr. O ganlyniad, 'roedd 'Glöwr Cymreig' Evan Walters yn baentiad a ddywedai fwy wrthym 'am gymeriad y glowr Cymreig na llyfrau lawer. Yr wyneb main, y llygaid byw, braidd yn herfeiddiol, esgyrn ymwthiol y bochgernau, y gwddf agored a'r corff esgyrnog, mynegant oll egni aflonydd a chryfder a fagwyd gan waith ond nas bodlonwyd gan y gwaith.'[59]

Fel Gwenallt a welodd â'i lygaid polemig 'wacter' glowyr Morgannwg yn eu dillad gwaith wrth iddynt ymlesgáu yng nghadwyni cyfalafiaeth, gwelodd Archie Griffiths yr un modd, yn ôl Saunders Lewis, 'galedwch bywyd a thynged y gweithiwr yn y pwll. Llenwir ef gan dosturi tuag at ei bobl ei hun. Gwêl undonedd eu bywyd trwm.' Ond yn wahanol i lowyr Gwenallt, nid oes caets i dynnu glowyr Griffiths i'r un nefoedd, ac yn wahanol i löwr Walters y mae ei wyneb yn wyneb enaid byw, corff blinedig wedi'i lethu gan ei amgylchiadau yw glöwr Griffiths. 'Nid gŵr gwyllt, anturiaethus, herfeiddiol' ydoedd, 'ond dof ac ufudd, hoff o'i gartref llwyd, gweithiwr anewyllysgar ond tra diwyd a dirwgnach, un nad yw gobaith na hoywder bywyd yn ei symud. Nid yn wynebau glowyr Mr. Griffiths y gwelir hynny, ond yn eu cyrff a'u hosgo. Cyrff trymion, lluddedig sy ganddynt, fel corff hen geffyl blin. Cyrff diegni, gorchfygedig, er eu bod yn gyrff cryfion, sgwar.' Ni all fod urddas, heb sôn am falchder, yn llafur y dioddefwyr hyn. Dyna ddamnedigaeth y gyfundrefn gyfalafol wedi'i dadlennu gan artist: 'Yr hyn a ddywed darluniau Mr. Griffiths am fywyd diwydiannol De Cymru yw mai'r peth gwaethaf sydd yno—gwaeth na'r prinder cyflog, gwaeth na'r newyn a'r diffyg gwaith—yw diffyg mwynhau gweithio, diffyg gorfoledd ac egni bywyd.'[60]

Ni fynnai Saunders Lewis farnu pa un ai portread Walters ai portread Griffiths o'r glöwr oedd yr un cywir: 'Mi debygaf fod y ddau'n iawn. Dengys delw gref Mr. Walters y gwŷr sy'n llunio gobeithion gwleidyddol y glowr yn y De. Dengys Mr. Griffiths gymeriad y glowr cyffredin yn ei fywyd pob dydd.' Carwn fentro'r farn, fodd bynnag, mai'r un llygaid a welodd lowyr gorchfygedig paentiadau Griffiths yn 1929 a syllodd mor giaidd ar eu darostyngiad yn 'Y Dilyw, 1939'—y gerdd honno a wnaeth i ambell un gasáu'r bardd yn fwy na'r drefn boliticaidd-economaidd y bwriodd ef ei gas mor llwyr ar ei hanrhaith a chyn llwyred ar ymostyngiad y Cymry iddi. Mentraf ddweud, hefyd, mai'r gŵr a ymatebodd i'r paentiadau hynny a welodd ragoriaeth pryddest wrthodedig Dyfnallt Morgan, 'Y Llen', yn 1953. Gwelodd mai 'drych o dristwch dwys' ydoedd gan mai 'gweledigaeth o bethau cain yn darfod, diwedd gwareiddiad' a roes fod iddi, ac edliwiodd drachefn i ni'r Cymry mai o'n diymadferthedd ni y tarddodd y weledigaeth honno: 'Ein diffyg ewyllys ni, ein llyfrdra ni, ein diffyg ffydd ni piau trychineb Morgannwg.' I bobl a oedd wedi hen gyfarwyddo â chlywed beio'r meistri yr oedd lliw, cywair a chyfeiriad dicter Saunders Lewis yn annerbyniol, ac 'roedd ei ganfyddiad 'anarwrol' o'r glöwr yn anodd dygymod ag ef.[61]

Ond yr oedd cysurwyr eto i'w cael. Yn ei ragair i *Pris y Glo*, ei gyfieithiad yn 1930 o ddrama Harold Brighouse, *The Price of Coal* (1911), cydymffurfiodd John Ellis Williams â'r ystrydeb flynyddoedd cyn gyrru William Jones i'r De: 'Y mae ôl ei waith ar gorff y glowr. Ni fegir corff mawr, cryf, unionsyth gan oriau bob dydd o drin caib mewn awyr boeth a lle cyfyng. Gŵr byr, gwydn yw'r glowr. Mentra'i einioes fel rhan o'i waith. I'r sawl nad edwyn ef, un gerwin ei ddull yw, cwrs ei iaith, a gwyllt ei dymer, yn cysegru ei oriau hamdden i gwrw a chŵn a phêl-droed. Eithr gŵyr y sawl a'i hedwyn yn well amdano. Mae calon fawr yn y corff bach, enaid dewr dan yr iaith arw, ac egwyddor nas gellir ei gwell tu ôl i'w fywyd gerwin ... yr egwyddor honno a'i harwain i'w aberthu ei hunan heb gyfrif y gost ... "the unconscious heroism of his life".' Nid oedd eisiau ofni hwn chwaethach cywilyddio o'i blegid.[62]

Wedi treulio cyfnod bore yn ei gwmni yn y Rhondda bu'n dda gan D. J. Williams ymhen blynyddoedd ategu barn H. T. Edwards 'mai yng nghymoedd glofaol De Cymru y cwrddais i â'r teip gorau o ddynoliaeth a adnabûm erioed', a defnyddiodd y Parch. J. E. Rhys (Ap Nathan) *Y Drysorfa* yn 1940 i dystio drosto: 'Meithrinwyd yn y lofa rai o'r cymeriadau addfwynaf a sangodd don daear. Er gwaethaf y traddodiad mai'r garwaf eu hiaith a'u moes yn unig a geid yn y glofeydd, gwelwyd engyl yn tramwy'r duwch heb lychwino'u hadanedd, a phlant y goleuni yn cerdded llwybrau'r nos "heb gyfeiliorni ar un llaw ..." Os ydyw'r lofa a'i hamgylchoedd yn arw, yn ei dyfnder y ceir y trysor cudd y cloddir amdano. Os ydyw allanolion ei phobl yn ymddangos yn erwin, ceir yn nyfnderau eu natur drysorau na ellir eu prisio ... Tywyswyd miloedd i'r goleuni yn nhwllwch y lofa. Do, fe sancteiddiwyd miloedd mwy er gwaethaf

y llwon a glywir ynddi.' Yn nyddiau 'Bechgyn Bevin' yr oedd eto rai
a fynnai fawrhau 'Duwiolion y Dyfnderoedd', yr etholedigion hynny
a'i gwnâi mor hawdd i'r glöwr gymryd ei le ymhlith priod bobol y
Gymraeg.[63]

Pan adolygodd Evan Isaac *Straeon y Gilfach Ddu* yn *Yr Eurgrawn
Wesleyaidd* yn 1931, diolchodd i J. J. Williams am ysgrifennu fel
'cymwynaswr' a sicrhau fod ymhob un o'i storïau 'geinder a
naturioldeb a thynerwch a dynn ddagrau o lygaid darllenydd lled sych
a dideimlad.' Diolchodd iddo am ddiogelu tafodiaith swynol yr 'hen
lowyr' a'r bywyd diddan gynt yn y pentref ym Morgannwg: 'Tua
hanner can mlynedd yn ôl dechreuodd 'dynion dod' fyned yno o bob
rhan o Gymru a Lloegr—aeth y gelyn i mewn "fel afon"—ac ymlid
yr hen dafodiaith a'r bywyd pentrefol o bob cwm, ac eithrio lleoedd
bychain diarffordd. "Bywyd yn llawn hapusrwydd, diddordeb,
direidi, a natur dda" oedd bywyd glowyr Morgannwg ddeugain
mlynedd yn ôl, eithr llifodd iddo elfennau cymysgryw a gwyllt: da
cael yr hen fywyd mewn llyfr.'[64]

Afraid dweud fod golwg J. J. Williams ar fywyd maes glo'r De yn
yr 1890au yn llai na chyfan a bod ei adolygydd yn ystyried hynny'n
rhinwedd ynddo fel storïwr. Defnyddiodd y Gymraeg i ddiogelu'r
hen fywyd. Dyna'i 'métier'. Yn Eisteddfod Genedlaethol Bae
Colwyn, 1947, gwobrwyodd D. J. Williams y Parch. T. Davies,
Horeb, Llandysul am lunio 'Hanes hen gymeriadau cefn gwlad
unrhyw ardal yng Nghymru.' Brynaman oedd dewis ardal yr enillydd
a phlesiwyd y beirniad yn fawr: 'Y mae darllen y cynhyrchion hyn
sy'n gyforiog o egni'r bywyd gwledig yng Nghymru, ei hiwmor a'i
ddwyster, ei grefydd a gloywder ei ddiwylliant gwerin, yn llonni calon
dyn yn y dyddiau tywyll yma, ac yn peri iddo ymfalchïo'n onest ei
eni'n Gymro. Duw a'n gwaredo ni rhag ei golli!' Am na welai ynddi'r
pwyslais priodol ar gadw a thrysori yr oedd D. J. Williams fynychaf
mor negyddol ei agwedd at lenyddiaeth yr Eingl-Gymry. Llenyddiaeth
y 'cymysgryw a'r gwyllt' oedd honno. Dyna 'métier' y Saesneg yng
Nghymru.[65]   •

Pan droir at y dystiolaeth eisteddfodol, a thenau ydyw honno, y glöwr
bucheddol piau'r llwyfan eto. Bu weithiau'n destun sylw traethodwyr
a ganolbwyntiodd ar ei amgylchiadau teuluol, amodau'i waith, ei
berthynas â'i feistri a'i ddefnydd o'i hamdden, a bu'n destun diolch
a chydymdeimlad i ddyrnaid o feirdd na lwyddodd i'w enwogi tan i'r
Parch. Gwilym Tilsley (Tilsli) lunio'i Awdl Foliant iddo yn 1950.
Mae'n wir i'r Parch. David Jones, Cilfynydd gael ei goroni yn

Abergwaun yn 1936 am ei bryddest, 'Yr Anialwch', a geisiodd orfodi'r Gymraeg i draethu meddyliau gwely angau glöwr silicotig, ond nid oedd awen y bardd yn abl i gario'i ddidwylledd. Am y rhan orau o'r ganrif dan sylw cafodd y glöwr ei 'gloi mas' gan yr Eisteddfod Genedlaethol ac yn ôl y tri beirniad ni chafodd awdlwyr 1950 fawr o hwyl ar ei foli. Bu'n dalcen rhy galed i bob un ohonynt ac eithrio Tilsli, ac ni lanwodd ef mo'i ddram yn ddi-fai, chwaith. Er 1860, prin fu'r cyfle a roesai'r Brifwyl i'r beirdd a'r nofelwyr a'r dramodwyr arfer eu dawn yn y ffas a gweddw oedd y grefft a gynhyrchodd holl awdlau 1950, namyn un. Gellir ychwanegu mai dim ond un o'r wyth cystadleuydd a ddewisodd ganu i 'Morgannwg' yng nghystadleuaeth yr awdl yn Eisteddfod Genedlaethol Caerdydd, 1960, a'r awdl honno oedd y salaf o'r wyth sâl a orfododd y beirniaid i atal y Gadair. Gresynai'r Parch. S. B. Jones fod y saith arall wedi dewis canu i 'Dydd Barn a Diwedd Byd' yn hytrach na 'Morgannwg' gan fod 'yn hanes y Sir bwysig honno ddigon o feysydd i foddio unrhyw fardd.'[66]

O'r traethodau eisteddfodol perthnasol y mae dau sy'n werth manylu arnynt yma. Yn Eisteddfod Genedlaethol Aberystwyth, 1865, cynigiodd Arglwydd Raglaw Ceredigion, E. L. Pryse, A.S., wobr o £20 am draethawd ar 'Y Dosbarth Gweithiol yng Nghymru'. Traethawd y Parch. David Griffith o'r Felinheli oedd y gorau ond nis cyhoeddwyd. Yr ail orau oedd O. ap Harri o Fryste. Cyhoeddwyd ei 'apologia' yn 1866 ac y mae'n amlwg o'i ddarllen fod yr awdur heb anghofio Llyfrau Gleision 1847. Ei brif amcan oedd dangos fod gweithwyr Cymru 'mewn ystyr foesol, deuluaidd, a chymdeithasol, yn gydradd, ac yn ''uwch eu moesoldeb'' na dosbarthiadau gweithiol, nid yn unig y Deyrnas Gyfunol, ond unrhyw wlad o dan haul y nef.' Ni ellid rhagori ar y chwarelwyr a oedd 'yn arbenigol yn ddosbarth o weithwyr llafurus a moesol' a ymgadwai rhag streicio er fod eu cyflogau cymaint is na gweithwyr y De. 'Roedd eu 'hymddygiadau heddychlawn o dan y fath amgylchiadau yn deilwng o efelychiad holl weithwyr y Dywysogaeth.' I O. ap Harri melltith oedd pob streic a 'sefyll allan', a phechod parod pob undeb oedd gwneud 'defence' yn gyfystyr â 'defiance'. Mewn 'llys cyflafareddiad' y dylid setlo pob anghydfod rhwng meistri a gweithwyr, ac felly gorau po leiaf o gyfathrach a fyddai rhwng y Cymry a therfysgwyr o Loegr. Diolch byth, dim ond 10% o lowyr y De a berthynai i undeb yn 1865 a phroffwydodd ap Harri na fyddai undebaeth fyth yn rym poblogaidd ym Mhrydain.[67]

O'u cymharu â'r chwarelwyr yr oedd gweithwyr diwydiannol
Gwent a Morgannwg yn fodau llai hydrin, parotach i danio a chan
fod eu henillion cymaint uwch na'r rhelyw o weithwyr 'roedd
ganddynt fwy o fodd i ofera. Ni ellid gwadu fod dulliau byw amryw
ohonynt yn dra hyll, bod meddwdod a chnawdolrwydd yn rhemp ar
adegau, ond pa mor ddrwg bynnag oedd cyflwr pethau mewn ambell
fan yn y De, gwaith hawdd fyddai cyfeirio at lawer gwaeth
sefyllfaoedd yn Lloegr. Dylasai Comisiynwyr 1847 'fyned yn gyntaf
i Cornwall, Staffordshire, a Swydd Durham, a rhannau ereill o
Loegr, ac yna buasai eu disgrifiad o sefyllfa y dosbarth gweithiol yng
Nghymru yn bur wahanol.'[68]

A derbyn bod digon o ddiffygion yn y De i gadw bagad o
ddiwygwyr cymdeithasol yn brysur, 'dylid cofio fod y cyfartaledd
mwyaf o löwyr, mwnwyr a gweithwyr haiarn Mynwy a Morgannwg,
ar ol y cyfan, y personau mwyaf goleuedig, a moesol ef allai, o unrhyw
ddosbarth o boblogaeth weithgar y Dywysogaeth; tra ar y llaw arall y
mae cyfartaledd mawr o'r personau hyny ag sydd yn perthyn i'r
dosbarth hwn, a pha rai sydd wedi rhoddi eu hunain i fyny i
anfoesoldeb a meddwdod, yn echryslawn o anfoesol ac anwybodus,
nes y mae cyfartaledd o bersonau fel hyn mewn poblogaeth yn
effeithio i roddi golwg fwy anffafriol ar gymmeriad cyffredinol y
dosbarth i ba un y perthynant, na phe gellid gwneyd ymchwiliad i
sefyllfa bersonol pob gweithiwr perthynol i'r dosbarth.'[69]

Yn y llwydolau rhwng y categorïau du a gwyn hyn 'roedd carfan
helaeth o lowyr diddrwg-didda nad oedd amgenach pwrpas i'w
bywyd na symud yn feunyddiol-fecanyddol i rythm y gwaith:
'Gweithiant fel peiriannau, ddydd ar ol dydd, a blwyddyn ar ol
blwyddyn; a threuliant eu heinioes yn eu hiaith eu hun, ac fel ei
rhoddir gan foneddwr parchus, [sef y cerddor Heman Gwent] yn
debyg i hyn:—''Fe godws o'r gwely, 'gynws y tân, rhows y tegidl i
ferwi; 'i wisgws 'i ddillad, 'i fyttws 'i frecwast, rhows fwyd yn 'i
gwdyn, a the yn 'i jar; 'i danws 'i bib, 'i gerddws i'r gwaith, 'i steddws
'i gael whiff; 'i dorws 'i lo, 'i lenws 'i ddram, 'i ffraews â Wil, 'i regws,
'i gerddws tua thre, 'i fyttws 'i fwyd, 'i olchws, 'i yfws 'i gwrw, ag fe
feddws;'' a dyna holl orchwyliaethau ei fywyd.'[70]

At bwrpas llenydda nid oedd glöwr Heman Gwent o fudd i'r
Gymraeg. Câi aros yn ei isfyd yn ddilafar. Byddai'r glöwr afradlon yn
cael ei le o bryd i'w gilydd yn y llên gystwyol, gywiriol, ddirwestol
honno a ddirwynai fesul llath o fogeiliau moesolwyr lawer drwy gydol
y ganrif ddiwethaf ac ymlaen i'r ganrif hon. Â'r da y byddai'r

Gymraeg yn cyfeillachu'n llyfn, â'r math o lowr a wnâi'r Ysgol Sul a'r Iforiaid a'r Odyddion yn gyfryngau bywyd gwell. Yr oedd hwnnw'n fod solet, yn aelod teilwng iawn o'r gatrawd ddiwydiannol a gadwai'r De rhag bod yn ddiffeithwch i'r Gymraeg. Cydnabu O.ap Harri ei werth ef a'i debyg yn ddiolchgar: 'Y maent yn foesgar yn eu hymddygiadau, yn ddestlus yn eu gwisgoedd, ac y mae dodrefn a glanweithdra eu hanneddleoedd yn dangos ar unwaith eu bod yn ddosbarth o boblogaeth weithgar wedi cyrhaedd braidd y radd uchaf a all gweithwyr, "fel gweithwyr", byth obeithio cyrhaedd. Y mae nifer lluosog o honynt yn ddynion goleuedig a gwybodus, ac y mae wedi codi o'u mysg, ac ereill yn eu mysg yn bresennol, rai o'r llenyddwyr dysgleiriaf yng Nghymru; ac y mae llawer o honynt, trwy eu diwydrwydd a'u moesoldeb, wedi dyrchafu eu hunain i sefyllfaoedd pwysig ac anrhydeddus yn y byd masnachol.'[71]

Yr oedd traethawd ap Harri yn ddigon defnyddiol o ran ei gynnwys a 'chywir' o ran ei ogwydd i haeddu ei gyhoeddi yn 1866. Rhoddwyd sêl bendith 'Social Science Section' Hugh Owen arno'n ddibetrus. Ond bu'n rhaid aros yn hir am draethawd arall cyfwerth ag ef a phan gafwyd un 'roedd wedi'i sgrifennu yn Saesneg. Yn Eisteddfod Genedlaethol Bangor, 1915, 'roedd gwobr o £15 i'w hennill am gyfansoddi 'An Account of the standard of living and wages in one of the following sections (a) Farm labourers (b) Quarrymen (c) Colliers (d) Tinworks (e) Iron and Steelworkers.' Yr enillydd oedd 'Aberdarian', sef O. P. Hopkins, Aberpennar a luniodd draethawd am lowyr cylch Aberpennar dan chwe phennawd—'(i) Wages (ii) Housing (iii) Food (iv) Clothing and other necessaries (v) Habits (vi) Leisure.'[72]

Aethai hanner canrif heibio er gwobrwyo ap Harri yn Aberystwyth ac o gofio geiriau John Davies am le'r maes glo ym mywyd Cymru y mae'n fater o syndod fod yr Eisteddfod Genedlaethol wedi methu â'i drin yn amlach. Yn Eisteddfod Genedlaethol Merthyr, 1881—y Brifwyl gyntaf yn y gyfres gyfredol—gellid tybio fod y diffyg wedi'i gydnabod, oherwydd yn Adran y Cymmrodorion, lle teyrnasai dylanwad Hugh Owen o hyd, darllenwyd papurau gan Dafydd Morganwg a'r Parch. T. D. Jones, Tonyrefail, y naill ar 'The Coal Industry' a'r llall ar 'The Home Life of the Collier',—papur a oedd, fel y gellid disgwyl, yn hysbyseb i aelwyd y glôwr bucheddol.[73]

Ceisiodd Caerdydd, yn 1883, gael mwy allan o'r un wythïen. Enillodd John Williams, Newton, Morgannwg (yr unig ymgeisydd) 15 gini am draethawd ar 'The Coal Resources of South Wales and Monmouthshire, having special regard to quality as well as quantity'.

Dyfarnwyd David Edwards, Caerdydd yn orau o dri ymgeisydd am wobr o 10 gini am gyfansoddi 'History of the Rise and Progress and present prospects of the Coal Trade, particularly Steam Coal, in South Wales and Monmouthshire'. Fe'u canmolwyd gan y beirniaid am gyfansoddi traethodau a haeddai'u cyhoeddi, traethodau'n tarddu o falchder cenedlaethol yng nghyfoeth adnoddau mineral Cymru, yr union falchder a ysgogodd Geiriog i brotestio nad oedd Cymru'n dlawd. Yng ngeiriau David Edwards: 'The author has endeavoured to bring every subject bearing upon the question under consideration into his essay, and if he has been guilty of unduly praising the excellence of the South Wales Coal, or enlarging upon the progress and prospects of the district, the fault arises from his confidence in, and patriotism for, his native country.' Yn yr un Eisteddfod Genedlaethol yr oedd 3 gini i'w hennill am 'Gosteg o Englynion i'r Glo'. Cystadlodd deuddeg ond ni wyddai pump ohonynt beth oedd Gosteg. O'r gweddill, ni chafodd Tafolog a Dyfed un gwirioneddol dda a rhoddwyd y wobr i Carnelian heb fawr o frwdfrydedd. Glo mân, yn wir, oedd glo Carnelian yn 1883. [74]

Ar ôl y flwyddyn honno yn rhinwedd ei gân, bron yn llwyr, y croesawodd yr Eisteddfod Genedlaethol y glöwr. Nid ymddengys fod llenydda amdano o bwys iddi er iddo fyw o dymestl i dymestl o 1893 ymlaen. Ac y mae cofio hynny'n tanlinellu'r ffaith fod traethawd arobryn 'Aberdarian' yn drawiadol o sobr. Yr oedd wedi'i sgrifennu, wrth gwrs, cyn streic Gorffennaf, 1915, a wnaeth i rai yn eu cynddaredd gwrth-Kaiser gyhuddo'r glowyr o deyrnfradwriaeth, ond ni fyddai 'Aberdarian', mae'n amlwg, wedi bod yn un o'r rheini. Yn wir, osgôdd bob sôn am undeb a streic. 'Roedd yn well ganddo bwysleisio fod nifer o weinidogion y fro o'r farn 'that one prominent trait in the character of the collier is his jolly and generous nature.' [75]

Waeth beth am yr hanner canrif a'u gwahanai nid oedd fawr o fwlch rhwng safbwyntiau ap Harri ac 'Aberdarian'. Heb geisio celu'r gwirionedd fod meddwdod a gamblo yn anrheithio rhai cartrefi ac yn creu cwsmeriaid i'r tair siop pôn, yr oedd mwyafrif mawr y boblogaeth yn gwneud eu gorau i fyw bywydau cymen. Ar gyfartaledd, deuswllt yr wythnos a wariai'r glowr cyffredin ar ddiodydd meddwol tra bod lleiafrif mabinogaidd eu syched yn gwario rhwng deg a phymtheg swllt yr wythnos. Fel rheol 'roedd gormod o gywilydd ar Gymro i bonio dim ac yr oedd yn gas gan y glowyr fynd i ddyled. Afiechyd a phrinder bwyd, fynychaf, a wnâi ddyledwyr o rai ohonynt: 'Miners are not anxious by any means to get into debt; as a rule, they abhor it.'[76]

Yn 1913, dangosai Adroddiad Blynyddol Undeb Pontypridd a gynhwysai ardal Aberpennar mai 114 allan o boblogaeth o ddeugain mil a oedd yn y wyrcws a 52 o blant a oedd mewn 'Cottage Homes'. Ychydig iawn o blant a esgeulusid yn fwriadol yn ôl tystiolaeth swyddog lleol y Gymdeithas Genedlaethol er Atal Creulondeb i Blant, a phan ddigwyddai hynny meddwdod, a byw'n ddi-lun, a oedd i gyfrif amdano'n fwy aml na pheidio: 'The general run of collier we come in contact with in our work is hardworking, but, neither he nor his wife, seem to know the value of money in the most economical way. With most of them (that is, the ones we come in touch with) it is a case of "a leg or nothing".' Yr oedd lle i ofni fod annarbodaeth ar gynnydd ond yr oedd gan 'Aberdarian' hen esboniad, onid esgus, i'w gynnig am hynny: 'This essay is not intended to be an apologia for the Welsh collier but it is fair to say that there is strong reason for believing that the influx of other nationalities into South Wales has tended to disturb the careful and thrifty habits which have been the strong characteristics of the typical Welsh workman. He has been corrupted by the outside influences. Perhaps, however, the change is part of the instability of the present age.'[77]

Ansefydlogrwydd yr oes. Nid oedd Aberpennar, fwy na'r un ardal lofaol arall, yn ddihangol o'i gyrraedd. Daliai mwyafrif y glowyr, mae'n wir, i ystyried y Sul yn ddiwrnod ar gyfer addoli; âi nifer dda o'r gweithwyr hŷn o hyd i'r oedfaon yn wythnosol a mynychai'r plant yr Ysgol Sul yn eithaf cyson. 'Roedd ganddynt ddewis o ddau ar bymtheg o gapeli, Cymraeg a Saesneg, yn ogystal â phedair eglwys ac un eglwys Gatholig, ac ar gyfartaledd cyfrannai'r glöwr Anghyd-ffurfiol a'i wraig bunt y flwyddyn at yr achos. Nid oedd crefydd sefydliadol wedi gollwng ei gafael ar Aberpennar yn 1915. Ynghyd â'r Ysgol Nos a Sefydliad y Gweithwyr darparai'r capel gyfle i ymddiwyllio ac i ymddyrchafu. Nid oedd wedi peidio â bod yn feithrinfa difrifoldeb.[78]

Serch hynny, wynebai atyniadau seciwlar a oedd i brofi'n fwyfwy anwrthwynebadwy: 'Football has immense attractions for the younger colliery workers', a golygai 'football' rygbi a socer. Eto, 'There are not many respectable colliers' houses, where there are sons of adult age, in which a bicycle is not found,' ac 'roedd dileit mewn motobeic ar gynnydd, hefyd. Gwariai'r glöwr fwy a mwy ar offerynnau cerdd: 'Some years ago it was a rare thing for a miner to be able to afford a piano, for instance. At the present time it is one of the ambitions of most of the respectable colliers' families to have a piano in the house. An increasing number of them realise their ambition every year.' Costiai piano ryw £25 ac mewn un stryd o 37 o dai, 'a respectable colliers' street' yn Aberpennar, caed deunaw piano, wyth gramoffon, un feiolin ac un clarinet. Ymffrostiai un aelwyd mewn piano a gramoffon ac un arall mewn piano ac organ. Wyth o'r tai yn unig a oedd heb offeryn cerdd o ryw fath a barnai 'Aberdarian' fod y stryd dan sylw yn nodweddiadol o hanner yr ardal. Y strydoedd hyn yn y De oedd tramwyfeydd myth mawr cynhaliol 'Gwlad y Gân' o'r 1860au i lawr hyd at yr Ail Ryfel Byd. Cartrefi'r strydoedd hyn oedd cyniweirfeydd yr angerdd cerddorol a gerddodd y gwledydd o bryd i'w gilydd.[79]

Ac fel pe na bai rygbi a socer, beisiglau ac offerynnau cerdd yn ddigon o hudoliaeth, daeth y ddrama a'r sinema i gyfareddu'r miloedd mewn modd na allai cewri'r pulpud mo'i ddirymu. Erbyn 1915 daethai'r capeli i delerau, fwy neu lai, â'r ddrama ond yr oedd y sinema yn wrthwynebydd enbyd o ddieflig fel y mynnodd y Parch. T. Gwernogle Evans, Castell-nedd yn ei gerdd ebychfawr, 'O! Gochel y "Cinema"':

> O! Cadw fachgenyn O'r 'Cinema' ddu:
> Mae rhwyd gan y gelyn, Dan flodyn, a phlu,
> Athrofa drygioni, Yw'r 'Cinema'n' wir—
> Mae'n lladd pob daioni, Sy'n codi'n y tir.
>
> ...Hen synagog Satan, Yw 'Cinema'r' oes—
> Mae uffern yn gyfan, Tu cefn iddi 'Boys'!
> A dyfais mwy damniol, I bob rhyw, ac oed,
> Ni luniwyd gan Ddiafol, A'i bobol, erioed!
>
> ...Fel pe wedi rheibio, Yn rhuthro mae'r llu,
> A'u haur yn eu dwylo, I mewn i'w phyrth du!
> O! dorf o ynfydion! O! safwch, mewn braw:—
> ...   Clywch floedd yr Angelion: 'Mae'r dibyn gerllaw!'
>
> Aeth Rhufain yn garnedd, Trwy chwarae â blys!
> Gwna'r un swyn gyfaredd, Frad Prydain ar frys;
> O! Gymru fach gochel, Roi'th berlau dan draed—
> ...   Mae'th Saboth, a'th gapel, Yn fwy na gwerth gwaed![80]

Nid felly y gwelai'r werin ddiwydiannol bethau. Daeth y sinema i lanw gwacter mawr yn ei bywyd. 'Roedd tair ohonynt yn Aberpennar erbyn 1915 ac os oeddent yn dwyn cwsmeriaid ambell dafarn nid oedd y daioni hwnnw'n lleihau'r drwg a wnaent i'r capeli wrth demtio aelodau i encilio. Gellid cael mynediad i'r New Theatre, y Palace a'r Empire am naw ceiniog, chwe cheiniog a grot ac yn 1913 'roedd cyfanswm derbyniadau'r tair sinema yn £8,060. Yn ofer yr ebychai'r weinidogaeth yn erbyn swynion diangfeydd y sinemâu: 'The average expenditure of many an ordinary family for Cinemas must be about 1/6 per week. Matinees for children are regularly held and they are crowded on every occasion . . . The pictures which are provided as a rule, and which are most in favour, are those which contain a good spice of melodrama. Many people look upon that fact as a sign of national decadence. Whether that is so or not, the matter cannot but excite the concern of all right-minded people.'[81]

Mae'n ddiau fod 'Aberdarian' yn un o'r rheini ac nid oeddent yn brin yng Nghymru. Yn ei llên, dim ond â'r rheini y siaradai'r Gymraeg, gwaetha'r modd. Ni fentrodd neb lenydda ar gyfer y miloedd afrywiog a chreu stori a drama a rôi le i derfysgoedd diwydiannol, i'r sinema a'r theatr, i'r isfyd eisteddfodol, i'r caeau chwarae a'r rasys ceffylau a milgwn a beisiglau, i'r sgwâr bocsio, i'r hwrdai yn ardaloedd y dociau a'r rhwydwaith o dafarnau dirif a gydiai'r De ynghyd. Nid yw pethau felly'n bod yn llenyddiaeth y glowyr Cymraeg er eu bod, heb os, yn elfennau bras, cyffrous ym mhrofiad byw miloedd ohonynt. Wrth lynu wrth ei glöwr cydnaws rhag tarfu ar y 'right-minded people' ymwadodd y Gymraeg ag aruthredd bywyd cymoedd y De.

Nid oes dim gwahaniaeth rhwng cyweiriau traethodau ap Harri ac 'Aberdarian' a chyweiriau'r farddoniaeth eisteddfodol brin a ganwyd i'r glöwr, ac eithrio'r ffaith fod moddau'r traethodau yn llai ymdrechgar. Yn Chwefror, 1896, dyfarnodd y Parch. G. Griffiths (Penar) awdl fer Coslett Coslett (Carnelian) ar 'Y Glowr' yn deilwng o gadair Eisteddfod 'Rhosyn Cynon', Heol-y-felin, Aberdâr. Ei awdl ef oedd yr orau o naw yn y gystadleuaeth ac ni synnai Penar fod cynifer wedi cystadlu gan fod y wobr yn 'sylweddol' a'r testun 'yn dra hawdd'. Hynny yw, nid oedd 'yn galw am amgyffrediad beiddgar, na deall olrheiniog. Ei hanfodion ydynt wybodaeth ymarferol, gallu desgrifiadol, barn aeddfed a choethedig, a dyfnder ac angerddolder teimlad. Wrth reswm, goraf oll po oraf yr ''awen'' yn ymdriniad y testyn hwn, fel pob testyn arall.' Nid cam â'r beirniad fyddai dweud nad oedd yn gofyn am newydd-deb. Gwyddai fod y glöwr fformiwlaig eisoes yn bod a disgwyliai'i gyfarfod unwaith eto.[82]

Condemniodd 'Davey' am nodi dileit ei löwr ef mewn pysgota, dilyn cŵn hela a chwarae pêl-droed: 'Mewn gair, rhyw anghenfil o lowr ydyw glowr "Davey".' 'Roedd ei safbwynt moesol mor ansad fel bod ei löwr 'yn angel ac yn gythraul bob yn ail funydyn ganddo,' ac os ei fwriad oedd 'rhoi golwg gyflawn ar nodweddion perthynol y dosbarth gweithiol', byddai'n well iddo petai wedi 'cymeryd y dyn canolog ("the average man"). Nis gall y "diffygion" a'r "rhinweddau" hyn fod yn un dyn; ac os dyrchefir rhinweddau y glowr nid oes eisiau gwybod dim am ddiffygion ei ddosbarth.' Diurddas oedd sôn am gŵn hela a phêl-droed, ond 'roedd cyfeirio at syched y glöwr yn fai i'w gondemnio 'yn y modd mwyaf diarbed. Os oes rhai glowyr yn hoffi'r gwydryn, nid teg gosod y rhai hyny i gynrychioli y dosbarth.' Yr oedd yn gwbwl deg, wrth reswm, i ddyrchafu'r glöwr capelgar, eisteddfotgar a llafurfawr yn gynrychiolydd dosbarth. Pennaf dyletswydd Penar fel beirniad oedd cynnal glöwr a oedd eisoes wedi ymsefydlogi'n deip diargyhoedd. Golygai hynny fod popeth a sawrai o ddiffyg chwaeth i'w felltithio.[83]

Ffugenw'r bardd buddugol oedd 'Glowr Briglwyd', ffugenw cysurlon iawn ei gynodiadau a phlesiwyd Penar yn fawr ganddo: 'Awdl dlos, gyfan a glân; nid yn aml, os erioed y darllenasom ei gwell. Y mae ei chymhariaethau yn naturiol a chywir, y mae ei golygfeydd

Carnelian, 1834-1910.

yn amrywiol a chyson, a'i hawenyddiaeth yn uchel a'i saerniaeth yn eithriadol o gelfydd. Nid oes ond un gair ynddi y carem iddo fod allan, y gair "bant" i arwyddo "i ffwrdd". Gair sathredig ac ar lafar gwlad ydyw. Methasom yn lân gyfreithloni ei bresenoldeb; rhaid i ni faddeu.' Ac eithrio'r gair comon hwnnw cyfansoddodd Carnelian awdl driw i'r disgwyl, 'yn llawn o'r darluniau prydferthaf, a'r oll mor gymesur a naturioldeb ei hun . . .' Fe'i taflwyd ar unwaith i'r ddram eisteddfodol at y cnapiau eraill o glod i'r glöwr.[84]

Galwodd Carnelian ar yr awen i'w helpu i baentio 'llun y gwrol was', i roi'r lliw iawn ar y cynfas, 'Lliw newydd, llawn o awen'. Cwbwl annewydd, fodd bynnag, oedd y portread y syniai amdano:

> . . .Paentia'i bantiog, 'greithiog' rudd,
> Rho ddu wawr ar ei ddwyrudd;
> Rho i'th bwyntyl, wrth baentiaw,
> Alwad ei lwyd, galed law
> Gamog, gyhyrog, arw,
> A gwaith oes yn gwywo'i thw';
> Tyn lun ei wisg tan liw nos,
> A'i ael dyner fel dunos;
> Rho'i war i 'gynar' wyro
> I dy'r 'glyn' wrth dorri glo.

Aeth yn ei flaen i'w ddisgrifio yn llafurio'n ddiflin er gwaethaf peryglon nwy a chwymp, tanchwa a llif, y dychrynfeydd a drôi ei gwsg yn hunllef. Ymlidir yn erbyn yr ormes sy'n tynghedu'r glöwr a rydd 'Ei filiwn i gyfalaf' i fyw mewn angen:

> . . .Llom a gwael yw ei aelwyd
> A rhy fach ystôr ei fwyd;
> A llwydaidd yw ei ddilledyn,
> A haeddai efe oddef hyn?

Mae'r drefn gyfalafol megis Goliath yn ei sathru dan draed mewn dirmyg:

> . . .Ond y Glowr sy'n wron,—mewn eisiau
> Mae'n was bythol ffyddlon;
> A gwel, mae ganddo galon
> Iach, ddifrad, yn chwyddo'i fron,—
> Ac enaid, gaiff ei 'gànu'
> Yn byw dan y gwyneb 'du'.

Iddo ef mae'r diolch fod bwthyn a phalas yr un mor gynnes â'i gilydd.
Onibai amdano ef,

> . . . Celfyddyd geid yn clafeiddio,—gwyddor
> Ai fel gweddw hebddo;
> Byddai'n gwlad yn dwys bwyso
> Pen i lawr, heb hwn a'i Lo.

Chwydda myrdd o 'ffwrneisiau ffroenysawl' ei glod. Daw llongau'r
byd yn 'llengoedd i'w farchnad' i 'gludo glo i bob gwlad—adweinir.'
Y mae wedi cenhedlu 'Brenin' sy'n gynhaliwr byd-eang:

> Hwn yw tarian Anturiaeth,—a bwa
> Bywyd byd fasnachaeth;
> Hyd yr aig—hyd diriogaeth
> Daearen oll yn Deyrn aeth. [85]

A dyna löwr Carnelian wedi'i gynganeddu i'w le fel arfer. Noder
mai'r glo yw'r 'Teyrn' yn yr englyn clo. Ar ôl streic 1898 byddai'r
meistri a'u cyfeillion yn y wasg yn mynnu gwneud teyrn di-gyfri'r-
gost o'r glöwr yntau, ond byddai'r beirdd yn dal i'w ddelweddu'n
arwr nobl, gorthrymedig. Felly y gwnaeth y Parch. T. Cennech
Davies (Cennech) yn ei bedair telyneg fuddugol ar 'Bywyd y Glowr'
yn Eisteddfod Genedlaethol Rhydaman, 1922, gan ddilyn y crwtyn
o'r ysgol i'r pwll, o'r pwll i'r Gymanfa a'r Eisteddfod yna draw i
ffosydd Ffrainc ac yn ôl i frwydrau'r undeb cyn marw'n hen golier
gwrthodedig, 'Rhy araf ei gam, a rhy hên i'r gwaith'. Felly y gwnaeth
eto yn ei faled fuddugol, 'Y Talcen Glo', a wobrwywyd yn Eisteddfod
Genedlaethol Aberafan, 1932. Yn honno, mae hen löwr a orfodwyd
gan dlodi i fyw ar y plwyf a chrwydro yn adrodd wrth nifer o fechgyn
am ei brofiadau dan ddaear ac yn cwyno am y modd y cafodd ei fwrw
ymaith wedi deugain mlynedd o galedwaith. Yn ei adfyd mae'n
dedwyddu ei orffennol, y gorffennol a droes mor sydyn yn heddiw
blin anadferadwy:

> . . . Mae f'ysbryd yn gwledda eto ar hedd y blynyddoedd gynt
> Pan oedd brawdgarwch, fel angel gwyn, i'r Talcen yn dod ar hynt.
> A'i berchen mor falch o'i weithle ag oedd mam o'i pharlwr glân,
> Ond ciliodd yr angel, ac ni cheir mwy ond y Talcen yn deilchion mân. [86]

Yr un o hyd yw'r stori am mai'r un o hyd yw'r fformiwla. Yn

Eisteddfod Genedlaethol Treorci, 1928, 'Y Glowr' oedd testun cystadleuaeth y cywydd. Cystadlodd pedwar ar bymtheg am wobr o £5 a dyfarnwyd Trefin yn orau gan y Parchedigion J. J. Williams a D. J. Davies. Ym marn J. J. Williams bu'n gystadleuaeth 'siomedig iawn' o ran crefft a gweledigaeth. 'Roedd pob bardd mor barod i ddilyn ffliwt y fformiwla: 'Testun hawdd yw'r Glôwr, a dichon mai anodd cael cân dda ar destun hawdd . . . gellid meddwl mai'r unig bethau gwerth eu crybwyll ym mywyd glöwr yw damwain a thanchwa.' O gofio'r Dirwasgiad a oedd yn 1928 yn ysgerbydu bywydau lawer yn y De mae'r ffaith fod unrhyw feirniad eisteddfodol yn gallu dal fod y glöwr yn 'destun hawdd', fel y gwnaethai Penar eisoes yn 1896, yn sylw trist iawn ar anallu neu amharodrwydd y beirdd i'w weld yn gyfan. Gwaetha'r modd, gorweddai'n lledfyw ers tro byd dan gwymp o ystrydebau, cwymp, fel mae'n digwydd, yr ychwanegwyd at ei bwysau gan lenyddiaeth J. J. Williams ei hun er gwaetha'i graffter yn 1928.[87]

Rhagoriaeth Trefin oedd iddo ddewis ei ddefnyddiau'n ddoeth: 'Gadawodd allan ffeithiau y mae'n anodd eu canu, a chreodd iddo'i hun safleoedd mwy manteisiol i farddoni.' Yn iaith y camera, gosododd ei löwr mewn ffram gyfarwydd ar ôl ei 'saethu' o'r onglau arferol. Fe'i dilynwn i'r pwll yn y bore bach lle'r â, er lleied ei dâl, 'tan ganu,/Diofn ei daith i'r dwfn du!' Yno,

> . . . Daw Angau du i hongian
> Ei noeth arf o nwy a thân
> Uwch ei ben, a mynych bydd
> Yn sydyn ymosodydd.

Boed ffrwydriad, lif neu gwymp bydd ei ofal am ei gydweithwyr bob amser yn arwrol, ond nid un i geisio mawl mohono:

> . . . Gwna ei waith, ac yna â,
> Ac i'w aelwyd ymgilia!

Rhaid diolch iddo am gysuron aelwyd wresog fin nos, oherwydd bryd hynny bydd rhyw löwr 'Yng ngwŷll pell ei gafell gel' yn torri mwy o lo er sicrhau parhad clydwch cartref. A phan ryddheir ef o'i lafur mae ganddo ddoniau eraill y bydd yr un mor barod i'w harfer i gynhesu ei gymdeithas:

...Ŵr di-gŵyn, rhed i ganu
Cyn dod braidd o'r talcen du,
Ac ango yn ei gyngan
Yw berw a thwrf, briw a thân ...
Od â ef ymhen y dydd
Am ennyd fry i'r mynydd,
Dilyn ef, cei'r 'Delyn Aur,'
O'r mynydd tan hwyr man-aur!
Canu a fyn, a'i acen fyw,
Cân rydd ehedydd ydyw!
Ddydd o Fai, â gyda'i gôr
I ffwrdd mewn dadwrdd didor;
Chwarae bydd, a châr y bau
Ei hudol ddywediadau...
Gyda'i gôr, gâd eu gurio,
Hwn yw telyn Glyn y Glo.

Â'r glöwr Cymraeg clasurol o'r pwll i'r eisteddfod mor gyson ag yr â'r
caets i fyny ac i lawr y siafft. Ac ar y Sul â'r un mor ddi-ffael i'w gapel:

...Fore Sul, fry i Salem,
Fyny dring yn fwyn ei drem,
Da iddo yw dedwyddwch
A chael awr uwch llawr a llwch;
A thrannoeth, ar ei union
I nwy a llwch â yn llon,
I sôn am y 'gwasanaeth'
A byd gwell yn ei gell gaeth.
Gŵyr am streic a grymus dro
Tros ryddid—hiroes iddo!
Llai o oriau, gwell arian
Weddai in roi iddo'n rhan;
Nawdd Iôn fo iti, Shoni,
Gwron wyd o'm gwerin i. [88]

Pan benderfynwyd rhoi cadair Eisteddfod Genedlaethol Caerffili
yn 1950 am Awdl Foliant i'r Glöwr neu'r Chwarelwr, byddai'n rhaid
i'r beirdd a ddewisai ganu i'r glöwr naill ai dderbyn y mold a oedd
eisoes yn bod iddo, megis cragen i grwban, neu fentro'i chwalu. O'r
pymtheg a gystadlodd, canodd tri ar ddeg ohonynt i'r glöwr ac ni
chwalwyd mo'r mold. Dim ond un o'r cystadleuwyr ym marn y
Parch. D. J. Davies, Thomas Parry a Gwenallt a haeddai'i gadeirio.
'Cystadleuaeth wan iawn a gaed eleni' oedd brawddeg agoriadol

Côr Meibion Treforys, 1944.

beirniadaeth Thomas Parry. Daethai'r Parch. Gwilym Tilsley o fwynder Maldwyn i Aberdâr yn weinidog Wesle ac fel T. Rowland Hughes o'i flaen enynnwyd ynddo edmygedd mawr at y glowyr. Prydydd o weinidog 'dŵad' â'i galon yn ddiedifar amlwg ar ei lawes a ganodd awdl arobryn 1950. Ffitiodd y mold i'r dim a chafwyd ganddo un o awdlau mwyaf poblogaidd y ganrif. [89]

Mewn saith caniad, y cyntaf a'r olaf ohonynt yn gadwyni o ddeuddeg a saith englyn, trewir nodau'r pathos a fuasai'n lliwio canu'r beirdd i'r glöwr ers canrif:

> . . . Erwau'r glo dan loriau'r glyn—yw ei le,
> Gyda'i lamp a'i erfyn;
> I'w ddu gell ni ddaw dydd gwyn,
> Ni ddaw haul yno i'w ddilyn.

> . . . Hoenus ddynion sydd yno,—â'u harfau
> Durfin yn morthwylio;
> Dewraf fyddin ddidaro
> Yn glwm wrth y talcen glo.

> . . . Llwyd arwr rhynllyd werin,—onid ef
> A rydd dân i'w chegin?
> Ond gyrrwyd gan fyd gerwin,
> A gwobr ei waith cyflog brin.

   . . . Isel hur, trwm seguryd—a gofal
     A gafodd, a blinfyd;
     Dwyn beichiau heb wenau byd
     Mewn cell ddu fu ei fywyd.

Disgrifir y crwt yn yr ail ganiad yn dod o'r ysgol 'I hedin' anodd y duon haenau' ac yno'n tyfu'n golier o'r iawn ryw, yn meistroli ei grefft a choledd cydweithwyr wrth brofi

   . . . Hynodrwydd gwŷr, a chaledrwydd gweryd,
     A rhin gwerin a'i gwryd—yn troi bro
     Y llwch a'r manlo yn wenfro unfryd.

'Yn glwm wrth y talcen glo'.

Amgueddfa Genedlaethol Cymru

Colier o'r hen ysgol ydyw, wrth gwrs, sy'n cael ei hunan yn y trydydd caniad ar drugaredd goruchwyliaeth newydd pan ddaw 'talog swyddogion' a pheiriannau barus i fecaneiddio'i waith a throi'i grefftau cynwladoledig yn ddiwerth. Gwn na fyddai gan lowyr yr Ocean ym Mlaengarw wrth ymroi i gynyddu cynnyrch a phae yn yr 1950au ddim amynedd â'r gŵyn am golli hen fwynderau a dwyn oddi ar weithiwr bleser a balchder crefftwra, ond buasai honno'n gŵyn gydwladol rymus ers canrif a hanner fel y dangosodd David Meakin mor glir yn *Man and Work* (1976), ac yr oedd B. L. Coombes a Lewis Jones mor barod â Tilsli i'w harddel:

> . . . Darfu afiaith cymdeithas—yn y gwaith,
> A phob gwâr gyweithas;
> Gweithiwr a wnaed yn gaethwas,
> Cymydog yn gyflog-was.

> Golau'r trydan a lanwodd—wyll tywyll
> Daear oddi tanodd;
> Ond golau drud a giliodd,—
> O'r ffas y mwynder a ffodd.

Mae 'Gŵr llawen y talcennau' wedi dyfodiad y peiriant yn cael bod 'dirif orthrymderau/O'i amgylch fel cylch yn cau.' Fe'i newidir; yn wir, fe'i trawsnewidir:

> . . . A thry heddiw weithiwr eiddig—i'w gell,
> Lle bu gynt yn ddiddig;
> Â i'w daith yn ffrom a dig,
> Yn ofnus ac ystyfnig.

Ac fel pe na bai'r peiriant yn ddigon o dreth ar ei ddynoliaeth rhaid iddo, yn y pedwerydd caniad, oddef rhagrith gwleidyddion a chyfalafwyr sy'n barod yn awr angen y deyrnas i roi anrhydedd 'Ac urddas ar was mor wiw.' Caiff arian teg am ei lafur o'r diwedd a'i gyhoeddi'n gynhaliwr gan y posteri Kitcheneraidd sy'n datgan fod ar ei wlad ei eisiau:

> . . . Rhoir ei lun ar furiau'r wlad
> Yn ŵr dewr, clir ei doriad,
> Gŵr mentrus, heintus ei wên
> A galluog a llawen.

'O'r ffas y mwynder a ffodd'

Wele'r glöwr cosmetig wedi'i ecsploetio drachefn:

> Ni roir ei gur ar furiau,
> Na'i boen ar bosteri'r bau;
> Dianaf ydyw yno,
> Ystwyth dan ei lwyth o lo.

Y mae'n wrthrych mawl ac 'Iddo y plyg bonedd plaid/A barwniaid a brenin.' Wedi chwalfa Rhyfel Byd, wedi gwladoli'r Diwydiant Glo, daethai awr y glöwr—rhyw orig fer fu.

Nid yw glöwr Tilsli, fodd bynnag, yn anghofio dim. Cofia Aifft y Dirwasgiad, cofia'r 'chwerw hynt a gafodd' pan oedd meistr yn ormeswr a gwlad yn ddi-hid. Mae deuddeg hir a thoddaid y pumed caniad yn gyfres o atgofion llidus am y cardota seithug a'r angen a'i gyrroddd i gefnu 'o'i anfodd ar gwm ei wynfyd' a cheisio gwaith yn Lloegr. Yno nid oedd cymdeithas ond cymdeithas hiraethlon hen gydweithwyr ac ambell ysbaid o ddihangfa wrth chwedleua 'fel hen gyd-lowyr . . .' Ac wrth gwrs gellid troi'r Sul o hyd yn Sul Cymraeg digyfnewid:

> . . . A thrwy y ffenestr, o gapel estron,
> Clywir eu canu mewn clir acenion,
> A chyfyd Cymru a'i chymoedd duon
> Yn lân o'u cân yn ei menyg gwynion;
> Gwelant henwlad y galon,—er ei briw
> Yn Walia wiw yn sŵn ei halawon.

Dan sbardun hiraeth daw'r alltud o löwr yn ôl i'w henfro yn y chweched caniad a chael fod yno newydd-ddyfodiaid lle buasai 'Dai o lawen deuluoedd':

> . . . I bob rhestr daeth gwŷr estron,—a'u swniog
> Fursennaidd acenion,
> Diorffennol drigolion,
> Heb fawredd buchedd, na bôn.

Ac o'r brodorion nad ymfudodd, 'Llwydion yw pawb ohonynt,/A hen cyn eu hoedran ŷnt.' Mae 'dewrion ffyddlon y ffas' bellach yn ymlwybro'n ddiantur a chrwm ac yn diflannu o un i un. Â yntau i'r unfan â hwy heb i hunandosturi suro'i lesgedd, heb i ddyfodfa'r angau wanhau ei argyhoeddiadau:

...Heno o fewn ei annedd—daw i'w gof
Ei rawd gynt, heb chwerwedd
A'r hen wron a orwedd
Â chraith ei waith ar ei wedd.

...Ar ei wedd gwelir o hyd—nodau ffydd
Nas diffoddodd drygfyd;
Arno ef gwelir hefyd
Olion baich creulon y byd.

...A diau, pan ddistawo—ni welir
Y miloedd yn mwrnio;
Ond daw pedwar i gario
Gŵr y graith i gwr y gro. [90]

Da y cofiaf ffrindiau i mi o'r De adeg dyddiau coleg yn Aberystwyth
yn adrodd englynion Tilsli ag angerdd calonnau llawn. Nid oedd
hynny ond teyrnged ddigamsyniol i gywirdeb edmygedd y prifardd
o'i arwr, cywirdeb sy'n anwadadwy er fod ei edmygedd yn gymhleth
o nodau gorgyfarwydd. Mynnodd Gwenallt yn ei feirniadaeth mai
gwaith ofer oedd gofyn am awdl foliant o'r fath am na allai'r 'un
bardd yn ei bwyll heddiw foli'r gyfundrefn gyfalafol ddiwydiannol.'
Iddo ef, y darnau dychan yn awdlau'r gystadleuaeth oedd fwyaf eu
gwerth a haerodd, ar sail y trydydd caniad, mai dychanwr oedd Tilsli
ar ei orau a bod 'yn ei ddychan fwy o foliant i'r glowr na moliant llaes
y lleill.' Y mae'r pwynt yn un nodweddiadol Wenalltaidd ond nid y
nodyn dychanol yw cyweirnod Awdl Foliant 1950. Cyweiriau canu
hanfodol bathetig sydd iddi. I Thomas Parry, 'Darlun clir a hawdd ei
amgyffred o fewn terfynau penodedig' oedd awdl Tilsli, heb ynddi
'ddim dychan na gwawdio a melltithio', na dim sentimentaleiddiwch,
chwaith. Ni ellid ei hystyried yn gampwaith; eto i gyd, yr oedd 'yn
ffrwyth personoliaeth gyfan yr awdur—ei ddychymyg creadigol a'i
ddawn grefftol fel ei gilydd ...' Y mae yn yr awdl fwy o ddychan a
phrotest nag a welodd Thomas Parry ond nid cymaint ag a fynnai
Gwenallt weld. Mae ei sylwadau ef yn dweud mwy am ei ddaliadau'i
hun nag a ddywedant am ganu Tilsli. [91]

Ond beth am y weledigaeth a roes fod i'r darlun clir hawdd ei
amgyffred yn yr awdl? I Gwenallt, fel Dyfnallt Morgan i Saunders
Lewis yn 1953, bardd chwalfa'r gymdeithas lofaol oedd Tilsli, bardd
dinistr cymdeithas y glôwr na châi Gwenallt a'i debyg 'a gafodd y
fraint o fyw ynddi, weled ei bath mwy.' I Thomas Parry, camp Tilsli

oedd gweld urddas gwaith a safle'r glöwr trwy'r adfyd a fuasai'n rhan
iddo gyhyd, ei weld nid fel ystrydeb ricriwtio ar boster ond 'fel dyn
mewn cymdeithas—mewn teulu ac mewn cenedl.' Nid celficyn siabi
i'w symud o le i le yn ddifeind mo gweithiwr o'r fath, 'A pha amgen
moliant a ellid ei roi i'r glöwr na dangos ei fod yn ddyn y mae urddas
ei waith a'i gymdeithas yn cyfri ganddo.' Yn hynny o beth gellid ei
ystyried 'yn ddrych o bob gweithiwr o Gymro, ac o bob Cymro o bob
gradd a dosbarth', ac yr oedd Tilsli wedi cyfleu ei löwr 'nid fel truan
eiddil . . . ond fel dyn a chanddo ewyllys, ond na eill ef ennill yr hyn
y mae'n ei ewyllysio.'[92]

Ymdeimlai Thomas Parry â thrasiedi sefyllfa'r glöwr fel y'i cyfleid
gan Tilsli. Â phathos y cyflead yr ymdeimlaf innau. Naws ac
ieithwedd pathos yn hytrach na naws arwriaeth drasig sydd i'r awdl.
Yng ngeiriau golygydd *Yr Eurgrawn*, 1950, yr oedd yn gerdd 'flasus a
golau-eglur drwyddi oll . . . ceir ynddi wir fawrhad i'r glowr a serch
tuag ato, a phair ei darllen lawer o ddiddanwch i bawb oll.' Tebyg
oedd barn y Parch. W. Morris Jones, hefyd, wrth iddo dynnu sylw at
drychinebau parhaus y diwydiant glo. Lladdesid 618 o lowyr Prydain
yn 1947, 467 yn 1948 a 460 yn 1949: 'Fel y dywaid y Parch. Gwilym
Tilsley yn awdl Cadair Caerffili ni chafodd y glowr y cyflog na'r parch
a haeddodd. Ychydig a sylweddola i ba raddau y dibynna bywyd y
wlad ar ei ymdrechion caledion. Rhodder iddo glod a pharch.'[93]

Y mae awdl Tilsli yn tynnu ar dannau'r un edmygedd â
phryddestau radio Crwys ac Amanwy, sef 'Morgannwg (Gwlad y
Glo)' a ddarlledwyd yn 1952 ac 'Yr Hen Gwm' a ddarlledwyd yn
1953. Gellir cyffwrdd ar unwaith â'r gwahaniaeth gweadedd rhwng y
tair cerdd hyn a phryddest Dyfnallt Morgan, 'Y Llen'. Bratiaith
drasig sy'n symud 'Y Llen'; cymheniaith coledd sy'n esmwytho
rhediad cerddi Tilsli, Crwys ac Amanwy. O'r ddwy bryddest radio,
pryddest hunangofiannol Amanwy yw'r fwyaf uchelgeisiol o ddigon
gan ei bod wedi'i seilio ar brofiadau drud ac wrth ei darllen
sylweddolir cymaint mwy y gallasai wneud ohonynt oni bai ei fod yn
gaeth i arddull annewydd a chwaeth geidwadol. Y mae ei farn ar Awdl
Foliant y Glöwr, fodd bynnag, yn werthfawr gan nad rhith na lledrith
oedd y glöwr Cymraeg cynddelwig iddo ef, ond dyn a chydweithiwr
solet:

> . . . Ni'm dawr y dysgedig balch a daflo ei linyn mesur
> Yn ôl ei fympwy a'i remp dros werthoedd ein berroes fach,
> Cans gwelais yn llwch y glo hen weithiwr di-sôn-amdano
> Yn gwisgo dros ennyd awr goron campwaith y Creu.[94]

David A. Evans

Pwll Pantyffynnon, 1904.

Yn ddeuddeg oed yr oedd Amanwy (David Griffiths, 1882-1953) yn gweithio dan ddaear yn y Betws, Rhydaman, ym mhwll Pantyffynnon pan oedd Mabon yn frenin, a chafodd fyw trwy'r tân a losgodd ei frawd hynaf, Gwilym, yn farw yn 1908 i weld ei frawd ieuaf, James Griffiths, yn dilyn yn ôl camre Mabon nes codi o fod yn swyddog undeb i fod yn Aelod Seneddol dros Lanelli. Ef yw'r llanc ugain oed yn 'Yr Hen Gwm' sy'n annog ei gydweithwyr i brofi 'drwy waed a gwŷn/Nad tegan Diwydiant yw enaid dyn', ac yr oedd gan Amanwy ddigon o feddwl o'i frawd i wrthod cymryd rhan mewn seiat lên yn Eisteddfod Genedlaethol 1950 am fod Gwenallt wedi canmol Tilsli am beidio â rhoi lle yn ei awdl i 'or-gynefindra dagreuol areithiau'r Dr. James Griffiths.'[95]

Yn fardd eisteddfodol a chapelwr ffyddlon a brofasai wres Diwygiad 1904-5, yr oedd Amanwy yn 1935 wedi gwrthdystio'n flin pan ddaeth Cwmni Drama Gymraeg Abertawe i'w fro i berfformio *Cwm Glo* Kitchener Davies. Digon am y tro fydd dweud iddo ystyried y ddrama yn enllib yn erbyn glowyr y De nad oedd ef, a ganodd glodydd y glöwr droeon yn ystod ei oes mewn cerdd a cholofn papur newydd, yn barod i'w stumogi. Yn Awdl Foliant 1950, fodd bynnag, cafodd fodd i fyw yn ei 'theimladrwydd iach' ac ni chredai fod eisiau ymddiheuro am hynny: 'Ni raid i ni'r Cymry gywilyddio am hyn. Y mae'r rhin hwn yng ngwead patrwm ein bywyd . . . Mae

Amanwy (yn y canol), ei frawd Jim Griffiths (ar y dde) a dau gyfaill arall yn eistedd ar gadeiriau'r bardd.

curiad calon y bardd yn iawn wrth lunio pob llinell o'i eiddo. Diolch iddo am ganu awdl mor nobl i'r glöwr . . . Bydd darllen a gwerthfawrogi mawr ar y gerdd hon gan lowyr llengar y De, a diolchaf i'r bardd am iddo weld rhywbeth heb fryntni ac anwadalwch ym mywyd y glöwr.'[96]

O gofio'i gefndir a'i waith yn y lofa tan 1927 ni ellid gwell tyst nag Amanwy i gloi'r bennod hon sydd wedi ceisio olrhain achau a lluniadu teithi glöwr llên Cymru rhwng 1850 ac 1950. Rhwng Mabon, Keir Hardie a'r I.L.P. dysgodd synio'n uchel am lowyr pan oedd eto'n llanc ac ni pheidiodd â'u mawrhau tan ei farw. Yn wir, bu gyrfa Amanwy yn gyfrwng i daflunio'u rhagoriaeth tu hwnt i Gymru pan seiliodd Aneirin Talfan Davies sgript ffilm ddogfen arno a oedd i ddarlunio bywyd gwerin Cymru ar gyfer cynulleidfa Gŵyl Prydain yn 1951. Ffilmiwyd *David* yn Rhydaman gan Paul Dickson ar ran 'World Wide Pictures' a llanwodd Amanwy'r sgrin fel petai wedi bod yn aros erioed am gyfle i wneud iawn am anfadwaith *Cwm Glo*.

Yr oedd y fenter yn ddigon arwyddocaol i hawlio Syr Wyn Wheldon, Wyn Griffith, A. G. Prys-Jones, Idris Evans a'r Dr. W. J. Williams yn ymgynghorwyr, oherwydd y bwriad oedd 'ceisio arddangos ysbryd Cymru a nerth, gwendid ac unigoliaeth hanfodol y Cymry a phopeth a wna Gymru'n genedl ar wahân.' Yr union adeg yr oedd yn ystyried yr her cadeiriwyd Awdl Foliant Tilsli yng Nghaerffili ac ni raid amau na bu ei darllen yn ysbrydoliaeth iddo. Dyfnhaodd ei barch at ei gydweithwyr a'i sicrwydd o'u gwerth:

'Ond bu gennyf ffydd ddiwrthdro erioed yng ngwerin fy ngwlad—nad oes ei gwell o dan haul y ffurfafen. A ffilm am fywyd gwerin Cymru a fydd hon—y bobl sy'n cloddio sylfeini ein cenedl o ddydd i ddydd ac o flwyddyn i flwyddyn, mor ddison amdanynt a'r grug ar fynydd.'

Yng Ngŵyl Caeredin yn 1949 cawsai ffilm Paul Dickson, *The Undefeated*, dderbyniad clodfawr. A ddôi *David* â chyffelyb fri i Gymru? Ymddengys iddo ateb ei bwrpas ym marn lliaws o Gymry.[97]

Mewn adolygiad yn yr *Amman Valley Chronicle*, 3 Mai 1951, gorlifodd mawl 'T.W.J.'. Dangoswyd y ffilm saith o weithiau yn Rhydaman rhwng bore Gwener a nos Sadwrn a'r Neuadd Les dan ei sang bob tro. Dyrchafwyd Amanwy yn arwr: 'His life story is the true reflection of the integrity of character that is a feature of the Welsh nation . . . We thank him for presenting the Cymry to the whole world in a true reflection of the best qualities of our race. Through the medium of the cinema, Wales will in future be represented as a highly-cultured nation, and end for all time the cheap and vulgar gibes which we hear from time to time. The high standard of the film "David" will extol the Welsh nation to its proper status.' Yn 1951 fel yn 1851 chwiliai'r Cymry o hyd am ddifâwr Goliath eu gwatwarwyr. [98]

Dyfynnwyd geirda'r sylwebyddion soffistigedig yn fuddugoliaethus. Canmolodd Richard Winnington (*News Chronicle*) gamp Paul Dickson: 'Dickson brings an old Welshman to life before us and reveals a whole nation . . . Griffiths, a figure of warmth and dignity, re-lives in the film a hard-fought life of toil and tragedy, and some rewards.' I Donald Zec (*Daily Mirror*): ' "David" is the story of a man's dream of a better life for the men of the pits—and it is also the story of Wales. And it shows the true stature of a fine Welshman.' I Dilys Powell (*Sunday Times*): 'Its affectionate views of the lives of decent people, and its feeling for the history of a strongly-knit regional community make the piece extremely moving.' Barnai J. C. Griffith Jones (*Reynold's News*) fod Amanwy yn Gymro diledryw a gallai'r Cymry fod yn falch o'r ffilm. A thystiodd 'Llygad Llwchwr' yn y *News Chronicle* iddo wylio *David* yn Llundain ynghanol pedwar cant o bobol y byd ffilmiau: 'Many of these hardbitten men and women could not conceal their enthusiasm.' I bob golwg sylweddolwyd gobeithion Aneirin Talfan Davies ac Amanwy yn llawn a chymerodd y glöwr Cymraeg ei le yn anrhydeddus ymhlith addurniadau Gŵyl Prydain. [99]

Y mae'n syn, felly, i'r wasg Gymraeg ddweud cyn lleied am y gamp, yn enwedig o gofio fod Cymry mor apelgar â Rachel Thomas, Prysor Williams a Ieuan Rhys Williams, heb anghofio Sam Jones, Moses Jones, D. Davies Jones a'r Parchedigion Wil Ifan a Gomer Roberts wedi ymddangos yn y ffilm. Mae'n wir i'r *Cymro* ganmol yn frwdfrydig ond ni wnaeth *Y Faner* fawr mwy na'i grybwyll—am resymau politicaidd, mae'n debyg. Ymhen blwyddyn cyhoeddwyd llythyr gan B. O. Davies, glöwr o Gwmllynfell, a ymwrthododd â'r portread am ei fod yn 'llawer rhy lwydaidd a digalon, ac ynddo ormod o sentimentaleiddio.' Ni allai'r glowyr a gofiai ef fforddio bod 'yn ddagreuol ynghylch eu cyflwr' am fod eu brwydr yn erbyn angen yn un barhaus 'a dibynnant yn gyfangwbl ar eu dygnwch eu hunain i lwyddo.' [100]

Cofiai B. O. Davies ymdrech y glowyr cyn y Rhyfel Byd Cyntaf i orchfygu anawsterau bywyd a'r modd y llwyddodd rhai o bersonoliaeth a chymeriad cadarn 'i wneud hynny gydag asbri a llawer iawn o chwerthin a chân.' Yr oedd eu byd yn un llawn mewn ystyr teuluol, cymdeithasol a chrefyddol ac nid 'fel darlun nodwedd y dylai'r cyfnod hwnnw gael ei bortreadu, gyda'r mwyafrif o'r cymeriadau yn fud a di-fywyd, eithr fel drama ogoneddus, ac ynddi ddigon o symud ac egni pobl a fedrai gyflawni pethau drostynt eu hunain. Haeddant amgenach coffadwriaeth nag a roddir iddynt yn y ffilm "David".' Ni chyffrôdd llythyr B. O. Davies unrhyw ymateb ac y mae'r 'ddrama ogoneddus' honno, er mawr golled i'n llên, o hyd heb ei chreu.[101]

NODIADAU

[1] Thomas Stephens (gol.), *Cymru: Heddyw ac yforu* (Caerdydd, 1908), 373-6; Hywel Francis, 'Society and Trades Unions in Glamorgan 1800-1987,' *Glamorgan County History*, Vol. 6, 89-107.

[2] John Davies, *Hanes Cymru* (The Penguin Press, 1990), 384-8.

[3] ibid., 455; David Egan (cyfieithiad gan Rhiannon Ifans), *Y Gymdeithas Lofaol: Hanes Cymoedd Glofaol De Cymru 1840-1980* (Llandysul, 1988).

[4] Roy Gregory, *The Miners and British Politics 1906-14* (OUP, 1968), 53; Ieuan Gwynedd Jones, *Communities* (Llandysul, 1987). Gw. 'The South Wales Collier in the Mid-Nineteenth Century,' 105-38 a 'The Valleys: The Making of Community,' 139-57; Ioan Matthews, 'Maes y Glo Carreg ac Undeb y Glowyr, 1872-1925,' yn Geraint H. Jenkins (gol.), *Cof Cenedl VIII*, (Llandysul, 1993), 133-64; James Griffiths, 'The Miners' Union in the Anthracite Coalfield' yn Goronwy Alun Hughes (ed.), *Men of No Property. Historical Studies of Welsh trade unions* (Mold, 1971), 60-7.

[5] T. Boyns, 'Work and Death in the South Wales Coalfield, 1874-1914,' *The Welsh History Review*, 12, 1984-5, 514-37; idem, 'Technical Change and Colliery Explosions in the South Wales Coalfield, c.1870-1914,' *The Welsh History Review*, 13, 1986-7, 155-77; Dot Jones, 'Workmen's Compensation of the South Wales Miner, 1898-1914,' *Bulletin of the Board of Celtic Studies*, 29, 1980-2, 133-55; Norman Williams, 'The Senghennydd Colliery Disaster,' yn Stewart Williams (ed.), *Glamorgan Historian*, Vol. 6, 148-59.

[6] Dot Jones, ibid., 150-2; cyhoeddwyd erthygl gan J. E. Davies, Aberdâr ar 'Y Glowr' yn *Tarian y Gweithiwr*, 24 Mawrth 1898, 3 yn edliw fod cyn lleied yn cael ei wneud i ddiogelu bywyd gweithiwr a rôi gymaint i'w gymdeithas. Ceir ganddo ddisgrifiad graffig o erchylldod 'ffrwydriad y llosgnwy.' Yr un math o gonsyrn a geir yn nhraethawd Evan Williams (Glyn Myfyr), 'Y Deimwnt Du,' a gyhoeddwyd yn *Y Deimwnt Du a rhai Caniadau* (Blaenau Ffestiniog, 1917), 3-38: 'Pwy feiddia ei ddiraddio os yw ei groen yn ddu, a'i wyneb yn welw? Mae heulwen cariad yn tywynu yn ei fywyd, a hunan-aberth yn ei wneyd yn anfarwol. Byw byth bo'r Glowr.'; *Cofnodion a Chyfansoddiadau Eisteddfod Genedlaethol Treorci, 1928*, 51.

[7] J. C. Reid, *Thomas Hood* (London, 1963), 206-9. Cafwyd cyfieithiad i'r Gymraeg gan Iorwerth Glan Aled. Gw. 'Can y Crys' yn E. G. Millward (gol.), *Ceinion y Gân. Detholiad o Ganeuon Poblogaidd Oes Victoria* (Llandysul, 1983), 64-6.

[8] *Gweithiau Barddonol Ieuan Gwynedd*, 231-2.

[9] Ieuan Gwynedd Jones, '1848 ac 1868: Brad y Llyfrau Gleision a Gwleidyddiaeth Cymru,' yn Prys Morgan (gol.), *Brad y Llyfrau Gleision* (Llandysul, 1991), 49-73; Siân Rhiannon Williams, 'Y Brad yn y Tir Du: ardal ddiwydiannol Sir Fynwy a'r Llyfrau Gleision,' ibid., 125-45.

[10] Ieuan Gwynedd Jones, '1848 ac 1868 . . .', 57, 63; Siân Rhiannon Williams, 'Y Brad yn y Tir Du . . .', 129-34.

[11] *Yr Adolygydd*, II, 1852, 236-50.

[12] ibid., 250.

[13] *Cronicl*, 51, 1893, 375.

[14] *Y Dysgedydd*, 1895, 25-8.

[15] *Y Geninen*, 1907, 275-6.

[16] Glyn Ashton, 'Literature in Welsh c. 1770-1900,' 337-8; Ben Bowen Thomas, *Baledi Morgannwg* (Caerdydd, 1951), 11; John Harvey, 'Work and Worship: Mining and Religion in the Paintings of Nicholas Evans,' *Llafur*, 6, Rhan 1, 1992, 63; *Seren Gomer*, XLV, 1862, 290-8; *Y Drysorfa*, 1878-9, 125-31; *Yr Eurgrawn*, 1935, 43-51; J. H. Jones, 'Dwyawr a Hanner yng nghrombil y Ddaear, ein mam ni oll,' *Swp o Rug* (Liverpool, d.d.), 65-72.

[17] *Y Drysorfa*, 1878-9, 131.

[18] *Yr Eurgrawn*, 1935, 49-51.

[19] *Y Geninen*, 1920, 212-4; Hywel Francis, 'The Anthracite Strike and Disturbances of 1925,' *Llafur*, 1, Rhan 2, 1973, 53-66.

[20] *Y Geninen*, 1920, 213-4.

[21] *Y Darian*, 29 Ionawr 1925, 3. 'Hanner Canmlwydd y Darian' gan 'R.W.', sef y Parch. Richard Williams, Dolwar, Aberdâr un o golofnwyr y papur; ibid., 18 Rhagfyr 1924, 4.

[22] ibid.; Anthony Mor-O'Brien, 'Patriotism on Trial: The Strike of the South Wales Miners, July 1915,' *The Welsh History Review*, XII (1984-5), 76-104.

[23] *Y Darian*, 18 Rhagfyr 1924, 4.

[24] ibid.

[25] ibid., 27 Mai 1926, 4, 22 Gorffennaf 1926, 5.

[26] T. Jones, 'Rhamant y Rhondda', *Y Geninen*, XXXV, 1917, 132-3; *Yr Efrydydd*, VIII, Hydref 1931, 15.

[27] *Y Dysgedydd*, 1910, 568-9; Y Parch. David Evans, 'Dylanwad Dadguddiad Adnoddau Mwnawl ar Gymru,' *Yr Adolygydd*, 1, 1850-1, 385-99. Gw. t.397; Paul Davies, 'The Making of A. J. Cook: His Development within the South Wales Labour Movement, 1900-1924,' *Llafur* 2, Rhan 3, 1978, 43-63; David Egan, 'Noah Ablett 1883-1935,' *Llafur* 4, Rhan 3, 19-30; Anthony Mór-O'Brien, 'Keir Hardie, C. B. Stanton, and the First World War,' ibid., 31-42; Arthur Horner, *Incorrigible Rebel* (London, 1959); Dai Smith, 'Leaders and Led,' yn K. O. Hopkins (ed.), *Rhondda: Past and Future* (Rhondda, 1975), 37-65.

[28] *Welsh Review*, 2, 1939, 40-44.

[29] *The Times*, 28 January 1873, 7.

[30] ibid., 28 January 1873, 9; 3 March 1873, 9; 5 March 1873, 9.

[31] ibid., 5 March 1873, 9.

[32] ibid., 4 January 1875, 9; 8 March 1875, 9.

[33] ibid., 18 August 1893, 7; dyfynnwyd y *Daily Telegraph* yn y *Cambrian*, 25 August 1893, 3.

[34] ibid.

[35] ibid.

[36] *The Times*, 18 July 1898, 11.

[37] ibid., 16 September 1915, 9.

[38] *Y Darian*, 6 Mai 1926, 4.

[39] ibid., 20 Mai 1926, 4.

[40] ibid., 17 Mehefin 1926, 3; 5 Awst 1926, 4; 2 Medi 1926, 4; 21 Hydref 1926, 4; 9 Rhagfyr 1926, 4.

[41] *Tarian y Gweithiwr*, 3 Ionawr 1879, 5; 19 Awst 1897, 5; *Y Darian*, 31 Gorffennaf 1919, 4; ibid., 8 Gorffennaf 1915, 4.

[42] *The Western Mail*, 7 January 1873, 2; 7/20/22/27 February 1873.

[43] *South Wales Daily News*, 11 January 1873, 2; 21 March 1873, 2; 23 January 1875, 2; 12/13 April 1875, 5.

[44] ibid., 25 May 1898, 4; gwelir agwedd gondemniol o *South Wales News* at y streic yn glir mewn nifer o lithiau golygyddol e.e. 'The Inglorious End' (20 Nov. 1926, 6); 'The End of the Stoppage' (1 Dec. 1926, 6); 'Socialist Hypocrisy' (9 Dec. 1926, 6.); 'Mr. Cook as Bolshevist Hero' (29 Dec. 1926, 6). Mewn erthygl yn y *Colliery Workers' Magazine* cyhuddodd Oliver Harries y papur o fradychu ei egwyddorion Rhyddfrydol a bu'n rhaid i'r golygydd ei amddiffyn ei hun. Gw. 'The Liberal Press and the Miners' (17/22 Dec. 1926, 6).

[45] *The Western Mail*, 27 February 1912, 5.

[46] ibid., 8 October 1926, 6.

[47] *Y Beirniad*, XVII, 1876, 64-6; *Taliesin*, 1, 1859-60, 137-9.

[48] ibid., *Y Bedyddiwr*, XVI, 1857, 306-7.

[49] Mynyddog, *Y Trydydd Cynnyg* (Wrexham, d.d.), 97-9; John Ceiriog Hughes, *Oriau'r Bore* (ail argraffiad: Wrexham, d.d.), 70-3; E. D. Lewis, 'The Cymer (Rhondda) Explosion 1856', *Cymmrodorion Society Transactions*, 1976, 119-61.

[50] *Y Beirniad*, XVII, 1876, 65-6; *Yr Haul*, V, 1854, 351-3. Y mae'n ddiddorol darllen cerdd Deheufardd ochor yn ochor â'r folawd a luniodd ar gyfer Eisteddfod Treforys, 1854, yn clodfori glowyr W. Pegg, Ysw., yng nglofa Pengelli am beidio â streicio. Roeddent wedi gwrthod 'dilyn llwybrau aflan' a 'mympwy calon ddu' gan ddangos parch i'r meistr fel y gweddai i Gristnogion o Gymry wneud:

> . . .Dylyned dyn gyfreithiau Duw,
> Daw cysur iddo tra b'o byw.

Fe gâi'r glöwr y driniaeth a haeddai ei gymeriad moesol.

[51] Wil Hopkin, *Tannau'r Bore* (Morriston, 1916), 10.

[52] Christopher B. Turner, 'Religious Revivalism and Welsh Industrial Society: Aberdare in 1859,' *Llafur*, 4, Rhan 1, 4-13; *Tarian y Gweithiwr*, 20 Rhagfyr 1883, 5; ibid., 10 Chwefror 1887, 3; 'Hen Gymeriadau'r Dyfnder,' *Cymru*, 21, 1901, 125-6, 211-12; 'Duwiolion y Dyfnderoedd,' *Cymru*, 22, 1902, 289-91; 'Cymanfaoedd Glowyr Mynydd Newydd,' *Cymru*, 23, 1902, 42-4; 'O'r Dyfnderoedd,' *Cymru*, 23, 1902, 97-8; 'Bore Mewn Glofa,' *Cymru*, 23, 1902, 115-6; 'Glowyr Mynydd Newydd,' *Cymru, 23, 1902, 278-80; 'Glowyr Glan Tawe,' Cymru*, 24, 1903, 17-20, 331-2.

[53] John Harvey, 'Work and Worship: Mining and Religion in the Paintings of Nicholas Evans,' *Llafur*, 6, Rhan 1, 1992, 62-81; John Meirion Morris, 'Hanes Mewn Llun,' *Y Faner*, 7/14 Awst 1987, 18-19.

[54] J. J. Williams, *Straeon y Gilfach Ddu* (Llandysul, 1931); Robert Rhys, 'Cân y Fwyalchen: Golwg ar waith J. J. Williams' yn Hywel Teifi Edwards (gol.), *Cwm Tawe* (Cyfres y Cymoedd), (Llandysul, 1993), 266-92.

[55] Saunders Lewis (gol.), *Crefft y Stori Fer* (Llandysul, 1949), 54; John Rowlands, 'T. Rowland Hughes', *Ysgrifau ar y Nofel* (Caerdydd, 1992), 116.

[56] *Crefft y Stori Fer*, 56.

[57] ibid., 53-4.

[58] ibid., 63; *Y Faner*, 7 Chwefror 1945; John Rowlands, 'T. Rowland Hughes,' op.cit., 109-29.

[59] *Y Ddraig Goch*, Ionawr, 1929, 5.

[60] ibid.

[61] ibid.; *Y Faner*, 23 Rhagfyr 1953, 6.

[62] John Ellis Williams, *Pris y Glo* (Caerdydd, 1930), 7.

[63] D. J. Williams, *Yn Chwech ar Hugain Oed* (Llandysul, 1959), 113; y Parch. J. E. Rhys (Ap Nathan), 'Y Lofa a'i Phobl,' *Y Drysorfa*, CX, 1940, 67-71.

[64] *Yr Eurgrawn Wesleyaidd*, 1931, 424-6.

[65] *Cyfansoddiadau a Beirniadaethau Eisteddfod Genedlaethol Bae Colwyn, 1947*, 129.

[66] Am enghreifftiau o'r mathau o draethodau eisteddfodol a gynhyrchid o bryd i'w gilydd gweler e.e. *Cyfansoddiadau Buddugol Eisteddfod Ystalyfera, 5 Medi 1859* (Abertawy, 1860); *Gardd y Gweithiwr; sef y Cyfansoddiadau Gwobrwyedig yn Eisteddfod Ystalyfera, Mehefin 25, 26, 1860* (Abertawy, 1861). Gw. Hywel Teifi Edwards, 'Gardd y Gweithiwr,' *Cwm Tawe* (Cyfres y Cymoedd), 163-8; idem, *Gŵyl Gwalia*, 106-10; *Cyfansoddiadau a Beirniadaethau Eisteddfod Genedlaethol Caerffili, 1950*, 1-8; *Cyfansoddiadau a Beirniadaethau Eisteddfod Genedlaethol Caerdydd, 1960*, 7.

[67] O. ap Harri, *Y Dosbarth Gweithiol yng Nghymru*, 12,71, 93-101.

[68] ibid., 61.

[69] ibid., 53.

[70] ibid., 53-4.

[71] ibid., 64-5.

[72] *NLW Schedule of National Eisteddfod MSS.* Eisteddfod Genedlaethol Bangor, 1915. Rhif 9.

[73] *Y Tyst*, 9 Medi 1881, 13.

[74] *Transactions of the Royal National Eisteddfod Cardiff, 1883*, 307-34, 481-505, 182-4.

[75] *NLW Schedule of National Eisteddfod MSS.* Eisteddfod Genedlaethol Bangor, 1915, Rhif 9, 49.

[76] ibid., 50-6.

[77] ibid., 58-61.

[78] ibid., 63-4.

[79] ibid., 65-9.

[80] Y Parch. T. Gwernogle Evans, M.H., *Yr Ysgub Aur* (Caerdydd, d.d.), 139-40.

[81] *NLW Schedule of National Eisteddfod MSS.* Eisteddfod Genedlaethol Bangor, 1915. Rhif 9, 69-70.

[82] Carnelian, *Awdl y Glowr* (Aberdâr, 1896), 3.

[83] ibid., 5-7.

[84] ibid., 12-13.

[85] ibid., 14-19.

[86] *Cofnodion a Chyfansoddiadau Eisteddfod Genedlaethol Rhydaman, 1922,* 134-7; *Cofnodion a Chyfansoddiadau Eisteddfod Genedlaethol Aberafan, 1932,* 65-6.

[87] *Cofnodion a Chyfansoddiadau Eisteddfod Genedlaethol Treorci, 1928,* 46.

[88] ibid., 53-5.

[89] *Cyfansoddiadau a Beirniadaethau Eisteddfod Genedlaethol Caerffili, 1950,* 79.

[90] ibid., 1-8; David Meakin, *Man and Work. Literature and Culture in Industrial Society* (London, 1976). Gw. Penodau 2, 4, 5; Chris Williams, 'The South Wales Miners' Federation,' *Llafur,* 5, Rhan 3, 1990, 52-5.

[91] *Cyfansoddiadau a Beirniadaethau Eisteddfod Genedlaethol Caerffili, 1950,* 74, 79, 83-4.

[92] ibid., 78, 84.

[93] *Yr Eurgrawn,* 1950, 257, 302-3.

[94] *Cerddi Crwys,* II, (Llandysul, 1956), 9-22; *Caneuon Amanwy* (Llandysul, 1956), 72-89; Dyfnallt Morgan, *Y Llen a Myfyrdodau Eraill* (Dinbych, d.d.), 20-6

[95] *Cyfansoddiadau a Beirniadaethau Eisteddfod Genedlaethol Caerffili, 1950,* 78; *Y Faner,* 16 Awst 1950, 8.

[96] *Y Cymro,* 25 Awst 1950, 12.

[97] ibid., 29 Medi 1950, 5; 27 Hydref 1950, 13.

[98] *The Amman Valley Chronicle,* 3 May 1951, 5.

[99] ibid., 17 May 1951, 5.

[100] *Y Faner,* 28 Mai 1952, 2.

[101] ibid.

Pennod II

Golud Gwlad y Gwaelodion

Dyn diwyd a nwyd eon;—grymus gawr
Maes y gwyll a'r nwyon;
Tarian ei frawd, tyner ei fron,
A golud gwlad y gwaelodion.

'Y Glowr' (Milwyn)

Cyn diwedd yr 1870au yr oedd tair streic, tri pherson a thri digwyddiad wedi haearnu'r mold a roes i'r glöwr Cymraeg ei lun a'i liw digamsyniol am ymron ganrif. Streiciau 1871, 1873 ac 1875 oedd y tair streic; David Williams (Alaw Goch), David Davies, Llandinam a William Abraham (Mabon) oedd y tri pherson; a buddugoliaethau Côr Mawr Caradog, 1872-3, gwaredigaeth Pwll Tynewydd, 1877, a thrychineb Pwll Abercarn yng nghanol dirwasgiad 1878 oedd y tri digwyddiad.

Nodwyd yn y bennod gyntaf fod sicrhau perthynas adeiladol rhwng meistr a glöwr wedi bod yn destun trafod mewn cylchgrawn a phapur ac yn bwnc cystadleuaeth mewn eisteddfod o'r 1850au ymlaen, a chan fod y mater wedi'i drafod yn *Gŵyl Gwalia* (1980) ni raid manylu yma. Fel y ceisiodd cylchgronau poblogaidd John Cassell yn yr 1850au—*The Workingman's Friend, Cassell's Popular Educator* a *Cassell's Magazine*—ddwyn y gweithiwr o afael Siartaeth a Sosialaeth 'into the safer paths of moral reform and social uplift', felly y ceisiodd y wasg Gymraeg a'r Eisteddfod Genedlaethol yn yr 1860au gyfeirio'r gweithiwr o Gymro. Fe'i hanogid i osgoi streiciau a chynnwrf ac i dderbyn y berthynas rhwng meistr a gweithiwr fel petai o ddwyfol ordinhad.[1]

Yn Lloegr, ymegnïodd y Parch. Henry Solly i sefydlu Clybiau ar gyfer gweithwyr er cadw undebaeth dan law, ac ar gais ei gyfaill mawr, Hugh Owen, ymwelodd ddwywaith â'r Eisteddfod Genedlaethol, yn 1865 ac 1867, i hyrwyddo'i fudiad yng Nghymru. 'This is Henry Solly, my dear,' meddai'r Postfeistr Cyffredinol wrth ei wraig, 'who believes that Heaven consists of workingmen's clubs.' 'Roedd yn dderbyniol iawn gan gefnogwyr Hugh Owen a bu terfysg Sheffield, y 'Sheffield Union Outrages' yn 1867, yn gryn gymorth i'r ymgyrch er sicrhau undebaeth hydrin, ymgyrch y rhoes y Parch. W.

Warlow Harry hwb iddi yn y 'Social Science Section' yn Eisteddfod
Genedlaethol Caer, 1866, pan ddarllenodd bapur ar 'The Relations
of the Employer to the Employed, and its Bearing upon the Domestic
Life of the Working Classes.'[2]

Yr oedd Hugh Owen, wrth reswm, am i'w Adran sicrhau
perthynas 'iach' rhwng meistr a gweithiwr. Rhoes ei fryd ar gynnal
trefn briodol rhwng y gwahanol ddosbarthiadau: 'The "condition"
of each of the "industrial classes" of the community might
appropriately be considered with the view of securing for them
increased comforts and promoting their social advancement—
guarding them against combinations that disturb the relation
between the employers and the employed, and that violation of the
law which regulates supply and demand.' Yr un oedd bwrdwn llawer
o'r hyn a ysgrifennwyd am gysylltiadau diwydiannol yng Nghymru i
lawr hyd at ddegawd cynta'r ganrif hon, a chrisialodd Tudno mewn
tri gair yr agwedd gall at y cysylltiadau hynny pan ddywedodd yn ei
awdl fuddugol i'r 'Llafurwr' yn Eisteddfod Genedlaethol Bangor,
1890, mai 'Ffol disgwyl cydraddolder.' Fel beirniad, cymeradwyodd
Hwfa Môn y sylw a chanmolodd Berw un arall o'r cystadleuwyr am
na chaed ganddo 'rwgnachrwydd cynghaneddol rhai wedi penfeddwi
ar ysbryd chwyldroad nes canfod ellyllon dychmygol gorthrwm ar
bob llaw.' Ni raid dweud fod awdl fuddugol Tudno yn un hollol ddi-
ellyll. Barn y trydydd beirniad, Dyfed, oedd ei bod 'yn darllen fel
salm, mor naturiol ac mor loyw a ffrwd y mynydd.'[3]

Ateg i'r ddadl hon dros gytgord rhwng meistri a'u gweithwyr oedd
y ffaith anwadadwy fod ei 'deimwnt du' yn gwneud Cymru yn ased
imperialaidd o'r radd flaenaf. Dyna'i harch-gynnyrch ac yr oedd i'w
arddangos yn y 'Mines Building' yn Ffair y Byd a gynhaliwyd yn
Chicago yn 1893. Heb gyflenwad digonol ohono peryglid llwydd yr
Ymerodraeth Brydeinig. Yr oedd yn rhaid gwybod mwy a mwy
amdano—sut i'w ddarganfod a'i godi heb sôn am sicrhau na rôi streic
a 'chloi mas' stop ar y diwydiant a rôi gymaint bri ar Gymru. Mae'r
sylw a roddwyd i Ddaeareg yn y 'Social Science Section' yn fesur o'r
ymwybod â gwerth cenedlaethol glo. Trwy ddaeareg yr oedd cael ato
ac nid oedd neb yn fwy taer na'r Dr. Thomas Nicholas dros ddysgu
ei gydwladwyr sut i ddod o hyd i'r trysor drud: 'It has made England
the greatest among nations. It may well be styled "King Coal", and
if the knowledge which is involved in the discovery of its virtues and
the application of them permitted, it had long ago been styled and
worshipped as God Coal, so imperial has been its influence over

the present age, and so manifold its creations.' Rhwng Thomas Nicholas, Pedr Mostyn—rheolwr pwll glo a fu'n Ysgrifennydd 'Yr Eisteddfod' am gyfnod byr—Samuel Jenkins (Manodfab) a John Thomas, Rhaeadr profwyd droeon yr hafaliad, Daeareg = Glo = Bri Cenedlaethol, yng nghyfarfodydd y 'Social Science Section'. [4]

Pan ddigwyddai streiciau difrifol ym maes glo'r De, felly, nid stormydd lleol eu llanastr mohonynt yn unig ond tymhestloedd a allai beryglu enw da cenedl fach a werthfawrogai eirda Ymerodraeth fwya'r byd. 'Nid aelod dibwys ydyw y glowr Cymreig yn nhrafnidiaeth yr ymherodraeth Brydeinig. Y mae yr hwn sydd yn defnyddio y mandrel gyda medrusrwydd yn llywio teyrnwialen alluog.' Waeth sut yr edrychid ar y broblem, anffodion andwyol oedd streiciau hir-barhad yn ddieithriad a'r ddadl oedd na ddylid ymdaflu iddynt ond pan fyddai'r meistri wedi ymgyndynnu yn wyneb gofynion cyfiawn y gweithwyr. Mewn sefyllfa o'r fath byddai'r glöwr fynychaf yn hawdd cydymdeimlo ag ef—yn y Gymraeg o leiaf—ac yn ystod yr 1870au enillodd radd o gydymdeimlad ac edmygedd a oedd i gadw ei ddelwedd lenyddol yn ei hunfan tan ail hanner y ganrif hon.

Ym marn L. J. Williams nid brwydrau ideolegol ond streiciau dros gyflog teg a gwell amodau gwaith fu streiciau mawr glowyr y De o'r cychwyn. Cyflwr byw oedd yn y fantol bob tro. Y mae'n sicr fod hynny'n wir am streiciau 1871, 1873 ac 1875. Er fod undebaeth wedi bwrw gwreiddiau yn y De yn yr 1830au nid oedd wedi gwneud llawer o gynnydd yn nannedd gwrthwynebiad cytûn y meistri glo a haearn a'r ustusiaid, a phan ymddangosodd yr 'Amalgamated Association of Miners' yn 1869 wynebai dalcen caled gan fod y perchnogion eisoes wedi ymffurfio yn 'South Wales Steam Collieries Association'. Erbyn 1875, fodd bynnag, diolch i frwydrau 1871 ac 1873, yr oedd gan yr A.A.M. 42,161 o aelodau allan o'r 72,643 a weithiai ym maes glo'r De, ond yn dilyn methiant streic 1875 rhwystrwyd twf undebaeth filwriaethus am genhedlaeth gyfan. [5]

Parhaodd streic 1871 yng nghymoedd Cynon a'r Rhondda o Fehefin tan ganol Awst. Fe'i taniwyd gan yr un ffiws a daniodd bron bob anghydfod rhwng 1850 ac 1870, sef ysfa'r meistri i ostwng cyflogau'r glowyr. Yn 1871, mynnai perchnogion y pyllau glo ager yn wyneb her y meistri haearn i'w marchnad fod yn rhaid cael gostyngiad o 5%, ond fe'u trechwyd er gwaethaf hurio 'blacklegs' o Swydd Stafford a Chernyw i dorri'r streic. Costiodd y frwydr yn ddrud i lawer teulu a daflwyd allan i'r stryd gan y Cwmni oedd piau eu tai a gadawodd nifer ohonynt y Rhondda am byth. Erbyn i'r

Cyflog Byw?

perchnogion gytuno i drafod yr oedd yn rhy hwyr i ddylofi'r chwerwedd a oedd wedi'i ennyn yn y maes glo. Byddai undebaeth yn ymborthi ar y chwerwedd hwnnw o 1871 ymlaen. Rhoddwyd i'r glowyr arfogaeth gref ar gyfer ysgarmesoedd y dyfodol, sef atgofion y byddai'n hawdd iawn i wŷr y geiriau, y 'tonguesters', chwedl Tennyson, beri iddynt ymlidio o'r newydd pan fai angen.[6]

Cawsant gyfle'n fuan i ymarfer eu dawn pan ddaeth glowyr y gweithfeydd haearn allan ar 1 Ionawr 1873 ar streic a oedd i bara am dri mis. Oherwydd trai dros dro yn y farchnad haearn, galwodd y meistri am ostyngiad o 10% yng nghyflogau'r glowyr. Gyda chymorth yr A.A.M. a dalodd ddecswllt yr wythnos i'w aelodau brwydrwyd tan ddiwedd Mawrth ac ni chafodd y meistri mo'u ffordd. Unwaith eto, ymddangosai fod achos undebaeth wedi cael hwb sylweddol wrth i rengoedd aelodau'r A.A.M. gynyddu'n gyflym, ond ymhen dwy flyned byddai'r Undeb ar chwâl a'r perchnogion ar gefnau'u ceffylau.[7] Sylweddolodd y meistri haearn a glo na fedrent fforddio ymrannu wyneb yn wyneb â bygythiad undebaeth hyderus. Daethant at ei gilydd yn haf 1873 ac ymffurfio'n Gymdeithasfa gryfach nag o'r blaen, sef y 'Monmouthshire and South Wales Coalowners Association', clymblaid o 85 o gwmnïau a berchnogai rhyngddynt 222 o byllau. Yr oedd i oroesi tan 1955 ar ôl ennill buddugoliaeth yn 1875 a dorrodd galon yr A.A.M.[8]

Cawsai'r Undeb hwnnw ei wanhau eisoes gan ddau ostyngiad cyflog o 10% yn olynol ym mis Mai a mis Awst, 1874. Nid oedd mo'r adnoddau ganddo i gefnogi streic a chiliodd nifer o'i aelodau pan gynghorwyd hwy i dderbyn y toriadau. Cyn diwedd 1874 mynnwyd gostyngiad arall o 10% a streiciodd y glowyr ar 1 Ionawr 1875. Gwrthododd y meistri gyflafareddu, defnyddiwyd arf y 'cloi mas' o Chwefror ymlaen ac ar ddiwedd mis Mai aeth y glowyr gorchfygedig yn ôl i'w gwaith wedi gorfod derbyn gostyngiad cyflog o 12½% a chytuno ar drefn y 'Sliding Scale' a fyddai tan 1903 yn clymu eu cyflogau wrth bris y glo ar y farchnad ac i bob pwrpas yn dirymu undebaeth wrth wneud cydfargeinio rhwng perchennog a'i weithlu yn ddibwynt. Yn eu cyd-ddibyniaeth ar chwiwiau'r farchnad ar ôl 1875 ieuwyd eu buddiannau ynghyd a bu'n dda gan y Gymraeg ategu'r 'cytgord' hwnnw hyd y gallai. Hwyluswyd ei thasg gan gyfraniadau dau o brif ffigurau streiciau'r 70au—David Davies, Llandinam y perchennog goludog, gwerinaidd ei dras a William Abraham (Mabon), yr undebwr o lôwr cyfrifol. Ymgorfforai'r ddau ohonynt ragoriaethau'r Gymru Anghydffurfiol fel y synid amdanynt a byddai modd defnyddio natur eu hymwneud â'r diwydiant glo i arddangos buddioldeb cytgord.[9]

I'r llesolwyr cymdeithasol a bleidiai bartneriaeth rhwng meistr a gweithiwr yr oedd David Davies, Llandinam (1818-1890) megis rhodd ragluniaethol. Nid ef, fodd bynnag, oedd y rhodd gyntaf o'i bath yn y cyswllt hwn i'r Gymraeg fedru elwa arni. Yr oedd David Williams (Alaw Goch, 1809-63), yn berchennog pyllau glo, yn eisteddfodwr a bardd ac yn anwylyn ei bobol erbyn ei farw. Symudasai'r teulu i Aberdâr yn 1821 ar ôl i'w dad, a bresiwyd, dreulio chwe blynedd yn y llynges a gweld Nelson, oddi ar ddec y llong ryfel agosaf at y 'Victory', yn cael ei glwyfo'n angheuol ym mrwydr Trafalgar. Saer oedd ei dad a chododd Alaw Goch o fod yn llifiwr coed i fod yn ŵr cyfoethog iawn ar ôl mentro a dechrau cloddio am lo yn Ynyscynon yn 1847. Cafodd neb llai na Crawshay Bailey yn gefn iddo ac aeth yn ei flaen i gloddio pyllau yn Nhreaman, Aberpennar a Chwmdâr a'u gwerthu bob un am arian mawr.[10]

Â'i ffortiwn prynodd diroedd yn Llanwynno, Maenor Meisgin a'r darn hwnnw o'r Rhondda Fawr, diolch i Crawshay Bailey, sy'n tystio o hyd i'w lwyddiant, sef Trealaw. Sut bynnag, wrth wella'i stad mor egnïol trwy rym penderfyniad, dygnwch a gallu nid ymbellhaodd

David Williams (Alaw Goch).

oddi wrth y werin y ganwyd ef iddi yn Ystradowen, ger y Bontfaen ar ddechrau'r ganrif. Ymhyfrydai yn ei phennill a'i chân a phan lansiwyd yr Eisteddfod Genedlaethol yn Aberdâr yn 1861 ef oedd Trysorydd y corff llywodraethol, 'Yr Eisteddfod', a'i barodrwydd i wario'i arian a gadwodd y fenter rhag suddo'n ddi-oed pan chwalodd tymestl bafiliwn yr Eisteddfod Genedlaethol gyntaf honno ddiwrnod cyn iddi godi angor. Cydnabu'r Cymry eu hoffter a'u hedmygedd ohono fel gwladgarwr cymwynasgar pan gyflwynwyd tysteb genedlaethol iddo yn Neuadd Ddirwest Aberdâr, 15 Ionawr 1862, ac wedi'i farw etifeddodd ei fab, y Barnwr Gwilym Williams, y parch a oedd i'w dad ymhlith ei bobol.[11]

Cyhoeddwyd *Gwaith Barddonol Alaw Goch* yn 1903 ac os nad yw'r casgliad yn profi ei fod yn fardd o bwys y mae'n dangos fod ymhél â barddoni wrth fodd ei galon. Yr oedd ei gariad at y Gymraeg a'r awen yn ddigon i'w osod ar wahân ymhlith perchnogion y pyllau glo, ond yn ôl nifer o'i edmygwyr yr oedd ei berthynas â'i weithwyr yr un mor ganmoladwy gynnes. Pan gyhoeddwyd yn 1864 y cerddi a wobrwywyd yn yr Eisteddfod Iforaidd a gynhaliwyd yn Aberdâr yn 1857, yr oedd 'Pryddest o Glod' y Parch. J. Thomas (Ieuan Morganwg) i Alaw Goch yn bennaf yn eu plith. Fe'i cyfarchwyd yn y Rhagair i'r gyfrol fel un a fuasai am flynyddoedd 'yn un o'r meistri mwyaf parchus yn yr holl wlad—un ag oedd yn byw yn serch ei weithwyr—un hefyd a brofodd ei hun yn wir gyfaill i lenyddiaeth ei wlad, a chefnogydd selog pob mudiad a dueddai i ddyrchafu cymmeriad a llesoli y genedl.' Dyna'r gwladgarwr y cyflwynodd Ceiriog *Oriau'r Bore* iddo yn 1862 a dyna'r meistr glo y teyrngedodd Ieuan Morganwg iddo ym Mehefin, 1857.[12]

A derbyn fod 'pryddestau clod' y ganrif ddiwethaf wedi'u seilio'n ddifeth ar gonfensiwn gorganmol, dylid disgwyl i ffigur mor hygar ag Alaw Goch ennyn cryn dipyn o ormodiaith—ac fe wnaeth—ond yn ôl pob sôn amdano nid gwyngalch oedd mawl Ieuan Morganwg i'w ofal am ei lowyr:

> . . .Y glowr du yn eigion da'r
> A deimla'n ddedwydd yn ei waith;
> Gwas'naethu mae gyfnesaf gâr,
> O'r unrhyw gyff, a gwaed, ac iaith;
> Clymedig ydynt ar bob pryd
> Yn rhwymyn euraidd undeb mâd,
> Ymdrecha'r pleidiau o un fryd
> I wneyd i'r naill a'r llall leshad.

> . . . Yn nghanol twrw ei ymdriniaeth fawr
> Ni ollwng ef yn annghof ar un awr
> Ei ddyledswyddau at y gweithiwr blin,
> Ond llwyr ofala idd ei dyner drin,
> Fel bod o deimlad, o'r un cnawd a gwaed,
> Heb 'run gwahaniaeth ond trwy gyfoeth gaed;
> Am hyn bendithion fyrdd dd'ont ar ei ben,
> A'i glod ymleda trwy holl Walia wen. [13]

Yr un oedd tystiolaeth John R. Hughes o'i blaid yn ei farwnad fuddugol iddo yn Eisteddfod Genedlaethol Llandudno, 1864:

> . . . Ei weithwyr oedd iddo fel plant mabwysiadol,
> Dilynent ei elor yn araf a phrudd:
> Edrychent yn syn ar ei arch, fel yn raddol
> Yr oedd dan bridd-leni yn myned yn nghudd.
> Hwy gofiant ei enw am feithion flynyddau,
> Y dwfn fwn adseinia ei glod a'i rinweddau,
> Ac aml i liw-nos law sycha serch ddagrau,
> A wylir o olwg goleuni y dydd! [14]

A thrachefn pwysleisiwyd ei ofal am y glöwr 'fel bod o deimlad' yn awdl alarnadol Hwfa Môn a wobrwywyd yn 1866 yn Eisteddfod y Cymry, Castell-nedd:

> . . . I'r truan, o dan ei did,
> Y rhoddai gyflawn ryddid;
> A hwn a'i law, yn ei loes,
> Lonai mewn helbul einioes.
>
> Dygai weithwyr o'u profedigaethau,
> I olau diroedd o'r iselderau;
> Ac hwy a dynodd o'u llaes gadwynau,
> O gur a chwerwedd dyfnion garcharau;
> Torodd i lawr bentyrau—o drymion
> Ddur ieuau geirwon oddiar eu gwarau!
> Eu huchel drymllyd ochau—ystyriodd
> Ac hyfrydodd weini i'w cyfreidiau.
> A brasder ei lawnderau,—mewn hardd-deb,
> O'i lwydd a'i burdeb hiliodd eu bordiau! [15]

Fel gŵr i gymodi rhwng gweithiwr a meistr yr oedd manteision Alaw Goch—mab i saer a fagwyd ar aelwyd grefyddol ac a ddaeth

ymlaen yn y byd heb ddewis anghofio beth oedd ystyr bod yn löwr—
yn nodedig. Ond fe'i dilynwyd ymhen tair blynedd ar ôl ei farw yn
1863 gan wladwr o Drefaldwyn y byddai'i gyflawniadau yn ei wneud
yn gyfoethocach gŵr o lawer ac yn eu alluogi i chwarae rhan
cymwynaswr unigryw ym mywyd Cymru tan ei farw yn 1890. Y mae
chwedl David Davies, Llandinam eisoes wedi'i hadrodd yn llawn fel
na raid yma ond nodi'r ffeithiau sy'n berthnasol i'w ran ym maes
glo'r De.[16]

Wedi gadael ysgol yn un ar ddeg oed aeth i helpu ei dad i ffermio
Draintewion a llifiai goed dros eraill am dâl. Fel llifiwr mynnodd fod
yn 'top sawyer' ac fel diwydiannwr yr oedd i lifio'i ffordd trwy
rwystrau o bob math. Pan fu farw ei dad yn 1846 ysgwyddodd
gyfrifoldeb penteulu ond ni rwystrodd hynny mohono rhag derbyn
her codi pont dros yr Hafren yn Llandinam a gosod ffordd tuag ati.
Llwyddodd, wrth gwrs, ac ymhen ychydig yr oedd sôn am ei orchest
fel contractor yn cerdded y wlad mor ddi-droi'n-ôl â'r trên a roes
iddo'i ffortiwn gyntaf. Aeth David Davies ati i osod rheilffyrdd ac
erbyn 1862 gallai dalu £20,000 am nifer o ffermydd a roes iddo statws
tirfeddiannwr bras yn Sir Drefaldwyn. Yn 1864, yn brawf gweladwy
o'i ffyniant, cododd blasty Broneirion yng ngolwg Draintewion, man
ei eni, ac yng ngolwg y capel a fynychai a'r rheilffordd a'i
gwnaethai'n ŵr goludog.[17]

Ac yntau'n 45 mlwydd oed gallasai'n hawdd ymlonyddu a
mwynhau ei gyfoeth. Prin fod gofyn i'r gŵr a dorrodd ffordd i'r trên
trwy graig Talerddig brofi dim mwyach. Yn lle hynny, mentrodd i'r
Rhondda Fawr i gloddio am y glo ager proffidiol a chymerodd les
trigain mlynedd o 29 Medi 1864 ar y mwynau o dan gaeau ffermydd
y Gelli, Ton a'r Maerdy ym mhlwyf Ystradyfodwg. Bu'n rhaid
bargeinio â pherchen y tir, neb llai na Crawshay Bailey, ac ym
Mehefin, 1866, sicrhaodd y gwaedsugnwr hwnnw y câi rent o £2,000
y flwyddyn am drigain mlynedd gan David Davies yn ogystal â
breindal o wyth geiniog am bob 2,520 pwys o lo a godid o'r pyllau
cyntaf iddo'i hagor yn y Rhondda. Ni ellir ond rhyfeddu at anian
hyderus-feiddgar y gwron o Landinam, anian a brofwyd i'r eithaf yn
y Rhondda.[18]

Yn ôl yr hanes yr oedd David Davies a'i Gwmni yn masnachu fel
meistri glo yn yr Ystrad yn haf, 1866. Ar ôl gwario £38,000 ar suddo
dwy siafft nid oedd sôn ar ddechrau 1866 am y glo y gwyddai ei fod
yno i'w gael. Erbyn mis Mawrth ofnai ei fod wedi llosgi'i fysedd a
galwodd ei weithwyr ynghyd i ddweud wrthynt na allai fforddio

mentro mwy. Cytunasant i roi wythnos o waith iddo'n ddi-dâl a'r wythnos honno trawsant wythïen dwy droedfedd a naw modfedd o lo ager 215 o lathenni o dan dir y Maerdy. Cododd 'Davies yr Ocean' o'r dyfnderoedd â thrysor Caer Siddi i'w ganlyn. Galwodd y glo yn 'Ocean Merthyr Coal'; fel pyllau'r 'Ocean' yr adwaenid ei byllau ac yn ddiweddarach 'roedd i alw ei Gwmni yn 'Ocean Coal Company Ltd.'. Aeth clod ei lo trwy'r byd ac ymgyfoethogodd 'Davies yr Ocean' yn ddirfawr. Mewn naw mlynedd hyd at 1874 gwnaeth ei byllau elw gros o £493,823 (= £14 miliwn heddiw) ac 'roedd cyfran Davies o elw'r Cwmni yn £95,000 y flwyddyn. Yn 1873 gallai wrthod cynnig o £375,000 am ei ddiddordeb ym mhyllau'r 'Ocean'.[19]

A pha ryfedd? Dechreuasai ei ail bwll, y Parc, gynhyrchu glo yn Awst, 1866, ac erbyn 1870 'roedd y trydydd, y Dâr, wedi'i agor yng Nghwm-parc. Codwyd 340,000 o dunelli o'r tri phwll yn 1871 ond yn 1915 yr oedd deg o byllau'r 'Ocean' yn codi 1.9 miliwn o dunelli. Ni allai David Davies lai na chwennych statws teilwng o'i olud. Yn 1865 ceisiodd yn ofer am safle Aelod Seneddol Rhyddfrydol ar draul Syr Thomas Lloyd, y Tori a gynrychiolai Geredigion. Bu'n rhaid iddo aros tan 1874 i ennill y sedd yn ddiwrthwynebiad. Fe'i cadwodd tan 1886 pan gollodd hi mewn Etholiad Cyffredinol chwerw iawn ar ôl trechu Mesur Gladstone dros Ymreolaeth i Iwerddon o 343 pleidlais i 313. 'Roedd ef yn un o'r 93 Rhyddfrydwr a wrthwynebodd y Mesur a thalodd y pris pan gollodd ei sedd o naw pleidlais i Bowen Rowlands, Q.C.[20]

Ymhen pedair blynedd byddai yn ei fedd ond parhâi Cymru i besgi ar ei fabinogi am hydoedd wedyn. Cafodd fyw i weld agor dociau'r Barri ar 18 Gorffennaf 1889, pum mlynedd ar ôl gorchfygu'r Ardalydd Bute a'i gynghreiriaid mewn dwy frwydr yn y Senedd a Thŷ'r Arglwyddi, a chafodd weld sefydlu'r 'Ocean Coal Company Ltd.', yn 1887 a saith o byllau wrthi'n cynhyrchu yn ddi-ball. Ei arian ef a gadwodd Goleg Prifysgol Aberystwyth ar agor trwy'r 1870au crintach a phan beryglwyd ei ddyfodol gan dân yn 1885, Davies Llandinam a aeth ddyfnaf i'w boced i sicrhau ei barhad. Y flwyddyn ddilynol aeth nifer o fyfyrwyr y Coleg ati'n frwdfrydig i sicrhau y collai'i sedd i Bowen Rowlands, Q.C.[21]

Bu'r un mor hael wrth ei enwad—yr oedd yn Fethodist Calfinaidd o gryn argyhoeddiad—a phorthwyd llawer achos gan ei law agored. Amcangyfrifai, gan na chadwai gyfrif o'i roddion, meddai ef, ei fod yn rhoi rhyw £10,000 y flwyddyn at elusennau crefyddol a barnai iddo roi £16,000 yn 1873 yn unig. Waeth beth am union faint y

David Davies, Llandinam
(Paentiad Ford Madox Brown).

symiau y mae'n wirionedd di-nacâd fod Davies Llandinam yn rhoddwr mawr, os nad y mwyaf yn hanes y Gymru fodern, a da o beth yw bod Gregynog yn sefyll heddiw i dystio i harddwch y wedd honno ar ei fywyd.[22]

Ni allai gŵr o'r fath beidio â gadael ei stamp yn drwm ar y maes glo. Tan ei ddiwedd ymorchestai yn y ffaith mai gweithiwr ydoedd, un a allai yn ei ddydd ddal ei dir ag unrhyw nafi ar y lein neu lowr wrth y ffas. Gallasai'n rhwydd, fel ymgorfforiad o etheg gwaith ac urddas llafur, fod yn un o lewion y gaib a'r rhaw ym mhaentiad enwog Ford Madox Brown, 'Work', ac yr oedd ei egwyddorion mor solet â'i gorff. (Yn wir, fe'i paentiwyd ef a'i wraig gan Ford Madox Brown yn 1873 ar gais cyfranddalwyr Cwmni David Davies a fynnai'i anrhydeddu.) Arddelodd gredo Samuel Smiles ar hyd ei oes a bu'n Fethodist a dirwestwr diwyro i'r fargen. Yn y Senedd fe'i cyhuddwyd gan Disraeli o fod yn ddyn hunanwneuthuredig a addolai ei grëwr ac fe'i disgrifiwyd yn gofiadwy gan Gwyn Alf Williams fel 'the Boris Yeltsin of Broneirion' a aeth yn ei flaen ar ôl ennill ei sedd 'to bore the Commons prostrate as the caricature of the Self-Made Man as People's Friend.' Fe'i cyhuddwyd gan ei elynion, yn enwedig ar ôl iddo wrthwynebu Gladstone yn 1886, o fod yn Dori yng nghroen Rhyddfrydwr, ond Rhyddfrydwr oedd Davies Llandinam yn y

bôn—Rhyddfrydwr o gyfalafwr goludfawr a fynnai ugain swllt yn y
bunt gan bawb.[23]

Ar y cyfan bu'n ddigon triw i'w gefndir, ond ildiodd ei afael ar y
Gymraeg fel dyn busnes. Aeth gyda'r llif Saesneg, fel y gweddai i
ddiwydiannwr yn Oes Victoria, a heb ewyllysio drwg i'w famiaith fe'i
diraddiodd wrth gefnogi'r Achosion Saesneg ac annog eisteddfodwyr
i fynnu'r iaith ymerodrol yn bennaf dim. Nid anodd dychmygu'r
effaith a gafodd ei eiriau ar werin gwlad Ceredigion yn Eisteddfod
Genedlaethol Aberystwyth, 1865, pan ddywedodd mai Saesneg oedd
iaith digonedd: 'If they were content with brown bread, let them of
course remain where they were; but if they wished to enjoy the
luxuries of life, with white bread to boot, the way to do so would be by
the acquisition of English. He knew what it was to eat both
(cheers).'[24]

Fel perchennog cymerai'n ganiataol y byddai'i ddaliadau ef yn
dderbyniol i'w lafurlu. Pan ddathlwyd pen-blwydd ei fab, Edward,
yn 21 oed yn Llandinam ym Mehefin, 1873, cludodd pedwar trên
rhwng tair a phedair mil o lowyr a'u teuluoedd o'r Rhondda i'r parti.
Yno'n eu disgwyl 'roedd 12,000 o boteli lemonêd ac araith
hunanlongyfarchol, uniaith Saesneg gan David Davies a roes bawb
yn eu lle—sef yn ei gysgod tadol ef. Atgoffodd ei lafurlu ei fod yn
gwneud arian mawr er mwyn ei wario er eu lles hwy fel rhai a oedd
'. . . as fine specimens of working men as England could produce.' Eu
dyletswydd hwy, wrth reswm, oedd haeddu'r fath gydnabyddiaeth a
dyletswydd eu gwragedd oedd aros gartref i sicrhau eu cysur: 'A wife
should have her house ready for the man when he comes home from
work. And that isn't all. A wife should meet him at the door with a
smile on her face, and say to him, "I'm very pleased to see you back
once again, my dear . . ."' Fel Herbert Williams, byddwn innau'n
hoffi gwybod pa siarad a fu yn y trên ar y ffordd adref i'r Rhondda![25]

O ran ei berthynas â'r glowyr a weithiai ym mhyllau'r 'Ocean'
mae'n wir y carai David Davies gredu ei fod yn gwybod sut i siarad
eu hiaith, sut i weld y byd o'u safbwynt hwy. O'r ddau, yr oedd Alaw
Goch yn berson haws closio ato yn ôl pob tystiolaeth ac 'roedd
ganddo'r fantais o fod wedi'i foldio gan y cymoedd. 'Dyn dŵad' oedd
Davies, dyn i'w barchu yn hytrach na'i hoffi ac yn sicr dyn i'w
edmygu yn rhinwedd ei orchestion. Yn un o'r ychydig Gymry
Cymraeg a wnaeth eu ffortiwn yn y Rhondda a Chwm Cynon yr oedd
ben ac ysgwyddau uwchlaw pawb ohonynt ac yn wir destun
rhyfeddod. 'What do you know about docks? You are nothing but a

sawyer,' meddai un o'i wrthwynebwyr pan ymladdai i ennill yr hawl
i adeiladu dociau'r Barri. 'If your head were on my shoulders, a
sawyer I would be yet,' oedd yr ateb. Fe'u trechodd i gyd ac aeth
cannoedd o'i lowyr i'w gyfarfod yng ngorsaf yr Ystrad 'yn dod yn ol
yn goncwerwr, a dyna le'r oeddem a rhaffau a ffaglau yn ei lusgo i
fyny drwy'r Pentre a Threorci i gae yr Ystrad Fechan, ac yno caed
cyfarfod mawr i'w groesawu ar ei fuddugoliaeth a'r seindorf bres yn
chwarae "See the Conquering Hero Comes".' Dyna'i briod gydd-
destun. [26]

Fel pob cyfalafwr Calfinaidd gwerth ei halen gwyddai'n dda sut i
hyrwyddo'i les ei hun. Iddo ef yr oedd gwneud arian yn genhadaeth
anrhydeddus, ac yr oedd statws gŵr goludog yn dda ganddo. Nid
oedd, serch hynny, yn ddibris o gyflwr ei lafurlu ac o 1866 ymlaen,
pan brynodd dir yn yr Ystrad er mwyn codi rhyw dri chant o dai
cymen ar eu cyfer, heb anghofio capel i'r Methodistiaid wrth gwrs,
daliodd Cwmni'r 'Ocean' ati i ychwanegu at ei stoc nes codi dros
1,300 o dai. Gosodai fwy o bwys ar ddiogelwch ei lowyr nag ar elw ac
arbedwyd pyllau'r 'Ocean', o ganlyniad, rhag trychinebau erchyll.
Croesawai welliannau a mater o ymffrost iddo fyddai mai'r Dâr oedd
y pwll cyntaf yn y Rhondda i ddefnyddio gwyntyll awyru, mai
Cwmparc fyddai'r pentref cyntaf yn y Cwm i weld golau trydan ac
mai'r 'Deep Navigation' yn 1915, chwarter canrif ar ôl ei farw ef,
fyddai'r gwaith glo cyntaf i gael baddonau pen-pwll. I ŵr a gredai yn
efengyl Cynnydd Oes Victoria byddai'n fater o bwys fod Cwmni'r
'Ocean' yn croesawu datblygiadau modern. [27]

Sut, felly, yr oedd dyn busnes mor gystadleuol a phenderfynol yn
mynd i ymdopi ag undebaeth? Yn ystod ei araith hunanddigonol ar
ddiwrnod pen-blwydd ei fab, Edward, dywedodd ei fod, er gwaethaf
streiciau 1871 ac 1873, yn barod i gydnabod fod gan undebwyr ran yn
y broses o benderfynu graddfeydd cyflog: 'I will answer for myself as
one individual. I always will abide by what they do. I advise you, all
of you, to give it a fair trial, and if it answers, stick to it by all means.'
Yn 1873, fel y dywedwyd, y sefydlwyd y 'Monmouthshire and South
Wales Coal Owners' Association' a reolai 75% o gynnyrch y maes
glo, ac yr oedd Cwmni'r 'Ocean' yn aelod pwerus o'r Gymdeithasfa
honno. Trechwyd streicwyr 1873 yn llwyr ganddi ym mis Mawrth y
flwyddyn honno cyn dathlu pen-blwydd Edward Davies ym mis
Mehefin. Fel concwerwr y cyfeiriai ei dad at undebaeth y diwrnod
hwnnw; concwerwr dylofus wrth reswm, concwerwr serch hynny.
Mae'n arwyddocaol fod ei fab academaidd ei fryd wedi pwysleisio fod

llwyddiant y Cwmni yn dibynnu ar barch o bobtu, '. . . that whilst we take care of your interests you will take care of ours . . . and that as one happy family we may entertain that affectionate goodwill and regard for each other which alone can make us prosperous and happy as a community . . .'[28]

Heb os, dyna'r math o berthynas yr hoffai David Davies, hefyd, ei sicrhau cyn belled ag y deallai'r glowyr eu bod hwy'n cyfateb i safle'r ddaear yn ei pherthynas â'r haul. Adeg streic 1871 arhosodd pyllau'r 'Ocean' ar gau ond yr oedd Davies Llandinam yn ddigon parod i gyflogi 'blacklegs' o Swydd Stafford er nad ymddengys i'r un ohonynt gyrraedd y Rhondda. Pan welodd fod gobaith dwyn y streic i ben trwy gyflafareddu dechreuodd ddadlau dros hynny mewn llythyrau i'r Wasg. O ganlyniad, cyfarfu'r ddwy ochor yng Nghaerdydd ac ymhlith aelodau'r ddirprwyaeth a gynrychiolai'r perchnogion 'roedd tri o Gwmni'r 'Ocean'—David Davies ei hun, J. Osborne Richards a Thomas Webb. Dychwelodd y streicwyr i'w gwaith a chymrodd Davies arno agwedd dyddiwr. Ymhen pedair blynedd byddai streic llawer mwy pellgyrhaeddol ei chanlyniadau na rhai 1871 ac 1873 yn rhoi cyfle iddo weithredu eto.[29]

Mabon ('Saul y glowyr').

Erbyn 1875 yr oedd William Abraham (Mabon) wedi dechrau gwneud ei farc fel undebwr o bwys. Fe'i ganed yng Nghwmafon yn 1842 a'i fagu ar aelwyd Fethodistaidd a'i gwnaeth, gyda chymorth yr Ysgol Sul a'r Gobeithlu, yn bregethwr cynorthwyol a dirwestwr. Yn ei gapel, y Tabernacl, datblygodd ddoniau areithydd, canwr ac arweinydd côr ac fel Alaw Goch câi fodd i fyw mewn eisteddfod. Yn Eisteddfodau Cenedlaethol chwarter olaf y ganrif ddiwethaf, pan fyddai pymtheg mil a mwy weithiau yn y Pafiliwn—fel yr oedd yn Aberhonddu yn 1889 ac Abertawe yn 1891—cadwai Mabon drefn pan oedd ar chwalu trwy ledio emynau yn ei lais tenor nerthol a throi'r cystadlu ar amrantiad yn Gymanfa Ganu. Llanwai'r llwyfan â'i gorffolaeth gwmpasfawr a'i bersonoliaeth hwyliog gan ymddwyn megis Falstaff wedi cael gras. Daliodd Dyfed ef wrth ei waith yn Eisteddfod Genedlaethol Casnewydd, 1897:

> Cyhoeddus wr, ac iddo—gnawd enwog
>   Yn dunell am dano;
> Cywir ddyn cawraidd yw o,
> A'i floneg yn ei flino.[30]

Yn ddeg oed 'roedd yn ddryswr bach dan ddaear ond yn ddwy ar bymtheg collodd ei waith am siarad yn rhy blaen dros hawliau'i gydweithwyr. Priododd yn 1860 a mentrodd i'r gweithfeydd copor yn Chile yn 1864 lle'r arhosodd am dri mis ar ddeg. Pan ddychwelodd bu'n rhaid iddo roi cyfrif ohono'i hun gerbron blaenoriaid y Tabernacl am fethu â chyflawni ei gytundeb tair blynedd. Symudodd i'r gwaith tun yng Nghwmbwrla yn 1869 ond erbyn 1870 'roedd yn gweithio ym mhwll glo Caercynydd, ger Waunarlwydd. Dechreuodd wneud yr enw Gwilym Mabon yn gyfarwydd i eisteddfodwyr lleol wrth iddo ddatblygu'n gystadleuwr ond yr oedd ei dwf fel undebwr i wneud yr enw Mabon yn llawer mwy adnabyddus i lowyr y De ymhen ychydig amser. Caent ynddo gynrychiolydd huawdl ac egnïol.[31]

Adeg streic 1871, pan oedd yr A.A.M. dan lywodraeth Thomas Halliday yn ceisio ennill tir yn Ne Cymru, gwnaeth Mabon gryn argraff fel tafodog dros yr Undeb. Erbyn Rhagfyr, 1872, aethai'n ormod o undebwr yng ngolwg ei gyflogwyr a gweithiodd ei dyrn olaf dan ddaear. Fe'i penodwyd yn asiant cyflogedig Rhanbarth Llwchwr o'r A.A.M. a phan ymddatododd yr Undeb hwnnw ar ôl streic archollus 1875 symudodd i'r Rhondda yn Chwefror, 1877, lle tyfodd Undeb Glowyr Dyffryn Rhondda (The Cambrian Miners' Association) yn undeb lleol defnyddiol—ond nid milwriaethus—dan ei arweiniad llawn-amser ef. Yn ôl un stori aeth i'r Rhondda wedi i'r glowyr ei glywed yn canu 'Y Glowr Du' a'i chanu 'so pathetically as to win his way into the hearts of his audience . . . When it was found that he could speak as well as sing the men, aspiring for a district organisation of their own, gave Mabon a ''call'' to be their agent.' Waeth beth am hynny, gofalai am fuddiannau tua 14,000 o aelodau erbyn 1885. [32]

Y flwyddyn honno, etholwyd ef yn Aelod Seneddol ac yr oedd i gynrychioli'r Rhondda tan 1920 er iddo gael ei ddisodli fel 'Brenin' undebaeth y maes glo yn 1912 pan ddaeth 'bugeiliaid newydd' i fynd i'r afael â'r bleiddiaid cyfalafol mewn modd na allai Mabon mo'i gymeradwyo o gwbwl. Buasai'n llywydd y 'FED' er Hydref, 1898, ond dros y blynyddoedd tra datblygai'n ffigur cyhoeddus emblematig yr oedd ei afael ar bolisïau'r 'FED' yn gwanhau. Daeth swyddi anrhydeddus i'w ran, megis swydd Trysorydd Cyffredinol Cyngres Gydwladol y Glowyr yn 1902 a Thrysorydd Ffederasiwn Glowyr Prydain Fawr yn 1904. Lansiwyd Tysteb iddo yn 1903 a derbyniodd 'Salver' Arian a siec o ymron £2,000 yn 1905. Bu'n aelod o'r Cyfrin Gyngor yn 1911 a gwnaeth David Lloyd George yn fawr ohono fel recriwtiwr yn y De adeg Rhyfel 1914-18. Yn sicr, nid oedd Mabon heb ei lwyfannau ond yr un mor sicr peidiodd â bod yn llais awdurdodedig y glowyr wedi trybestod streiciau 1910-12. Pwyswyd arno i ymuno â'r Blaid Lafur yn 1909 pan oedd yn llawer rhy hwyr yn y dydd iddo fedru closio at arweinwyr o frid C. B. Stanton, A. J. Cooke a Noah Ablett ac am ddeng mlynedd olaf ei oes y wasg— Rhyddfrydol a Thorïaidd—a elwodd fwyaf ar ei yrfa trwy ddefnyddio'i 'resymoldeb dibynadwy' yn ffrewyll i chwipio'r eithafwyr honedig a fynnai ddymchwel pob trefn. [33]

Daeth streic a 'chloi mas' 1875 â Davies Llandinam a Mabon i'r un cylch. Rhoesai streic 1873 gyfle arall i Mabon arddangos ei allu fel undebwr a phan ddaeth y glowyr allan yn erbyn gostyngiad pellach o 10% yn eu cyflogau ar ddechrau 1875 yr oedd yn amlwg y byddai galw arno i'w cynrychioli. Ni ellid mo'i bardduo ef fel y pardduwyd Thomas Halliday mewn cerdd yn lleisio 'Cwyn y Gymraes'. Disgynnydd Hengist a Horsa a bradwyr y Cyllyll Hirion oedd ef druan:

> . . .O dan law Pharaoh ffyrnig wyf,
> O, Halliday!
> Yn hel fy mwyd o blwyf i blwyf,
> O, Halliday!

Tithau'n gwledda o dy i dy,
Ar gigfwyd bras a chwrw cry',
Hyn ydyw'r swn a'r sibrwd sy,
  O, Halliday!

. . .O pwy all odde'r gorthrwm hyn?
  O, Halliday!
A bod yn gaeth mewn rhwym mor dyn?
  O, Halliday!
Tywallted 'nawr gymylau'r nen,
Difaol wreichion ar ei ben,
Na wened byth y nefoedd wen
  Ar Halliday![34]

Ni allai'r un Gymraes gyhuddo Mabon o fod yn ddifeind.

Aeth David Davies ati, hefyd, i gyflwyno safbwynt y perchnogion a'u hamddiffyn rhag collfarn mewn llythyr blin i'r *Times*, 24 Mawrth 1875. Ym mis Ebrill, pan oedd dioddefaint y glowyr a'u teuluoedd yn sobri'r sylwebyddion caletaf, llwyddwyd i ddod â chynrychiolwyr y ddwy ochor at ei gilydd i'r Royal Hotel yng Nghaerdydd ac unwaith eto ymagweddodd Davies Llandinam fel 'ffrind y gweithiwr' tra'n dal i bleidio'n ddiedifar hawl y perchnogion i blygu'r glowyr i'w hewyllys trwy ormes y 'cloi mas', heb sôn am ei hawl ef ei hun i bregethu wrthynt am ragoriaeth byw'n ddarbodus a chyfrifol. I bob pwrpas, heriodd hwy i ymdebygu iddo ef.[35]

Trechwyd y glowyr. Mynnwyd bod gofyn iddynt ildio i ostyngiad cyflog o 15% yn hytrach na 10% a'r diwedd fu iddynt dderbyn gostyngiad o 12% —consesiwn a ystyriai'r perchnogion yn brawf o'u hysbryd cymodlon hwy. Gwrthodasant, fodd bynnag, dderbyn cynnig i'r perwyl y dylai pwyllgor o ddeuddeg yn cynrychioli'r ddwy ochor setlo pob anghytundeb yn y dyfodol a pherswadiwyd y glowyr i dderbyn cytundeb newydd a olygai y byddai unrhyw newid yng ngraddfeydd eu cyflogau o hynny ymlaen i'w benderfynu 'on a Sliding Scale of wages, to be regulated by the selling price of coal.' (Syr) William Thomas Lewis (Arglwydd Merthyr wedi hynny) a luniodd y cynllun hwn a chytunodd David Davies, er gwaethaf ei amheuon, i gadeirio'r cyd-bwyllgor a fyddai'n gweithredu'r 'Sliding Scale'. Yr oedd Mabon i fod yn aelod blaenllaw o'r cyd-bwyllgor hwnnw tra byddai'r raddfa mewn grym, a chan y byddai honno'n achos ymrafael yn y maes glo tan ei dileu yn 1903, ni allai Mabon lai na bod ynghanol pob cynnwrf. Byddai'i ddaliadau ef yn cylchredeg yn y maes glo trwy gydol yr amser.[36]

Tra carai Davies Llandinam ymddwyn fel unben teg na pheidiodd
â bod yn weithiwr, fel gweithiwr a freintiwyd i fod yn dafodog dros
degwch hawliau'r glowyr y carai Mabon ymddwyn. Gwelai'i hun yn
gymedrolwr cadarnhaol a lles y cymunedau glofaol yn bennaf
blaenoriaeth iddo, ac o'r foment yr enillodd safle dylanwadol fel
undebwr dyrchafodd gyflafareddiad, 'yr egwyddor fawr gyfryngol',
yn 'egwyddor fendigedig.' Datganodd ei ffydd gyflwyr ynddi yn
Ebrill, 1875:

> 'Mae crefydd ein gwlad yn dysgu i ni yr egwyddor fawr hon drwy ei bod
> bob amser yn cyfeirio at un sydd yn Gyfryngwr rhwng Duw a dynion . . .
> Yr ydym yn berffaith argyhoeddedig mai yr unig fantais i gyfalaf a llafur
> yw, nid marwolaeth Undebau Celf y gweithwyr, ond cydweithrediad
> calonog o eiddo y ddau allu i ffurfio byrddau cymodol a chyflafareddol ar
> hyd a lled y wlad, y rhai a feithrinant heddwch, ac a hyrwyddant fasnach
> heb aberthu annibyniaeth y naill na'r llall.'

A phan setlwyd y streic o'r diwedd rhagwelai ddyfodiad gwell trefn:

> 'Collwyd y 12 a haner, ond enillwyd yr egwyddor; collwyd rhyfel, ond
> enillwyd heddwch; ac y mae lluoedd yn barod i ganmol am y gobaith fod
> Deheudir Cymru, ar fyr, i gyhoeddi ''Ni bydd rhyfel mwyach,'' y bydd
> i deyrnasu yn y dyfodol mewn cysylltiad a'n masnach a'n celfyddyd,
> ''heddwch fel yr afon, a chyfiawnder fel tonau'r môr.'' '

Nid oedd rhaid ond sicrhau un peth i weld sylweddoli ei obeithion, sef
'y safon ar ba un y bydd i'r ''sliding scale'' addawedig i gael ei sefydlu
arni.' Pe gellid symud honno nôl at safon y gyflog yn streic 1871,
'gellir cael mantais i wneud cyfiawnder a'r ddwy ochr, ac adfer i'r
gweithwyr yr hyn sydd wedi ei golli yn anheg.'[37]
    Cywair ei ymateb i streic 1875 fu cywair ymateb Mabon i helyntion
maes glo'r De tra bu mewn grym ac y mae'n ddiamau iddo
ddylanwadu ar natur cynnwys ac agwedd y newyddiaduraeth a'r
llenyddiaeth Gymraeg a ysgrifennwyd am y glöwr yn ystod y cyfnod
sydd dan sylw yn y gyfrol hon. Gwnaeth rhesymoldeb Mabon hi bron
yn amhosibl i'r Gymraeg ddatblygu'n gyfrwng aml-leisiol, ergydiol,
digyfaddawd i drafod bywyd y cymunedau glofaol. Cyn diwedd y
70au y safbwynt a'r naws Mabonaidd, fynychaf, fyddai'n nodweddu
ymagwedd olygyddol *Y Gwladgarwr, Tarian y Gweithiwr* a'r *Faner, Y*
Goleuad a'r *Tyst,* a'r *South Wales Daily News,* hefyd. Wrth gwrs, ceid yn
y papurau hynny lythyrau ac erthyglau achlysurol nad oeddent

wedi'u stampio â sêl Mabon, ond at ei gilydd bodlonent ar ei undebaeth ef gan amlygu'r un parch at gymedroldeb a threfn.

Mae'n werth sylwi sut y tymherodd *Y Gwladgarwr* ei leferydd yn ystod y 70au. Yn Rhagfyr, 1870, cyhoeddodd 'Holwyddoreg y Glowr', sef math o Ddeg Gorchymyn ar gyfer 'Ddafydd dlawd, orthrymedig' sydd ar drugaredd meistr brwnt, annynol:

> '. . . 6ed. Bydded iti weithio dy hun i farwolaeth, ac felly cyflawni hunan-laddiad.
> . . . 7fed. Bydded i ti wanychu dy gorff drwy orlafur, er dy rwystro rhag cyflawni godineb.'

Yn Ebrill, 1871, rhoes hanes glowyr Aberpennar yn ymuno â'r Undeb mewn iaith filwriaethus:

> 'Y mae palfau trais a gormes yn mathru y dosbarth gweithiol yn barhaol . . . Pa cyhyd bellach bydd y glowyr, druain, dan yr iau?—dynion ag sydd yn llwybro trwy 'commercial streets' marwolaeth bob dydd, lle mae euroclydon angeu yn cyfodi yn ddisymwth a'u hyrddio mewn mynyd i'r tragwyddoldeb mawr; ie, dynion, pan wrth ddisgyn trwy "fans" y pwll yn y boreu, efallai mai cyfarfod a'u harch fydd pob un o honynt pan yn esgyn i enau'r pwll. Er hyn i gyd, mae meistradoedd ein glofeydd a gwialen gormes yn gostwng ein huriau yn barhaus, a gallwn ddweyd yn ddibetrus, mae yn eu dideimladrwydd mae eu nerth.'[38]

Ond pan ddaeth streic a 'çhloi mas' 1875 ar warthaf y cymoedd gresynai'r *Gwladgarwr* fod y glowyr wedi dod allan heb arweiniad a heb gymorth yr Undeb: 'Hyderwn o hyd yr ymddangosai rhyw gyfryngwr dyngarol ar y maes a fyddai yn debyg o lwyddo i ddylanwadu er dwyn y pleidiau pellafol at eu gilydd; ond wele ni chyfododd neb.' Mewn argyfwng o'r fath, 'Y mae yn gysur i ni fod Un sydd uwch na dyn yn "eistedd ar y llifeiriant," yr Hwn a fedr uwch-reoli y cyfan i ateb ei ddybenion mawrion ei Hun.' Pan ddaeth y streic i ben ni phriodolodd *Y Gwladgarwr* hynny i ymyrraeth Duw (er fod Davies Llandinam a Mabon yn ddau Galfin cyfleus wrth law), ond croesawodd y rhyddhad ag angerdd ysgrythurol. Daethai oes y streic i ben: 'Cladder pob drwgdeimlad bellach—hebrynger pob surni a phob chwerwedd ar aball i ddifancolliant diadlam—rhoer hergwd bythol i annghydweledidadau mor fasnach-ddinystriol a hyn, y rhai ydynt yn andwyo pob cylch a phob cangen. Hawddamor, hedd, a llwyddiant bellach i Ddeheudir Cymru.' Ni allasai Mabon ddweud yn well.[39]

O droi at *Tarian y Gweithiwr* ceir fod y tân yn ei fol wedi llosgi'n hwy
a ffyrnicach na thân *Y Gwladgarwr*, diolch yn bennaf i golofnau
'Llwynog o'r Graig', sef Thomas Davies o Abercwmboi, brodor o
Gefneithin a gynhyrfodd y De â'i ymosodiadau ar fileindra'r gaffers
a thrachwant y meistri glo rhwng Hydref, 1876 ac Awst, 1878. Fel y
dangosodd Robert Griffiths, collodd y glowyr amddiffynnydd nodedig
pan ddatgelwyd pwy oedd 'Llwynog o'r Graig', a chollodd y
Gymraeg un a wyddai sut i'w thrin ag awch dienyddiwr. Fe'i
herlidiwyd am flynyddoedd o'r herwydd ac etifeddwyd ei ehofndra gan
ei fab stans, S. O. Davies, A.S., a ddysgodd gan ei dad werth Undeb
a dygnwch egwyddor. Cafodd Mabon Thomas Davies yn gefn iddo
pan symudodd i'r Rhondda yn 1877. Ni allasai gael lletach cefn
ar y pryd. Yng ngeiriau un o lythyrwyr *Tarian y Gweithiwr:* 'Credwyf
mai y Llwynog yw prif hero yr oes hon yn ein plith ni fel glowyr, am
ei fod yn anturio i ddod allan i ddadorchuddio twyll a gormes y gaffers
yn yr amser caled hwn, pan y mae y glowyr gymaint o dan draed—
pan y mae y trechaf yn treisio, a'r gwanaf yn gwaeddi, ond heb neb
ond y Llwynog i wrando ar ei gwyn.'[40]

Haeddai Thomas Davies ei deyrnged, ond yr oedd *Tarian y
Gweithiwr* yng nghanol y 70au eisoes wedi dangos ei fod yn barod i
gyhoeddi caswireddau o blaid y glowyr. Ym Mehefin, 1875,
ymddangosodd 'Catechism y Glowr' gan 'G—M—' (ai Gwilym
Mabon?), ac yng Ngorffennaf a Rhagfyr, 1876, ymddangosodd 'Deg
Gorchymyn y Glowr', yn ddi-enw, a 'Cwyn y Glowr' gan 'Y
Caethwas Du'. Cyffelybodd ef y glöwr i drueiniaid *Uncle Tom's Cabin*
a'i boenydwyr i Simon Legree: 'Yr wyf wedi fy rhwymo a chadwen
gormes, ac eto yn y cyflwr darostyngol hwn, yn gorfod poeni i geisio
enill fy mara beunyddiol.' Dioddefai 'weithredoedd Bulgaraidd' i'w
erbyn a'i lethu â beichiau lawer: 'Byddai cystal iddo gael ei fwrw yn
garcharor am ei oes i Dartmoor neu Newgate, oblegyd atelir y gyflog
a enillodd trwy chwys a lludded, ac ysgymunir ef o'r lofa, heb obaith
am ail sangu tiriogaethau yn ystod eisteddiad y gormesdeyrn ar ei
orsedd.'[41]

Holl bwynt y math hwn o ysgrifennu, wrth gwrs, oedd pleidio
hollbwysigrwydd undeb trwy ennyn casineb yn erbyn anghyfiawnderau
na ellid mo'u trechu heb ymfyddino i'w herbyn. Fel 'Holwyddoreg y
Glowr' yn *Y Gwladgarwr* mae'n fwy na thebyg mai addasiadau o'r
Saesneg oedd 'Deg Gorchymyn y Glowr' a 'Catechism y Glowr',
hefyd, ac y mae'n arwyddocaol fod papurau Cymraeg a fyddai nes
ymlaen yn hoffi pwysleisio cymaint mwy gwâr oedd glowyr Cymru na

glowyr Lloegr yn barod i siarad yr un iaith er eu mwyn yn y 70au. I lwyddo, rhaid oedd apelio at y foeseg Gristnogol yn ogystal â phlethu ynghyd ddirmyg a choegni a dicter yn ddychan na fedrai'r gydwybod gyhoeddus mo'i anwybyddu ac y mae'r 'Catechism' yn ddigon trawiadol i'w ddyfynnu yma.

G. Beth yw dy enw di?

A. Glowr

G. Pwy roddodd yr enw hwn i ti?

A. Fy nghyflogwr a'm goruchwyliwr yn nyddiau fy ieuenctyd, pan ym gwnawd yn blentyn llafur, yn ddyn gofidus, ac yn etifedd i bwndel o garpiau.

G. Beth wnaeth dy arolygwr a'th gyflogwr y pryd hwnw i ti?

A. Darfu iddynt addaw ac addunedu tri pheth yn fy enw—1af. Fy mod i ymwrthod a phleserau y bywyd hwn. 2il. Fy mod i fod yn dorwr a llanwr glo; a phan fyddwyf wedi colli fy iechyd wrth weithio mewn awyr afiach, i bigo slags yn y 'screen', ac i edrych ar ôl y 'Billy'. 3ydd. Fy mod i fod yn gaethwas iddynt holl ddyddiau fy mywyd.

G. A wyt ti yn meddwl dy fod yn rhwym o gredu a gwneuthur fel y byddont hwy yn gosod arnat?

A. Na, drwy gymhorth fy Nghreawdwr a chydweithrediad fy nghyd-ddynion, gwnaf fy ngoreu i ysgwyd ymaith gadwynau gormes, cymeryd fy safon yn mhlith dynion, a pharhau i wella sefyllfa fy nheulu hyd ddiwedd fy mywyd.

Adrodd imi erthyglau dy gredo.

Yr wyf yn credú nad yw Duw dderbyniwr wyneb—iddo greu pob peth er lles cyffredinol a chyfartal i'r teulu dynol, ac y dylai pob person fwynhau ffrwyth ei lafur, am fod y llafurwr yn deilwng o'i gyflog. Credwyf hefyd nad wyf fi yn cael mwynhad teilwng o ffrwyth fy llafur; ac nad yw glowyr y wlad hon, hyd yn ddiweddar, wedi cael y cydymdeimlad dyladwy iddynt gan ddyngarwyr; oblegyd tystiai argraffwasg unochrog yn eu herbyn, a chondemnid hwynt gan ddynion nad oeddynt yn, ac na fynent edrych i'w hachos mewn modd di-duedd, fel ag i'w galluogi i ffurfio barn onest ar eu mater.

G. Beth yn benaf wyt yn ei ddysgu wrth yr erthyglau hyn?

A. Dysgaf yn gyntaf fod cyfiawnder a Christionogaeth yn hawlio terfyn ar y cyfryw sefyllfa. 2il. Fod fy Nghreawdwr wedi fy nghynysgaethu â chyneddfau, galluoedd, a theimladau cydmarol i'm brodyr mwy ffodus yn mhethau'r byd hwn. 3ydd. Y dylai holl lafurwyr tanddaearol y deyrnas, yn neillduol lle mae gormes yn sefyll yn erbyn gwelliantau cymdeithasol, a phendefigaeth ormesol yn llywodraethu, sefyll ysgwydd wrth ysgwydd dros eu hiawnderau llafurawl a chyfreithiawl, hyd nes y byddo i'r hil ddynol gael eu dwyn i agosach cyfartalrwydd nac ydynt yn bresenol; ac os yn angenrheidiol, sefyll wyneb yn wyneb a'r anghenfil yn nydd y frwydr; oblegyd yr hwn ni ymladda dros les ei epil, ni ymladda chwaith dros ryddid ei wlad, ac felly yn annheilwng o anadlu awyr rydd. Dysgaf hefyd y dylem, fel dosbarth o weithwyr, ffurfio i ni ein hunain gymdeithasau cydweithredol o bob math, fel, pan mewn adeg o annealldwriaeth, na fyddom yn ymddibynu yn hollol ar ein meistri am waith, nac ar fasnachwyr am ymborth.

G.   Wrth ba nifer o orchmynion i'th rwymir?
A.   Deg.
      Adrodd hwynt.

1.   Na fydded i ti feistri eraill ond nyni.
2.   Na fydded i ti le gweithio ond yr eiddom ni; na fydded i ti geisio cyflog uwch beth bynag fyddo y glo yn cael ei werthu; ac ni chei wneud i ti dy hun le gweithio, oblegyd ydym Feistriaid eiddigeddus, yn ymweled ag anufydd-dod y tadau ar y plant, drwy roddi iddynt rybydd i ymadael a'u tai, ac heb fod yn rhwym o wneuthur trugaredd a'r mwyaf ufydd o'n gweithwyr.
3.   Na chymer enwau dy gyflogwyr yn ofer, na siarad yn ysgafn am danom; oblegid nid dieuog genym y neb a gymero ein henwau yn ofer.
4.   Cofia mai caeth wyt; chwe diwrnod y gweithi, ond y seithfed dydd, gan ein bod yn rhwym o'i gadw, ti a allu orphwys fel y gwna ein mulod.
5.   Anrhydedda dy gyflogwyr a'th arolygwyr, gyda'th het yn dy law. Bydd yn dy waith mewn amser, ac na rwgnach os bydd yn rhaid i ti weithio haner awr ar ôl amser, fel y byddo dyddiau dy lafur yn hir ar y ddaear.
6.   Na ladd ddim ar sydd eiddom ni, er nad oes un gwahaniaeth pa flinder a all dim fod yn ei wneud i ti.
7.   Na fydded i ti iselhau dy hun trwy dori un o'r rheolau, nac anufyddhau i un o'n gorchymynion meistrolaidd ni.
8.   Na ladrata, ac na phiga ddim glo ar ein tips ni heb dalu am dano. Does dim gwahaniaeth os bydd yr oll yn myned yn wastraff.
9.   Na ddwg dystiolaeth yn ein herbyn ni; na ddynoetha ein gweithredoedd mewn llysoedd gwladol na thrwy y wasg; ond goddef a chydymddwyn gyda phob amynedd, fel y gellir dy alw yn llaw fuddiol.
10.   Na chwenych eiddo dy gyflogwr, na chwenych wraig dy gyflogwr, (er y gall ef chwenych dy un di,) na'i geffyl, na'i gerbyd ysblenydd,

na dim a'r sydd eiddo ef, er fod y cyfan yn cael eu prynu a'u cynal drwy chwys dy wyneb a'th lafur di.[42]

Gresyn na ellir tadogi'r 'Catechism' yn bendant ar Mabon. Fel undebwr capelgar, huawdl, tra chyfarwydd â'i Feibl gallasai'n hawdd fod wedi'i lunio ond ni ellir dweud mwy na hynny. Yr oedd yn sicr yn barod i draethu'n ymosodol-gyhoeddus adeg streic 1875 fel y profodd pan ymwelodd Thomas Halliday ag Aberdâr ym mis Mawrth. Yn absenoldeb Isaac Thomas, Mabon a lywyddodd y cyfarfod gan adrodd y llinellau canlynol wrth gloi ei araith:

> Meibion llafur mawr eich lludded,
> Ymsymudwch yn y blaen;
> Cyned gwreichion eich iawnderau
> Hen deimladau oll yn dân;
> Digon hir yr amser basiodd
> I ymdrybaeddu yn y baw;
> Mwy na digon i'r sawl welodd
> Rhanu angen un rhwng naw:
> Unwch, unwch gyda'ch gilydd,
> Unwch beunydd bob yr un;
> Dyna'r unig ffordd obeithiol
> I wneud y glowr du yn ddyn:
> Pob rhyw slim feddyliwr slafaidd,
> Torwch, drylliwch, teflwch draw,
> Dewch i'r byd gael teimlo rhinwedd
> Eich gweithredoedd ddydd a ddaw.

Mae'n ddiamau fod gwres y cyfarfod yn gofyn am linellau ymgyrchol ond nid oes eisiau amau diffuantrwydd ple Mabon dros undeb na'i bwyslais ar ymgyrchu cyfrifol, chwaith. Sylwer mai am chwalu gau-ddadleuon gwrthwynebwyr undebaeth yr oedd a gwneud i'r byd gydnabod rhinwedd gweithredoedd undebwyr. Mewn gair, ei gwneud hi'n bosibl i olygydd *Tarian y Gweithiwr* ddweud yr hyn a ddywedodd ar 30 Gorffennaf 1875: 'Y mae ymddygiadau moesol, rhinweddol, a thangnefeddus ugeiniau o filoedd gweithwyr Cymru, yn y "strike" a'r "lock-out" diweddaraf, wedi peri i'r hollfyd i edrych yn syn, rhyfeddu, a chanmol.'[43]

O 1875 ymlaen Mabon fyddai craidd y ddelwedd hon o'r glöwr, delwedd yr oedd *Y Faner*, hefyd, yn awyddus i'w hyrwyddo. Pan alwodd 'Glowr Cymreig' am newyddiadur i amddiffyn achos glowyr y De fel yr oedd y chwarelwyr wedi'u hamddiffyn yn eu brwydr yn erbyn Arglwydd Penrhyn, dywedodd y golygydd ei fod yn barod i wrando arnynt hwy a'r meistri, 'Ond, os gellir fodd yn y byd arbed "strike", fe ddylid gwneyd hyny er arbed anghysur a thlodi i deuluoedd lawer.' Yr oedd *Y Faner* am greu cymod, ond pan benderfynodd y perchnogion gloi'r glowyr allan ni phetrusodd gefnogi'r gweithwyr er fod lle o hyd i lythyrau o blaid y perchnogion ac yn erbyn undebaeth fel 'melldith dynoliaeth'. Rhwng 27 Rhagfyr 1882 a 12 Rhagfyr 1883 cyhoeddwyd deg llythyr ar 'Ein Glowyr' gan 'Ewyllysiwr da i'r Glowyr', cyfres a ddechreuodd oherwydd fod papur Torïaidd yn Lerpwl wedi cyhuddo glowyr yng nghylch Wrecsam a Brymbo o gynllwynio i lofruddio arolygwr pwll ac yna wedi gwrthod cyhoeddi ateb i'r enllib. Y mae'r gyfres ar ei hyd, fodd bynnag, yn rhoi'r lle amlycaf i'r ail reswm dros ei lansio, sef cred Fabonaidd y llythyrwr mai trwy gyflafareddiad, ac nid trwy streic, yr oedd setlo pob gwrthdaro diwydiannol. Gorau po gyntaf y gellid codi'r glowyr i'r un gwastad â'r chwarelwyr 'o ran gwybodaeth, moesoldeb, a chrefydd', oherwydd er cystal dynion oedd cannoedd ohonynt, 'y mae lle i ofni, er hyny, fod llaweroedd o'u cydweithwyr mewn cyflwr isel—yn ddeallol, cymdeithasol, moesol, a chrefyddol.' Dylai'r glowyr barchu eu meistri—waeth beth am eu swyddogion!—cydnabod deddfau'r farchnad, gochel 'sefyll allan fel y gochelwch ddianrhydedd neu angeu', peidio ag ymddiried mewn undebaeth gan mai 'baldodd ffol taledigion yr "undebau"' wrth geisio 'gwrthweithio dylanwad masnach rydd' oedd achos bron pob anghydfod, meithrin cymeriad moesol a chrefyddol teilwng a chofio mai Duw piau dial: 'Gallant trwy weddi, roddi eu gorthrymwyr yn "nghwrt y Nefoedd"—nid trwy ofyn i Dduw ddial arnynt, ond trwy ofyn iddo attal eu rhwysg, a throi eu cynghorion yn ffolineb. Bydd i'r Duw, yr hwn a hawlia y dial iddo ei hun, amddiffyn ei blant, a thalu y pwyth i'w gelynion. Y mae efe yn gryf o blaid y gwan a'r gorthrymedig; daw allan yn erbyn "camattalwyr cyflog y cyflogedig"!' Trwy gyfnodau adfyd y maes glo yn y De bu'r *Faner* yn barod ei gydymdeimlad a'i gyngor rhesymol tra bu Mabon wrth y llyw ac y mae hynny i'w briodoli'n bennaf i'r ffaith ei fod ef a Thomas Gee yn rhannu'r un gwerthoedd a bod Gee, o'r herwydd, yn gallu dygymod â'i undebaeth reolus ef. [44]

Yn yr un modd rhoes *Tarian y Gweithiwr* gefnogaeth hael i arweiniad Mabon, gan glodfori ei ymatal call ef tan y diwedd a'i amddiffyn rhag yr undebwyr digyfaddawd a ddechreuodd noethi'u dannedd arno mewn difrif adeg Streic yr Haliers yn 1893. Protestiwyd fod nifer o laslanciau yn ei ddirmygu ef a David Morgan a Daronwy Isaac, heb roi iddynt 'barch clwtyn llestri', gymaint gwell ganddynt oedd arweiniad Saeson o Fryste a'r Forest of Dean. Yr oedd dylanwad y rheini arnynt yn ddigamsyniol: 'Yn mlaenaf, Saesneg gan mwyaf yw yr areithiau a draddodir yn eu cyfarfodydd; ac yn nesaf, caneuon y miwsig ''halls'' yw y caniadau a genir. Ychydig a wyr y Cymry am y miwsig ''halls''; nid yw y canu isel masweddgar a geir yno wedi dylanwadu o gwbl ar y genedl Gymreig; canu emynau ac anthemau crefyddol, a chaniadau moesol, y bydd y Cymro, os yn canu hefyd. A phrofa natur y miwsig a genir yn nghyfarfodydd y streic, ac yn ngorymdeithiau y streicwyr, mai estroniaid ydyw llawer iawn o'r rhai sydd ar y blaen. Nid ydym yn dweyd dim yn erbyn Saeson na Gwyddelod; ond nid ydynt mor bwyllog a'r Cymry, na chymaint tan ddylanwad ysbryd crefydd. Ond yn sicr, yn eu gwlad eu hunain, dylai y genedl Gymraeg gael cyfleustra i ddweyd ei barn ac i fynegi ei theimlad.'[45]

Yr oedd Owen Morgan (Morien), gohebydd i'r *Western Mail*, wedi'i hwtio'n fud gan filoedd o lowyr pan safodd ar y Garreg Siglo ar y cytir uwch Pontypridd ar 14 Awst a'u cynghori yn enw Mabon, arweinydd Undeb Glowyr Dyffryn Rhondda ac is-gadeirydd Cydbwyllgor y 'Sliding Scale', i ymbwyllo. Gwell gan ei gynulleidfa oedd safbwynt William Brace o Risga, asiant Ffederasiwn Glowyr Prydain Fawr yn Ne Cymru, ac Isaac Evans a gynrychiolai Gymdeithas Glowyr Castell-nedd, Abertawe a Llanelli. Gwrthwynebai Brace ac Evans y raddfa gan ddadlau y dylid sicrhau i'r glöwr gyflog byw safonol na fyddai ar drugaredd pendilio'r farchnad lo, ac o'i gymharu â hwy ymddangosai Mabon yn gyfaddawdwr wrth lyw Undeb rhy oddefol.

Yn ofer y protestiodd Morien nad oedd gan y glowyr well tafodog na Mabon: 'No sooner had the writer commenced on the subject of ''Mabon'' and legality and a condemnation of mob law than cries of ''English, English'' rose on the left of the speaker ... The name of ''Mabon''—faithful ''Mabon''—seemed to be a name to suggest to the senseless boys present the cry ''Crucify him!'' Ah, how many of the true benefactors of mankind have been destroyed by mankind itself!' Ar 14 Awst 1893, yn ôl adroddiad Morien, daethai Saeson at y Garreg Siglo i annog Cymry ifanc i alw am aberthu Mabon.[46]

Methiant fu Streic 1893, methiant a beryglodd ddelwedd y glöwr pan aeth y 'marching gangs' ati i berswadio'r rhai na fynnai streicio mai gwell fyddai iddynt gydymffurfio. Cafodd y Wasg Saesneg, fel y

The scene at the Rocking Stone.

(*Western Mail*, 15 Awst 1893)

Dowlais Colliers Marching Home From Work Armed.

(*Western Mail*, 21 Awst 1893)

dywedwyd, gyfle gwych i edliw bai a phardduo pan fu'n rhaid dod â'r milwyr i'r Rhondda, cynifer â 2,000 ohonynt ar un adeg, i wastrodi'r terfysgwyr. A chafodd *Tarian y Gweithiwr* gyfle i ddyrchafu Mabon o'r newydd ar draul y gwrthwynebwyr a geisiai'i ddisodli. Ffieiddiai at 'gorthrwm y glaslanciau; gorthrwm y mob' a gresynai fod neb mor ffôl â chredu nad oedd angen graddfa o unrhyw fath. Dylid setlo'r mater trwy bleidlais gudd a cheisio sicrach cyngor nag a gafwyd yn ystod y streic: 'Ai nid gwell fyddai i'r gweithwyr ymgynghori â Mabon eto? Beth y mae wedi ei wneud i gael ei daflu i ffwrdd fel croen "orange" gwag? Ni fu gonestach dyn erioed, na neb yn caru y gweithwyr yn llwyrach, pe yr addefem nad yw trefniant y Sliding Scale bresenol y goreu oll, y mae y goreu a fedrai efe a Mr. D. Morgan ei gael ar hyny o bryd, a darfu iddynt ei arwyddo ar gais y glowyr eu hunain. Paham y beir hwy yn awr? Y mae y condemniad a deflir arnynt, nid yn unig yn anniolchgarwch, ond yn anghysondeb ac yn ffolineb.'[47]

Mae taerineb dadleuon *Tarian y Gweithiwr* o blaid Mabon i'w briodoli i'r ofn fod Streic 1893 yn rhagargoel o undebaeth newydd, erwin, Saesneg ei hiaith a fyddai'n deor gwae yn y De am flynyddoedd i ddod. Streiciodd cynifer â 40,000 o lowyr, ac er iddynt orfod dychwelyd i'w gwaith â'r 'Sliding Scale' heb ei dileu, ni fyddai pethau fyth yr un fath ar ôl 1893. Yng ngeiriau Michael a Richard Keen: 'The Liberal star was waning and the new Socialist star was in the ascendant. Already in 1893 the Independent Labour Party had formed its first branch in Ogmore Vale under the leadership of Edward Edwards, a local schoolmaster. This was an indication of a new political cohesion that was about to emerge in South Wales.' At hynny, dysgodd y glowyr gan Streic yr Haliers beth oedd gwerth trefn a'r pris yr oedd yn rhaid ei dalu o fod hebddi: 'It brought home in the most vivid manner the basic truth contained in the maxim "Mewn Undeb mae Nerth" (in Union is Strength). The Strike was a lesson, one well learned, but the hard way. It was an indication of the social revolution that was taking place as "y werin" of rural Wales readjusted to their new urban and industrial environment.'[48]

O 1893 ymlaen byddai'r Gymraeg yn dal wrth werthoedd Mabon fel dyn ar foddi. Condemniodd *Tarian y Gweithiwr* arweinydd y docwyr, Ben Tillett, am ei barddduo a dirmygodd Bwyllgor y Garreg Siglo a fynnai i'r Cymry ymuno â Ffederasiwn Glowyr Prydain Fawr. Rhestrwyd troseddau streicwyr y Ffederasiwn yn Lloegr gan gyferbynu eu hymddygiad treisgar ag ymatalgaredd trwch glowyr y

De: 'Â dynion a fedrant ymddwyn yn y modd hwn ni ddylai y Cymry crefyddol fod mewn unrhyw undeb. Y mae y Cymry yn credu yr hen orchymyn, "Na ladrata".' Yr un oedd barn y *South Wales Daily News* a bwysleisiodd gymaint haws fuasai i greu terfysg yng Nghymru nag yn Lloegr gan nad oedd gan y Cymry Undeb cryf i'w harwain. Ond yn Lloegr y bu'n rhaid i'r milwyr danio ar lowyr anfad a'u bryd ar beryglu einioes a dinistrio eiddo. Ymrafael â'i gilydd a wnaeth glowyr Cymru ac er fod hynny'n peri gofid, o'u cymharu â'u cymheiriaid yn Lloegr yr oedd eu rhagoriaeth yn ddiymwad: 'The Welsh collier has the distinction of being more sober, and more law-abiding, than his English confrère; and just now, when he is the subject of whole-hearted condemnation in many quarters, it is opportune to point out his honourably distinguishing characteristic.'[49]

Pum mlynedd yn ddiweddarach, ar 11 Hydref 1898, sefydlwyd Ffederasiwn Glowyr Deheudir Cymru (y 'FED'), ar ôl pum mis o ddioddef 'cloi mas' trychinebus mewn ymgais i sicrhau lleiafswm cyflog ('Minimum wage') yn lle'r 'Sliding Scale'. Penodwyd Mabon, a ddaethai i weld fod yn rhaid cael gwared ar y raddfa, yn llywydd a'i hen wrthwynebydd, William Brace, yn is-lywydd. Rhwbiwyd mwy o halen i'w friw pan fynnodd y perchnogion wneud i ffwrdd â 'Diwrnod Mabon', sef y consesiwn a enillasai yn 1888 a ganiatâi fod dydd Llun cynta'r mis yn ddiwrnod hamdden ar gyfer ymwneud â materion undeb ac ymddiwyllio'n gyffredinol. Yr oedd, ym marn y perchnogion a'r moesolwyr yn y wasg, wedi dirywio'n ddiwrnod o ofera a chyfeddach a gadwai lawer o lowyr o'u gwaith am ddeuddydd neu dri'n olynol tra'n sobri. Ym marn *Tarian y Gweithiwr*: 'Gwaith dosbarth annheilwng yn camddefnyddio y fraint hon, ddarfu ei chymeryd oddiar y teilwng. Ac yr ydym dan orfod i ddweyd nad oedd y modd y caffai y dydd hwn ei gadw yn un credid i weithwyr Cymru.' Gwelid ei ddiflaniad yn gyfleus ddigon fel prawf pellach o'r modd yr oedd y diwylliant Cymraeg a roesai i Mabon ei ddylanwad yn cael ei lygru gan arferion estron, a phan dderbyniwyd y 'FED' yn rhan o'r Ffederasiwn Prydeinig yn Ionawr, 1899, yr oedd yn amlwg na fyddai Mabon mwyach yn llywiwr undebaeth maes glo'r De. Cyn diwedd 1899 'roedd gan y 'FED' 104,000 o aelodau; profwyd ei nerth yn 1903 pan ddiddymwyd y 'Sliding Scale'; aeth yn un â'r Blaid Lafur yn 1908 a chafodd Mabon ei hun mewn corlan lle na châi fawr o heddwch.[50]

Ni fyddai ef, fodd bynnag, fyth yn brin o edmygwyr. Yn 1898 parhâi'r *Faner* a'r *South Wales Daily News* yn driw iddo a bu *Tarian y*

Gweithiwr o'i blaid tan y diwedd. Arno ef y dylai'r glowyr wrando o hyd: 'Ar bob cyfrif peidier gwrando ar ddynion eithafol. Ceir rhai ar bob argyfwng; y maent yn rhuthro i berygl heb ei weled. Yr ydym yn argymell ar y glowyr y pethau canlynol—pwyll, ffydd a nerth.' Dyna ffordd Mabon a phrawf o'i ddylanwad oedd bod y glowyr adeg treialon 1898 yn ymddwyn yn deilwng ohono er eu bod i bob pwrpas wedi cefnu arno. Ni welwyd 'mob rule' yn y De: 'Er pob ffaeledd, yr ydym yn falch o Gymru, ac o grefydd Cymru, oblegyd dyna sydd wrth wraidd y tawelwch a'r hunan-feddiant presenol.' Nid dim byd llai nag 'Enllib ar weithwyr Cwm Rhondda a'r cymoedd ereill' oedd gyrru milwyr i'w darostwng a chynhyrfwyd Iago Blaenrhondda gan falais y perchnogion i ganu'n chwerw, 'Mae'r Sowdiwrs yn dyfod i Gymru':

> Mae olwyn fawr masnach yn mron methu troi
> Gan gymaint yw trais cyfoethogion,
> A glowyr hen Gymru sydd wedi eu cloi
> O gyrhaedd pob bydol gysuron;
> Mae'r mamau a'r plant wrth y miloedd yn mynd
> Yn gyflym i'r bedd gan newynu;
> Ac er mwyn cael profi pwy ydyw eu ffrynd,
> Mae'r sowdiwrs yn dyfod i Gymru.
>
> . . .O greulon ormeswyr, ataliwch eich llid,
> Gochelwch droi Cymru'n Armenia;
> Mae'r nef yn cyhoeddi er seiliad y byd
> Mae teilwng i'r gweithiwr ei fara;
> Daw'r adeg yn fuan pan 'orfydd i chwi'
> I sefyll fel ninau i'ch barnu,
> Ac yna daw'r atgof i chwyddo eich cri,
> Mae'r sowdiwrs yn dyfod i Gymru. [51]

Syfrdanwyd *Tarian y Gweithiwr* pan dderbyniodd Mabon lythyr yn bygwth ei ladd am ei fod yn Sioni-bob-ochor a barnai, yn rhinwed ei hir wasanaeth iddynt, 'y dylai holl weithwyr Cwm Rhondda ymuno i geisio darganfod yr ysgrifenwyr.' Ymlidiodd, drachefn, pan ymosododd Keir Hardie arno mewn cyfarfod yn Nhroed-y-rhiw am fod Mabon wedi cyffesu mewn dadl seneddol ar y 'cloi mas' y gallai fod bai ar y ddwy ochr. Gŵr yn dilyn 'gwrach y rhibyn' oedd Hardie, Sosialydd ansad, ond am Mabon, 'bydd ei goffadwriaeth yn cael ei fendithio pan fydd enw Keir Hardie wedi ei ebargofi.' Yr oedd

Iago Blaenrhondda, hefyd, o'i blaid gan daeru mai 'Yr un ydyw Mabon o hyd':

> . . . Gochelwn ro'i hwn dan ein gwadnau,
> A thynu pob gallu o'i law;
> Mae'n bosibl y teimlwn ei eisieu
> Yn fwy yn yr amser a ddaw;
> Fe allai y gwelir ef eto
> Yn ben y blaenoriaid i gyd:
> A'r 'canmil' mewn hwyl yn cydfloeddio—
> 'Yr un ydyw Mabon o hyd'.

Ni wireddwyd mo'r gobaith hwnnw.[52]

Cyn sefydlu'r 'FED' yn Hydref, 1898, gwnaethai *Tarian y Gweithiwr* hi'n glir nad oedd ganddo ddim ffydd yn ei arweinwyr tebygol. Byddai'r glowyr yn fwy diogel yn nwylo Mabon a Daronwy Isaac. Nid oedd am weld fyth eto yn y De y dioddefaint a achoswyd gan 'gloi mas' 1898: 'Tangnefedd ar y glowyr bellach, a bydded iddynt lawer o lwyddiant i gael y diemwnt du i fyny.' Mabon, wrth gwrs, oedd yr arweinydd i sicrhau'r tangnefedd hwnnw. Ond yr oedd ei ddydd ar ben. Wynebai maes glo'r De ar gyfnod o ffyrnigrwydd diwydiannol na allai ef wneud dim i'w rwystro ac yn 1912, wedi dwy flynedd derfysglyd iawn, ildiodd lywyddiaeth y 'FED' i William Brace. Yr oedd, meddai, wedi heneiddio ac yr oedd ei iechyd yn pallu, ond heb os yr amharodrwydd i gefnogi ei bolisïau yn 1910 ac 1911 a'i gorfododd i ymddiswyddo.[53]

Pan gyhoeddodd ef a'i gyd-swyddogion faniffesto ar 2 Tachwedd 1910 yn cynghori'r glowyr i ymatal rhag streic gyffredinol, ymatebodd C. B. Stanton yn fustlaidd anghymodlon: 'It is,' meddai, 'the faint-hearted, over-cautious, creeping, crawling, cowardly set who pose as leaders, but who do not lead, who are responsible for the rotten condition of things as they are to-day. Things shall alter or we are determined that they shall grow worse.' Bu cystal â'i air. Ni wnaeth cyhoeddi *The Miners' Next Step* (1912) ond lledu'r bwlch rhyngddynt. Yr oedd undebaeth Mabon a adlewyrchai 'werthoedd cymdogaidd y cymunedau diwydiannol Cymreig' a ffydd mewn graddoliaeth ddyngarol wedi'i thanseilio gan y mewnlifiad i'r cymoedd a chan dwf Sosialaeth a ddilornai ei hen ffydd ef ym mhosibilrwydd partneriaeth wâr rhwng cyfalaf a llafur.[54]

Ond ymhell cyn blwyddyn ei ddarostwng yr oedd stamp Mabon ar ddelwedd lenyddol y glöwr yn annileadwy ac yr oedd natur ei

Dechrau gofidiau streic eto yn 1912.

(Western Mail)

berthynas â Davies Llandinam a'i gyd-berchnogion i hyrwyddo'r
syniad o gytgord rhwng meistr a'i weithwyr a oedd mor gydnaws â
dyheadau llenyddiaeth y Gymraeg. Clywir ofn peryglon y dyfodol yn
glir yn nheyrnged *Tarian y Gweithiwr* iddo wrth i'r 'FED' ei ollwng yn
1912. Os oedd ef yn gorfod encilio na foed i'w egwyddorion gael eu
gwadu: 'Yr ydym eto yn dweyd na welodd y glowyr neb ffyddlonach
iddynt hwy hyd yn hyn na Mabon. Meddai bob amser ar welediad
clir; meddai ar argyhoeddiadau dyfnion; meddai ar arwriaeth y gwir
ddadleuydd, ac yn goron ar yr oll, meddai ar ffydd Gristionogol.
Cariodd Mabon ei grefydd i'w alwedigaeth a'i waith; ac fe erys
dylanwad ysbrydol Mabon yn ffaith yn nghymeriad a bywyd y glowyr
pan fo eu mân gwynion wedi mynd i dir anghof. Ac yr ydym yn sicr
mai y diolch goreu eill glowyr ddychwelyd i Mabon, am eu
gwasanaethu mor rhagorol am oddeutu 40 mlynedd, yw gofalu am
gael nodweddion Cristionogol cyffelyb yn ei olynwyr. Y foment y
collant hyn hwy a gollant eu hachos a'u hunain hefyd.'[55]

Pan fu farw David Davies yn 1890 a Mabon yn 1922 fe'u
dyrchafwyd gan eu marwnadwyr yn gymwynaswyr gwaredigol i'w
cenedl, yn ymgorfforiadau o Gymreictod ar ei orau. Yn *Y Faner, Seren
Cymru* a'r *Goleuad* taenwyd rhinweddau Davies Llandinam ar led fel
un o'r dynion gwychaf gododd o unrhyw wlad erioed, un i'w restru
'yn mhlith yr enwocaf o'r dynion "hunan-wneuthuredig," ' un yr
oedd ei ddaioni 'yn ymddisgleirio bob amser fel yr heulwen ganol
dydd . . .' ac un a oedd o ran ei ysbryd anturiaethus 'yn deilwng o
efelychiad pob dyn.' Petasai'n un o'r Proffwydi ni allasai'r *Goleuad*
ddweud yn well amdano: 'Yr ydym wedi colli y dyn rhyfeddaf ar
lawer o gyfrifon ymddangosodd erioed yn ein gwlad.' Collwyd
Cristion ymarferol, cadarn na allodd anghrediniaeth gyffwrdd â'i
ffydd a dirwestwr diwyro na allodd cwmni na glöwr nac arglwydd ei
demtio: 'Yn marwolaeth Mr. Davies collasom ddyn a addurnid gan
gyfuniad o nodweddion meddyliol ac ansoddau moesol na welir o
bosibl mo'i gyffelyb am oesoedd i ddod.'[56]

Gwaetha'r modd, ni wyddom lawer am farn ei weithwyr amdano,
eu barn gyhoeddus heb sôn am eu barn breifat. Yr oedd yn sicr yn
arwr i David Williams (Alawydd Orchwy) pan gyhoeddodd *Atgofion
Bore Oes yn y Rhondda* yn 1937, ond y mae'n amlwg mai un o lowyr
Mabon oedd ef. Gresynai fod 'elfen estronol wedi gwthio i fewn
rhwng meistr a gweithiwr, yr hyn sydd wedi creu mwy neu lai o
elyniaeth rhyngddynt, ac fod yna ryw agendor fel mae yn amhosibl
iddynt gyfarfod a'i gilydd.' Gynt, pan oedd Davies Llandinam mewn

bri, siaradai'r meistri a'r gweithwyr â'i gilydd 'fel dyn a dyn' yn ddi-lol: 'Un fel yna oedd Mr. Davies yn ymofyn setlo ei faterion ei hunan.' Ni ddywedodd Alaw Orchwy ar ba delerau y setlid hwy fynychaf. Hwyrach fod y ffaith na chyhoeddwyd ysgrif deyrnged i David Davies yn *Tarian y Gweithiwr* pan fu farw yn ateb y cwestiwn. Ni chafodd yn y papur hwnnw na chlod na chollfarn.[57]

Nid felly Mabon. Unwaith eto molwyd 'yr hen wr ardderchog' mewn acenion ysgrythurol: 'Un o arloeswyr y tir oedd yntau—yn codi'r pantiau, yn gostwng y bryniau, ac yn paratoi'r ffordd i'r bywyd uwch ... Hen Gymro o'r iawn ryw oedd Mabon ac yn enghraifft o'r glowr Cymreig ar ei oreu. Gwnaeth fwy na neb arall i gasglu'r glowyr ynghyd i fod yn un praidd ac yn un gorlan Cynghrair y Glowyr.' Yn ôl *Y Faner*, 'Yn ei farw ef daeth gyrfa un o'r arweinwyr doethaf a medrusaf a feddai Plaid Llafur erioed i'r terfyn;' yn ôl *Y Brython*, 'Yr oedd yn enghraifft o'r glöwr Cymreig ar ei oreu; yn llawn o dân a disgleirdeb y glo, ond heb ddim o'i lwch i faeddu neb'; ac yn ôl *Y Goleuad* nid oedd modd claddu dylanwad Mabon: 'Bydded i Dduw godi arweinwyr eto cyffelyb i Mabon i arwain gweithwyr glofaol Cymru yw cri llawer.' Dyna'n sicr oedd cri Brynfab wrth resynu'n chwerw yn *Y Geninen* fod Mabon wedi mynd dan draed 'y genfaint estron' a ruthrasai ar y maes glo: 'Dynoliaeth yn ei wedd oreu oedd safon Mabon wrth drafod pob pwnc glofaol: ond daeth cymaint o lwythau na wyddent beth oedd dynoliaeth, yn un llanw mawr, i'r De, ac enillent fwy o arian mewn mis nag a enillent yn y Siroedd gwledig mewn hanner blwyddyn; a gyrrai hynny hwynt yn greaduriaid rhy benchwiban i wrando ar eiriau gwirionedd a sobrwydd. Gyda'r taclau hyn y profwyd gras ac amynedd Mabon i'r man eithaf. Daeth y Philistiaid mor aml yn Ne Cymru nes y trawsfeddiannwyd y gwahanol swyddi ganddynt. Aeth hyfdra ac haerllugrwydd yn drech na doethineb, pwyll, a phrofiad.'[58]

Ategwyd y wasg Gymraeg gan y wasg Saesneg a welai eisiau ei bwyll a'i gallineb mewn dyddiau anghall. 'His,' meddai *Llais Llafur*, 'was the saner policy of negotiation before conflict. Now a newer school has sprung up, many of whom are too prone to strike first and negotiate afterwards, often when it is too late. They would do well to study Mabon, those deep-lunged advocates of class hatred and perpetual strife. The spirit of Mabon, and his wisdom and sweet-reasonableness are sadly needed in the industrial area to-day.'

Yn y *South Wales News* canmolodd y golygydd ei 'reasonableness and moderation'; aeth Ellis Lloyd ati i atgofioni'n gynnes am 'The

Beloved Leader' a thraethodd D. Lleufer Thomas yn dda amdano: 'Not only in temperament, but in all his gifts of speech and song, love of art and music, and his many other qualities, Mabon was a typical representative of the Welsh miner of his generation at his best. If anybody wished to study the Welsh miner of the seventies, eighties, and nineties, they should make themselves acquainted with the life and character of Mabon.'[59]

Ac ni chollodd y *Western Mail*, wrth reswm, gyfle i droi ei farw yn siawns i boeri ar undebaeth: 'He lived to see a wholesale departure from the practices of clean trade unionism of which he was so zealous an exponent, the prostitution of the Federation to political purposes, and the alienation of one-half of its members. In his declining days it must have seemed to him that his life's work had been thrown away.' Cadarnhawyd y farn honno gan 'Idris' a gwynodd ei golli mewn cerdd y gallai'r *Western Mail* yn hawdd fod wedi'i chomisiynu:

> He loved his land with love that burned,
> The miners of an older day,
> Who knew his worth, sincerely mourn
> The leader who has passed away.
>
> While true as steel to them, he stood
> A loyal Briton to the last.
> The slimy Bolshevistic snake
> Behind him he with loathing cast.
>
> And so we hold his memory high
> Who bore his sword without a stain—
> A noble son of Gwalia, we
> May never see his like again.[60]

Yn llewyrch Alaw Goch, Davies Llandinam a Mabon yr oedd llenyddiaeth Gymraeg o'r 70au ymlaen i weld y glöwr a'i fyd mewn goleuni teg. Gŵr i'w hoffi a'i edmygu ydoedd yn ei hanfod, gŵr hawdd cydymddwyn â'i feiau a gŵr haws cydymdeimlo â'i ddoluriau. A chyn diwedd yr 1870au byddai dros dro wedi ennill calon y genedl mewn ffordd na wnaethai ac na wnâi'r un gweithiwr arall erioed na byth. Bu'r degawd hwnnw'n un tra chyffrous i genedl fechan a fynnai'i chydnabod yn genedl glodwiw. Yn haf 1872 dychwelodd Henry Morton Stanley, 'alias' John Rowlands y mab llwyn a pherth o Ddinbych, o'r Congo lle daethai o hyd i David Livingstone.

Dychwelodd yn goncwerwr, concwerwr a hoeliodd sylw Prydain ac America ar ei dras er cymaint y ceisiai ei wadu. Yr haf dilynol daeth Gladstone i Eisteddfod Genedlaethol yr Wyddgrug i ganmol y Cymry yn ' ''Great Eisteddfod Speech'' y ganrif bresennol', chwedl 'Y Gohebydd' a gredai'n sicr fod y brifwyl honno yn mynd 'i greu yn mhlith y Saeson olygiadau cywir a barn deg am wir natur ac amcanion uchel yr Eisteddfod fel sefydliad cenedlaethol y Cymry.' Ac yna, yn Chwefror, 1879, anfarwolodd catrawd y '24th Welsh' eu hunain ym mrwydr Rorke's Drift pan ymladdasant, fel deunaw Llywelyn ar Bont Irfon, yn erbyn 'impis' y Zulus ac ennill 11 Croes Victoria, y nifer fwyaf erioed i'w hennill mewn un frwydr. Fel pe na bai hynny'n ddigon, yn 1872 ac 1873 aethai byddin o gymoedd y De i Lundain a dychwelyd yn goncwerwyr a gododd stoc y glöwr i'r uchelfannau. [61]

Daeth Cymru allan o'r 60au yn gwisgo bathodyn 'Gwlad y Gân' ar ei mynwes. Rhoes Eisteddfodau Cenedlaethol y degawd hwnnw lwyfan i gerddorion, cantorion a chorau ac o'r cymoedd glofaol y daeth y mwyafrif ohonynt i 'synnu' sylwebyddion Lloegr. Gwelodd y Cymry fod modd i'w canu eu codi o'u dinodedd a dechreuasant ganu mewn difrif. Pan wnaed i ohebydd cerdd dylanwadol yr *Athenaeum*, H. F. Chorley, ryfeddu at ddatganiadau Côr Undebol Aberdâr dan arweiniad Silas Evans a Chôr Cwm Tawe dan arweiniad Ivander Griffiths yn Eisteddfod Genedlaethol Abertawe, 1863, sylweddolodd y Cymry rym eu cân. Yn arbennig felly, ym mlynyddoedd cynnar y traddodiad corawl, yr oedd lleisiau Merthyr a Dowlais, Cwm Cynon a Chwm Tawe yn abl i greu cân ddiwrthdro ei heffaith, ac o angerdd cerddorol y glöwr a'i deulu y tarddodd y gân honno'n bennaf. [62]

Dychwelodd gohebydd y *Morning Star and Dial* i Lundain ar ôl ymweld ag Eisteddfod Genedlaethol Aberdâr, 1861, i adrodd yn werthfawrogol am ganu Côr Dirwestol Dowlais a Chôr Undebol Aberdâr. Yn yr un modd clodforodd gohebydd *All the Year Round* berfformiad Côr yr Eisteddfod dan arweiniad y Dr. Evan Davies yn Abertawe yn 1863, gan ddweud: 'The singing of the chorus was a great pleasure and astonishment. The power and the pleasure of co-operation have got hold of the men who come up from the mines or ride home from the forge on a grimy waggon along a tramway, in the midst of scoria or cinders, or work at trade in town, or at husbandry in country. The folk of Cornwall and Northumberland, so far as I know, are far less tuneful, and I do not fancy that the farm labourers of Kent or Warwickshire would trudge so far, or work so heartily, to get to a singing practice.' A thrachefn, ar ôl i ohebydd y *Daily Telegraph* glywed côr buddugol David Francis o Ferthyr Tudful yn Eisteddfod Genedlaethol Caer, 1866, ni allai lai na chyhoeddi mai barn y gwybodusion oedd 'that such another body of vocalists, entirely raised from the ranks of hard toil, nowhere exists.' Aeth yn ei flaen i ryfeddu: 'Now, of what manner of men and women did this admirable choir consist? Principally of Welsh colliers; and some of those neatly but very humbly dressed girls and women who took part in the most difficult fugues, and who surprised and delighted scholarly musicians by their unerring accuracy of intonation, by their natural taste, and by the most entire freedom from the vulgarity of common, meretricious ''style'', work daily underground.' Ail-gyflawnodd Côr David Francis ei gampau yng Nghaerfyrddin yn 1867 ac ar ôl canmol ychwanegodd gohebydd y *Sunday Times*: 'That such a man should be compelled to work underground is, however, anything but creditable to his fellow-countrymen, and ought to be looked to forthwith.'[63]

Ond yr oedd un mwy na David Francis i godi o blith y côr-feistri lleol a wnaeth i faes glo'r De atseinio i sŵn canigau, rhan-ganau, cantatas, anthemau a chorawdau'r oratorios mawr. Yn 1872 trefnwyd cystadleuaeth i gorau cymysg yn y Crystal Palace, 'Her Gystadleuaeth agored i'r Byd', am Gwpan gwerth £1,000. Yr oedd y trefnydd, Willert Beale, wedi ymserchu yn yr eisteddfod a rhaid fod hynny wedi'i gwneud hi'n haws i Gymry'r De benderfynu codi 'Côr Mawr' i gystadlu am y Cwpan. Pwerdy'r fenter oedd Aberdâr. Trigai'r cadeirydd, y Canon Jenkins; y trysorydd, y Dr. Thomas Price; a'r ysgrifennydd, Brythonfab Griffiths yn y dref fermanog honno a ddyblodd ei phoblogaeth i 30,000 rhwng 1851 ac 1871. Daeth traean y Côr o Gwm Cynon a newydd adael Aberdâr am Dreorci oedd yr arweinydd sy'n dal hyd heddiw yn gofgolofn i hyder Oes Aur Gwlad y Gân. Gadawsai Griffith Rhys Jones (Caradog) y lofa lle gweithiai fel gof i gadw tafarn yn Nhreorci a'r cerddor hunan-hyfforddedig hwn, y dywedid ei fod yn gallu chwarae pob offeryn yn y gerddorfa, a arweiniodd y 'Côr Mawr' i'r ddwy fuddugoliaeth nad yw'n ormod dweud iddynt adael ôl arhosol ar hunaniaeth y Gymru fodern. Ymhell cyn i John Ford ffilmio *How Green Was My Valley* yn 1941, 'roedd y cwm glo soniarus wedi bod yn un o sumbolau pwerus yr hanfod cenedlaethol.[64]

Yn 1872 rhifai'r 'Côr Mawr' 349 o aelodau. Yn ogystal â Chwm Cynon daethant ynghyd o Lanelli, Castell-nedd, Treforys, Abertawe,

Pontypridd, y Rhondda, Caerdydd, Pencae, Brynmawr, Blaenafon, Rhymni, Tredegyr, Merthyr a Dowlais, Hirwaun ac Aberpennar. Fe'u paratowyd ar wahân gan nifer o arweinwyr adrannol cyn eu trosglwyddo i ofal Caradog a'u tywysodd trwy'r wyth darn prawf anodd chwe gwaith yn unig cyn cystadleuaeth 1872. Cwblhawyd yr holl baratoadau ymhen tri mis ac yna rhaid oedd wynebu'r tri beirniad,—Syr Sterndale Bennett, John Hullah a Brinley Richards. Dewisent hwy dri darn o'r wyth a baratowyd a byddai rhaid canu'r rheini wedyn gerbron cynulleidfa enfawr yn y Crystal Palace i gyfeiliant cerddorfa—y tro cyntaf y byddai'r 'Côr Mawr' yn gwneud dim o'r fath gan na chawsent ond cymorth Band Pres Cyfarthfa yn ystod eu paratoadau terfynol.[65]

Wynebwyd yr holl dreialon a mynd trwyddynt yn ddi-goll. Rhyfeddodd Llundain atynt, byddin o gantorion 'some of whom', meddai Beale, 'could not speak English and many of whom had never before left their native hills—a strange crowd of amateurs, brought together by honest love of music.' Mae'n wir na ddaeth yr un côr arall i'r maes i'w herio. Nid oedd mo'r ots. Fe'u clodforwyd gan y beirniaid a'r wasg mewn modd a roes eu teilyngdod ymhell uwchlaw amheuaeth a daethant adref i dderbyn mawl cenedl yr oedd ei holl ffiolau'n orlawn.[66]

Yn 1873 dychwelwyd i'r Crystal Palace i wynebu her Côr Cymdeithas Tonic Sol-ffa Llundain dan arweiniad (Syr) Joseph Proudman. Erbyn hynny rhifai'r 'Côr Mawr' 457 o aelodau a dywedir fod rhyw ugain mil wedi talu i wrando arnynt yn rihyrsio yn y glaw rhwng muriau Castell Caerffili cyn mynd ati i drechu Proudman gerbron Syr Julius Benedict, Syr John Goss a Joseph Barnby. Disgrifiwyd yr ymateb bythgofiadwy i ddyfarniad y beirniaid gan Willert Beale a thystiodd eraill i'r munudau diangof hynny pan safodd Eos Morlais, unawdydd y 'Côr Mawr' a thenor cenedlaethol cyntaf Cymru, ar lwyfan eang y Crystal Palace a chanu 'Annwyl yw Gwalia fy Ngwlad' gerbron ei gydwladwyr brwysg eu gorfoledd. Buasai yntau'n löwr er pan oedd yn wyth oed, tan i'w hyfrydlais ei godi i fyny o'r pwll i heulwen gwerthfawrogiad cenedl gyfan, ac ynghyd â Charadog a'r 'Côr Mawr' sicrhaodd y byddai maes glo'r De o'r 70au ymlaen yn galon ac enaid 'Gwlad y Gân'.[67]

O'r cymoedd glofaol y daethai'r gân a roes daw, ym marn y Cymry, ar ddirmyg y Sais. O Aberdâr y ffrydiodd yr awydd i fentro, o'r dref yng nghwm y glo ager lle y buasai'i chapeli yn atsain i hwyl y Gymanfa Ganu a'i Neuadd Ddirwest yn crynu i sŵn ymchwydd ei chorau yn y 60au. Ni allasai'r un fuddugoliaeth gystadlu â buddugoliaeth y 'Côr Mawr' fel prawf o werthfawredd undeb a hyfrydwch cytgord. 'Y mae corph cenedl y Saeson,' meddai Ieuan Gwyllt yn 1872, 'wedi arfer meddwl yn isel a siarad yn ddiystyrllyd am y Cymry. Cymerant yn ganiataol nad oes na gwaith na gwybodaeth na dychymyg yn Nghymru, mwy nag yn y bedd. Profodd y Côr hwn fod yma fywyd, fod yma allu, a bod yma waith; ac nad ydyw y Cymry yn Nghymru i'w dirmygu mwyach.' Yn wir, mynnodd Watcyn Wyn fod Cymru yn mynd i 'orchfygu'r byd dan ganu.' Ni ellid mo'i rhwystro, oherwydd—

> . . . Mae llais cerddoriaeth Cymru erbyn hyn
> Yn allu'n gallu taro'r byd yn syn![68]

Ugain mlynedd yn ddiweddarach Corau Meibion y Rhondda a'r Penrhyn, a Chôr Merched De Cymru dan arweiniad Clara Novello Davies a roes i'r Cymry yn Eisteddfod Ffair y Byd yn Chicago achos i ymffrostio ynghanol y cenhedloedd eraill. Streic yr Haliers yn 1893 a'i gwnaeth hi'n bosibl i Tom Stephens roi sglein ar ei gôr o lowyr ac mae'r croeso a gawsant hwy a merched Clara Novello pan ddychwelasant i Gymru'n fuddugwyr yn fwy na digon o brawf o hollbwysigrwydd canu corawl ym mywyd y De erbyn diwedd y ganrif. Ac ni fyddai neb a welodd y derbyniad a gafodd Caradog gan eisteddfodwyr Chicago ugain mlynedd ar ôl ei orchest heb sylweddoli fod yr hyn a ddigwyddasai yn y Crystal Palace yn 1872 ac 1873 wedi ymfreisgio'n un o chwedlau cynhaliol y Gymru fodern. Petasai'r Brenin Arthur wedi ymrithio o flaen y miloedd banllefus ni chawsai ryfeddach croeso.[69]

Rhoesai'r 'Côr Mawr' lais i anghenion balchder y genedl a daliodd hithau wrth y glewion hyd y diwedd â gefeiliau diolch. Cawsant Aduniad i'w gofio ym Mharc Margam yn haf 1914 pan ddaeth 150 ynghyd, rhai ohonynt yn dal i fod yn lowyr, i ailfyw'r goncwest. Ymgynullodd 120 ohonynt drachefn pan ddadorchuddiwyd cofgolofn Goscombe John i Garadog ar Sgwâr Victoria yn Aberdâr, 10 Gorffennaf 1920, ac yr oedd eto'n fyw 64 o 'Veterans', rhwng 74 a 92 mlwydd oed, pan ddaeth yr Eisteddfod Genedlaethol i Gastell-nedd yn 1934. Aeth 38 o'r rheini i'r llwyfan i ganu 'O Fryniau Caersalem . . .' gerbron torf emosiynol iawn o bymtheng mil a oedd, yn ôl y Parch. W. A. Lewis, 'wedi'u cynhyrfu i waelodion eu natur . . . Yr oedd y canu ynddo'i hun yn rhyfeddol,—hen frodyr a hen chwiorydd

Gweddill prin 'Y Côr Mawr' yn Eisteddfod Genedlaethol Castell-nedd, 1934.

pedwar ugain oed, gyda lleisiau crynedig yn cyrraedd y nodau uchaf
fel adar, ac ambell grac yn dyfnhau'r effaith. Gyda'u bod yn gorffen
y pennill, torrodd y miloedd allan i ymuno yn y cytgan, a phob llygad
yn llawn a phob grudd yn wlyb,- dyblwyd a threblwyd y llinellau olaf
nes bod yr effaith yn drydanol.' Ni allasai dim fod yn fwy cymwys na
bod olafiaid gwiw y 'Côr Mawr', plant adfyd a gorfoledd yr 1870au,
yn canu eu ffarwél ar lwyfan y Brifwyl yn y De pan oedd ing
dirwasgiad arall yn y tir, a chôr concweriol arall, Côr Mawr
Ystalyfera dan arweiniad nodedig W. D. Clee, yn profi eto fyth na
chollasai'r cymoedd na'r ddawn na'r ewyllys 'i godi llais yn erbyn
trais dilead.' Pan gydnabu'r *Western Mail* goncwest Côr Merthyr ym
mhrif gystadleuaeth gorawl Eisteddfod Genedlaethol Caerdydd yn
1938 yr oedd mewn gwirionedd yn dathlu grym cynhaliol y gân
a fu'n foddion, o'r foment y cododd Côr Mawr Caradog y fflodiart ar
ei lif, i gadw ysbryd y cymoedd rhag gwywo trwy'r blynyddoedd crin.
Daeth dagrau'r gynulleidfa honno yng Nghastell-nedd yn 1934 o
ddyfnach ffynnon na ffynnon sentiment.[70]

Ar ôl cyffro'r 70au byddai'r glöwr Cymraeg yn ddyn côr a chân a
chymanfa. Byddai'n brawf byw o ddylanwad dyrchafol cerddoriaeth
'dda', heb sôn am gerddoriaeth gysegredig. Dyna'r math o weithiwr
y gallai'r moesolwyr ddibynnu arno i dystio dros y grym a oedd mewn
cytgord i orchfygu caledi a chyni—a hyd yn oed i ddysgu dygymod â
thrallodion. Pa ryfedd iddo ddod yn destun cân ynddo'i hun. Yn 1874
gwobrwywyd canig Gwilym Gwent, 'Y Glowr' (geiriau Honddu), yn
Eisteddfod Tonypandy; deuawd tenor a bas Alaw Manod, 'Y Glowr
a'r Chwarelwr' (geiriau Mynyddog), yng 'Nghylchwyl llenyddol y
Welsh Slate'; a dau ddarn i gorau gan Alaw Ddu, 'Y Danchwa'
(geiriau Honddu), yn Eisteddfod Libanus, Llanelli a 'Cân Caradog:
neu Molawd y Côr Mawr' (geiriau David Skym), yn Eisteddfod
Treorci. Yn ddiweddarach, cyfansoddwyd deuawd i denor a bariton,
'Y Glowr a'r Morwr' (geiriau Morfab), gan John Davies (Ioan Taf)
a chân i denor neu fariton gan D. Emlyn Evans, 'Y Glowr' (geiriau
Dyfed), neu 'The Collier' (geiriau Rhys D. Morgan). Cam â'r gwir
fyddai galw'r un o'r darnau hyn yn gampwaith ond bu cryn ganu
arnynt am gyfnod wedi'r 70au. Y mae'r rheswm am hynny yn
amlwg.[71]

Yn Ebrill, 1877, trowyd Pwll Tynewydd yn y Porth yng Nghwm
Rhondda yn theatr a hoeliodd sylw ym Mhrydain ac America ar
ddrama arwrol a gymerodd ddeng niwrnod i'w pherfformio. Cyn ei
diwedd cafwyd prawf anarferol o gyffrous nad oedd gwell lle i

(*Illustrated London News*, 28 Ebrill 1877)

Pwll Tynewydd

Gwae

(*Illustrated London News*, 28 Ebrill 1877)

Gwroldeb

(*Illustrated London News*, 28 Ebrill 1877)

arddangos ffydd Gristnogol a dewrder di-hunan na'r pwll glo, a bod gallu canu emyn wyneb yn wyneb â'r angau tanddaearol yn rhagori yn ei effaith ar bob canu. Ni raid ond nodi'r prif ddigwyddiadau yma. Ar ddydd Mercher, 11 Ebrill, yr oedd cant o lowyr a bechgyn yn gweithio yn Nhynewydd. Yr oedd y mwyafrif wedi gorffen eu tyrn pan dorrodd dŵr i mewn o hen waith y Cymer rhwng 4-5 o'r gloch y prynhawn a llifo drwy'r pwll. Cafwyd fod 14 yn eisiau ac yn wyrthiol yr oedd deg o'r rheini, yn ddau grŵp o bump ar wahân, wedi'u dal mewn pocedi o aer cywasgedig a'u cadwai rhag boddi. Drama'r ymdrech i'w hachub a wnaeth enw Pwll Tynewydd yn gyfystyr â rhagoroldeb glowyr De Cymru.[72]

Yn un o'r pocedi aer daliwyd Thomas Morgan a'i ddau fab, William a Richard, ynghyd ag Edward Williams a'i bartner, William Casia. Gan feddwl ei bod ar ben arnynt aeth Edward Williams i weddi cyn iddynt ymroi i ganu pennill Dafydd William, Llandeilo Fach— 'Yn y dyfroedd mawr a'r tonnau . . .'. Fe'u clywyd gan fintai fechan o achubwyr a dorrodd drwy 36 troedfedd o lo i gael atynt erbyn bore trannoeth. Yn ei orawydd i ddianc sugnwyd William Morgan i'r twll ymwared gan ruthr yr aer a oedd wedi'u harbed cyd, a thorrodd ei wddf. Yr oedd yn 28 oed ac yn un o aelodau'r 'Côr Mawr'.[73]

O'r boced aer honno achubwyd pedwar ar fore dydd Iau, 12 Ebrill. Daeth pedwar ac un corff i fyny o'r dyfnderau. Yn y boced arall daliwyd David Jenkins, 40 oed; Moses Powell, 31 oed; George Jenkins, 30 oed; John Thomas, 25 oed a David Hughes, crwtyn 14 oed. Heb fwyd, nid oedd ganddynt ond pedwar dwsin o ganhwyllau i'w cysuro a'u cynnal pan gawsant eu hunain wyneb yn wyneb â stâl 3 troedfedd ac 8 modfedd Thomas Morgan heb obaith mynd gam ymlaen. Yr oedd naw modfedd o ddŵr eisoes ym mhen ucha'r stâl ond wrth lwc yr oedd dram lawn wrth y ffas. Taflwyd y glo bras allan a gwneud gwely o lo mân ar ei gwaelod. Y ddram honno ynghyd â silff gul ychydig fodfeddi uwchlaw'r dŵr fyddai'u hunig ddiogelwch am ddeng niwrnod, ac eithrio gweddïau David Jenkins a oedd yn ddiacon gyda'r Annibynwyr, a'r emynau cyfarwydd y buont yn eu canu cyn llesgáu. Profwyd gwerth yr Ysgol Gân wrth grefu am sylw a swcwr yn stâl Thomas Morgan.[74]

Ar bnawn Iau, 12 Ebrill, clywodd parti o achubwyr sŵn eu mandreli ymbilgar, ond sut oedd cael atynt? 'Roeddent wedi'u carcharu hanner milltir o'r siafft a byddent wedi hen farw cyn y gellid pwmpio'r dŵr allan o'r pwll. Daeth dau ddeifwr o Lundain i geisio'u cyrraedd, ond yn ofer. Ar bnawn Llun, 16 Ebrill, dechreuodd 16 o

dorwyr glo cawraidd, pedwar ym mhob tîm yn gweithio teirawr ar y
tro, dorri twnel chwe throedfedd ar draws, tair troedfedd o uchder
drwy 114 troedfedd o lo gan wybod y byddai'u bywydau trwy gydol
yr amser ar drugaredd llif, nwy ac aer cywasgedig. Ymroesant yn ddi-
hunan: 'most wonderful were the endurance and action of the
colliers. With blood streaming (from minor injuries) they never
turned their heads from the black face of coal which might open out
and destroy them.' Hawdd y gallai'r wasg ryfeddu at 'The Charge of
the Rhondda Brigade'. Erbyn pnawn dydd Mercher, 19 Ebrill,
gallent glywed llais egwan un o'r carcharorion ac am saith o'r gloch
y noson honno clywsant George Jenkins yn glir yn enwi ei gyd-
garcharorion ac yn eu cynghori i dyllu mwy i'r dde. Ymroesant yn
daerach fyth: 'The place was full of steam arising from the heated
backs of the gallant workmen . . . the clicks of the picks sounded like
hail beating on glass.'[75]

Y Gwaredigion.
David Jenkins, George Jenkins, David Hughes, Moses Bowen, John Thomas.

Y Gwaredigion a'u Hachubwyr.

Ar ddydd Iau, 20 Ebrill, â'r waredigaeth wrth law, bu'n rhaid ffoi rhag y nwy. Bu'n agos i'w braw â pharlysu'r achubwyr, ond wedi asesu'r peryglon gwirfoddolodd pump i orffen y gwaith, deued a ddelo. Y pump oedd Daniel Thomas, perchennog glo o Frithweunydd; William Beith, peiriannydd mecanyddol o'r Harris' Navigation Colliery ym Mynwent y Crynwyr; a thri glöwr—Isaac Pride, Abraham (Abby) Dodd a John William Howell o Ynys-hir. Gwilym Thomas, fodd bynnag, yn ôl yr hanesion a oroesodd am yr olygfa olaf un yn Nhynewydd oedd y trydydd glöwr gyda Pride a Dodd, a hwy yw'r tri a ddaliwyd mor gofiadwy gan y camera wedi'r waredigaeth. Mae'n ymddangos fod Gwilym Thomas wedi cymryd lle Howell ar y tyrn olaf am ei fod yn gryfach nag ef, ond yr oedd Howell eisoes wedi gwneud digon i haeddu un o'r Medalau Albert. Ni ddaeth un o'r rheini i ran Thomas. [76]

O gofio'r hyn a ddigwyddasai i William Morgan ni allai Isaac Pride lai na gwybod ei fod yn temtio ffawd wrth baratoi i dorri trwodd at y pump. Mentrodd. Cadwodd ei einioes, gwaredwyd y pump a sicrhaodd Pride a'i gyd-lewion olygfa fythol ei chyffro yn ddiweddglo i epig Tynewydd. Cripiodd 'Abby' Dodd trwy'r twll i dynnu'r

(O'r chwith i'r dde) Gwilym Thomas, 'Abby' Dodd, Isaac Pride.

trueiniaid allan a rhoes Pride ei hun i lawr fel Bendigeidfran dros hafn gul, ddofn yn llawn dŵr a gorchymyn eu tynnu allan dros bont ei gorff lluddedig. A dyna a wnaed. Y mae darllen am wrhydri Tynewydd 115 mlynedd yn ddiweddarach yn cyffroi dyn i'r mêr, ac y mae ceisio amgyffred taerineb yr ymdrech a dorrodd drwy 114 troedfedd o lo mewn cyn lleied o amser heb gyfri'r gost a heb ddim ond mandrel yn nwylo grym gobaith a brawdgarwch i gyflawni'r gwaith, yn gwyleiddio dyn. Yr oedd yn orchest a hawliai fawl awen Daliesinaidd ond er mor deilwng o gamp uchaf pencerdd oedd arwyr o faintioli Pride, Dodd a Thomas—tri a allasai'n rhwydd yn ôl eu llun fod yn ymladdwyr moelddwrn o hil gerdd—nis cawsant. Nid oes yn y Gymraeg, mamiaith glowyr Tynewydd, na cherdd, na stori—megis 'Twenty Tons of Coal' B. L. Coombes—na drama i'w hanfarwoli er cymaint o glod a gawsant yn 1877. Yn wir, gellid disgwyl y byddai W. Naunton Davies (1852-1925) am roi stori Tynewydd ar y llwyfan pan ddechreuodd gyfansoddi dramâu rhwng 1910-20, oherwydd 'roedd wedi chwarae rhan glodfawr ynddi fel meddyg dewr 25 oed. Ond ni wnaeth, onid ydym i weld dylanwad arwriaeth Tynewydd ar *The Human Factor* (1920), drama sy'n gweld yr unig ateb i ddoluriau cymdeithas mewn mwyneidd-dra cyffredinol. Diolch byth, y mae gennym er 1974 gampwaith Nicholas Evans, 'Entombed—Jesus in the Midst', sydd er pan syllais arno gyntaf wedi tyfu'n ddelwedd ddiwrthdro i mi o epig Tynewydd.[77]

Cyhoeddodd y *Times* a'r *Daily Telegraph* adroddiadau cynhyrfus Morien, gohebydd y *Western Mail*, a oedd i'w anrhegu â £10 yn ddiweddarach am lwyddo 'i enyn y fath gydymdeimlad cenedlaethol ar ran y dyoddefwyr a'u gwaredwyr.' Danfonwyd Irving Montague gan yr *Illustrated London News* i ddarlunio'r ddrama, daeth artist *The Graphic* i'w ganlyn ac o America daeth gohebydd y *New York Herald* i ysgrifennu ei stori yntau. Yn ogystal â'i thelegramau consarnol gyrrodd y Frenhines ei ffotograffydd, Mr. Downey, i dynnu lluniau'r achubedig yn y dillad a oedd amdanynt yn y pwll a thra parodd y ddrama gofynnwyd cwestiynau'n feunyddiol yn y Senedd a gweddïwyd am waredigaeth i'r carcharorion mewn capeli ac eglwysi ledled Prydain. Yr oedd y llawenydd a'r diolchgarwch pan arbedwyd hwy i'w glywed ymhell ac agos. Enillodd stori Tynewydd le i'r glöwr mewn llawer calon na roesai fawr o le iddo o'r blaen. Mae'n wir i'r croeso oeri gydag amser ond nid cyn i arwyr Tynewydd gydio yn nychymyg y cyhoedd mewn modd na wnaethai glowyr yr un rhan arall o Brydain o'r blaen.[78]

Entombed—Jesus in the Midst (Paentiad olew Nicholas Evans, 1974).

Amgueddfa Genedlaethol Cymru

Agorodd Arglwydd Faer Llundain gronfa er cymorth i deuluoedd y pump a gollwyd, y naw a achubwyd a'u hachubwyr. Agorodd y *Daily Telegraph* gronfa arall ac ar 6 Mehefin trefnodd Brinley Richards Fudd-Gyngerdd llachar yn y Crystal Palace a galw ynghyd Edith Wynne (Eos Cymru) a sêr eraill 'Gwlad y Gân' i ddyrchafu clod arwyr Tynewydd. Yn eu plith 'roedd Gwilym Thomas, un o'r 'Gallant Rescuers' a chanddo lais bariton nerthol. Bu'n canu mewn cyngherddau lawer am fisoedd wedi'i ran yn yr epig ac yr oedd yn ddigon o leisiwr i rannu'r wobr gyda Dan Price o Ddowlais yn Eisteddfod Genedlaethol Merthyr, 1881, am ganu 'Y Dymestl' (R. S. Hughes) pan oedd 39 yn cystadlu.

Yr oedd, fel mater o ffaith, yn ddigon o leisiwr i ennill chwech o weithiau yn yr Eisteddfod Genedlaethol, y tro olaf yn Abertawe, 1907, pan oedd yn 63 oed. Yn 1893, aeth allan i Eisteddfod Ffair y Byd yn Chicago gyda Chôr Meibion y Rhondda dan arweiniad Tom Stephens, a'u helpu i drechu Côr Meibion y Penrhyn mewn cystadleuaeth enwog. Yn ôl stori hogiau'r Gogledd, ymyrraeth awel groes â chopi eu cyfeilydd pan oeddent yn canu darn Joseph Parry, 'Y Pererinion', a gollodd y wobr iddynt, ond yn ôl bois y Sowth ansawdd eu hunawdydd hwy, Gwilym Thomas, a'u trechodd: 'Y mae uwchlaw dadl,' meddai Ap Hefin, 'mai ei ran ef yn y gwaith a drodd y fantol o du Parti'r Rhondda am wobr o fil o ddoleri.' Pwy ŵyr nad oedd ei gynefindra ag America, lle treuliodd ddegawd rhwng 1866 ac 1876 a chael ei benodi'n gantor cyflogedig cyntaf Eglwys Bloomington, Illinois, wedi bod o fantais iddo yn Chicago yn 1893.[79]

Parhâi mewn bri yn 1916 pan ddewiswyd ef, ac yntau'n 72 oed, i ganu'r unawd yn anthem John Ambrose Lloyd, 'Teyrnasoedd y Ddaear', yn y Gymanfa Ganu gyntaf i'w chynnal yn yr Eisteddfod Genedlaethol. Arweiniwyd y Gymanfa honno gan yr Athro David Evans ac yr oedd ef yn un o'r gwahoddedigion o bwys a ddaeth i'r cyngerdd a gynhaliwyd ar 21 Hydref 1919 yng nghapel Moriah, Ynys-hir er anrhydeddu Gwilym Thomas, 'Signor Foli Cymru'. Daeth llu ynghyd i weld cyflwyno tysteb i'r cyn-löwr o ganwr a oedd wedi perfformio mor aml dros y blynyddoedd er lles ei gydweithwyr ac i'w glywed yn arddel ei berthynas â hwy'n falch yng ngwydd ei ferch a'i gŵr—y Barnwr Rowland Rowlands. Buasai'n löwr am chwarter canrif ac yr oedd ei ddewrder yn Nhynewydd ynghyd â grym ei gân wedi'i wneud yn ymgorfforiad o lewder 'gwyrthiol hil y graith las'. Hawdd y gallai Barnwr briodi ei ferch. Hawdd y gallai'r tenor ym Moriah ganu 'Yr Hen Gerddor' er clod iddo. A hawdd y gallai'r *Rhondda Leader* ddweud ' . . . it is with feelings of regret that we must bid ''adieu'' to the old veteran . . . who has charmed a hundred score audiences with his rich resonant voice.' Yr oedd Gwilym Thomas wedi hen ennill statws glôwr Cymraeg emblematig —ac ni allai'r ffaith mai Saesneg bron yn llwyr oedd iaith ei fudd-gyngerdd newid hynny.[80]

Ta waeth, gwnaeth argraff fawr ar bawb yn y Crystal Palace ar 6 Mehefin 1877 fel y nododd Henry Richard, A.S., yn ei anerchiad a dyfnhawyd yr argraff honno pan ganodd Edith Wynne a'r Côr 'The Men of Wales', darn a gyfansoddwyd ar gyfer yr achlysur gan Brinley Richards. Ond uchafbwynt y noson oedd datganiad y Côr, dan arweiniad Mynorydd, o 'emyn y glowyr', 'Yn y dyfroedd mawr a'r tonnau . . .', a'r cantoresau—Edith Wynne, Mary Davies, Marian Williams, Mary Jane Williams, Lizzy Evans ac Edith Wren—yn rhes ar ffrynt y llwyfan yn cyd-ganu. Dyna, ym marn *Y Faner*, oedd 'y rhan fwyaf effeithiol a mwyaf blasus o'r holl gyngherdd . . .' Am ryw reswm nid oedd Eos Morlais, seren fawr y cyfnod, yn y cyngerdd hwnnw ond yr oedd James Sauvage, y cyn-lôwr ifanc o Rosllannerch-rugog a oedd ar drothwy gyrfa bariton nodedig yn Lloegr ac America yno, yn ogystal â Lucas Williams, bariton ysblennydd arall y gwnaeth ei ddwylo creithiog, corniog, dwylo gweithiwr haearn, i'w athrawon yn yr Academi Gerdd Frenhinol ryfeddu atynt lawn cymaint â'i lais. Ni welsid y fath ddwylo o'r blaen yn y lle dewisol hwnnw.[81]

Yn yr wythnosau brwysg wedi'r achubiaeth yr oedd Tynewydd ar wefusau pawb, a phawb fel petai am y gorau yn ceisio mynegi eu hedmygedd. Coronwyd y cyfan gan Victoria ei hun pan wnaeth ddatganiad hanesyddol:

> 'The Albert Medal, hitherto only bestowed for gallantry in saving life at sea, shall be extended to similar actions on land, and that the first medals struck for this purpose shall be conferred on the heroic rescuers of the Welsh Miners.'

'Roedd Daniel Thomas, William Beith, Isaac Pride a John William Howell i dderbyn Medal Albert (Dosbarth Cyntaf). Yr oedd 21 o'u cyd-achubwyr i dderbyn Medal Albert (Ail Ddosbath). Nid oedd Gwilym Thomas, fel y dywedyd, yn un o'r rhai a anrhydeddwyd ac yn rhyfeddach fyth nid oedd 'Abby' Dodd, chwaith, yn eu plith. Ar 12 Mai fe'i llosgwyd yn ddrwg mewn ffrwydriad ym mhwll Ynys-hir, pwll a oedd yn eiddo Daniel Thomas a James Thomas—rheolwr Tynewydd. Aeth Morien i'w weld yn ei boenau, enynnodd ei stori lid

Isaac Pride a'i Fedalau.

ei ddarllenwyr ond ni chydnabuwyd Dodd. Talodd y pris am ddwyn diffygion perchnogion pyllau glo i'r amlwg.[82]

Yr oedd James Thomas wedi'i gynnwys ar restr y rhai a oedd i dderbyn Medal Albert (Ail Ddosbarth), ond pan sylweddolwyd ei fod yn wynebu cyhuddiad o ddynladdiad wedi'r trengholiad ar 15 Mai, pan oedd Mabon yn bresennol, tynnwyd ei enw yn ôl. Ym Mrawdlys Abertawe, 6 Awst 1877, methodd y rheithgor â chytuno ar ddedfryd. Fe'i profwyd drachefn yng Nghaerdydd, 9 Ebrill 1878, gerbron y Barnwr Mellor a'i gael yn ddieuog o esgeulustod dybryd. Y mae darllen hanes y ddau achos yn rhoi golwg mwy iasol ar y peryglon a wynebai lowyr y cyfnod hwnnw na choflaid o golofnau newyddiadurol. Y syndod yw fod Mabon wedi llwyddo cystal ag y gwnaeth am gyhyd o amser i ffrwyno'u dicter.[83]

Ar 4 Awst 1877 gorymdeithiodd 40,000 o bobol trwy Bontypridd at y Garreg Siglo ar y comin i weld anrhydeddu'r dewrion mewn cyfarfod a lywyddwyd gan Arglwydd Raglaw Morgannwg, C. R. M. Talbot, A.S. Gorymdeithiodd y glowyr yn eu dillad gwaith, eu lampau wedi'u cynnau a'u mandreli a'u gyrdd ar eu hysgwyddau, i gyfarfod Arglwydd Faer Llundain a ddaethai i wrogaethu a rhannu rhoddion o'i gronfa. Derbyniodd y gweddwon £250 yr un a rhoddwyd £50 i sicrhau addysg i'r crwtyn, David Hughes, a oedd wedi colli ei dad a'i frawd yn y llif. Dosbarthodd Mr. Hussey Vivian, A.S., roddion ar ran Tŷ'r Cyffredin a gwasgarodd y *Daily Telegraph* roddion priodol rhwng y peirianwyr ac eraill na fynnai dderbyn arian. Trwy law Major Duncan, R.A., derbyniwyd rhoddion gan Urdd Marchogion Sant Ioan o Gaersalem a chafwyd gan Y Gymdeithas Feiblau gopïau arbennig o'r Beibl wedi'u llofnodi gan Arglwydd Shaftesbury, llesolwr mawr y gweithiwr cyffredin. Yn bennaf dim, rhoes Arglwydd Aberdâr, yn enw'r Frenhines, ei Fedal Albert i bob un o'r pedwar achubwr ar hugain dewisedig. Rhaid cyfrif 4 Awst 1877 yn ddiwrnod unigryw yn hanes maes glo'r De, a'r noson honno goleuwyd strydoedd Caerdydd a bu Gwledd er anrhydedd i Arglwydd Faer Llundain a ddaethai bob cam o brifddinas yr Ymerodraeth Brydeinig i gydnabod rhagoroldeb glowyr Cymru.[84]

Pa ryfedd i'r genedl wneud y mwyaf o'r digwyddiad. Yr oedd glowyr eofn mewn cydweithrediad â pherchnogion, rheolwyr, arolygwyr, peirianwyr a meddygon wedi dangos i'r byd mor odidog oedd cydymdrechu yn wyneb enbydrwydd er achub bywydau cydweithwyr. Wedi'r dathliadau ym Mhontypridd mynnodd *Tarian y Gweithiwr* mai ffrwyth trugaredd a chydymdeimlad oedd y cyfan: 'Trugaredd a chydymdeimlad yn eu nerth ar galonau dynion a feistrolent bob peth.' Nid oedd creu dedwyddfyd y tu hwnt i'w cyrraedd: 'Yr oedd dynoliaeth yn ymddangos yn ei mawredd uwchlaw ffurfiau a graddau cymdeithasol ... Nis gallai dim fod yn fwy dyddorol na gweled dyngarwch cyffredinol ein natur yn myned yn drech na ffurfiau beilchion ffasiwn gwlad.' O! am weld meistr a gweithiwr yn cyson gydnabod dynoliaeth ei gilydd, 'gan ymdoddi i deimladau goreu eu gilydd, claddu gwahaniaethau a gynyrchent elyniaeth, anghofio beiau eu gilydd, gwneud mor lleied ag a allant o'r tramgwyddiadau a wnant tuag at eu gilydd a chymaint ag a allant o'r pethau da sydd yn amlwg yn y naill a'r llall ...' Trannoeth epig Tynewydd gellid mentro—am ysbaid—ddyheu am drefn edenaidd yn y maes glo heb ofni crechwen.[85]

Fel y gellid disgwyl, bu'n amhosibl gwrthsefyll y demtasiwn i bulpuda ar gorn y fath ddigwyddiad. Onid oedd carcharorion tanddaearol wedi profi nerth gweddi a ffydd yn y ffordd fwyaf dramatig. Dyrchafwyd clod gweddi ac emyn glowyr Cymraeg Tynewydd o bulpudau ledled Prydain gan gymryd yn ganiataol eu bod i gyd yn gredinwyr. Mewn cyfres o 'Welsh Peasant Sketches' yn *The Sunday at Home*, cylchgrawn teuluol addas i'w ddarllen ar y Sul, ymddangosodd 'In a Coal-Mine', stori am grwtyn o golier o'r enw Owen Parry a ddysgodd werth gweddi mewn ffrwydriad. Yr oedd yn nwylo'r golygydd cyn bod sôn am gyffro Tynewydd a phwysleisiwyd ei bod yn ymwneud â glowyr dyddiau a fu '(when) the Welsh colliers and miners were not, as a class, the intelligent, God-fearing men that many of them are now.'

Wedi gwaredigaeth Tynewydd cyhoeddwyd 'Ten Days Buried in a Coal-Pit' yn yr un cylchgrawn: '. . . the narrative has permanent value, and we give it therefore a place in our volume, as a chapter of heroism—brightened by simple faith—which will be read again with interest in years to come.' Rhoddwyd sylw arbennig i ganu emynau'r glowyr adfydus: 'We have read of "Songs on the sea" and "Songs in the night", but here were songs in the deep—songs in the prison-house of the dark pit. It must have required some energy of soul to sing under such circumstances.' O bob nodwedd ar y glöwr ni allasai'r *Sunday at Home*, yng ngolwg y Cymry, fod wedi dewis un rhagorach i'w chlodfori na'i 'energy of soul.'[86]

Am wroldeb Tynewydd, wrth reswm, nid oedd modd dweud gormod. Galwodd Joseph Parry yn ei emyn a ganwyd am y tro cyntaf ar 12 Mai yng nghapel y Cymer lle'r oedd David Jenkins yn ddiacon, am nawdd Duw 'I lowyr dewr y dyfnder du.' Fe'i canwyd ar ôl i Jenkins adrodd hanes ei achubiaeth:

> . . . Di dyner Dad! boed llusern ffydd
> Yn ngrym Dy law'n gwneyd nos yn ddydd
> Lawr yn y dyfnder; swyn Gwlad well
> Fo'n codi allor yn mhob cell;
> O! dyro'th nawdd Greawdydd cu,
> I lowyr dewr y dyfnder du.

Galwodd F. E. Weatherley, M.A., o Rydychen, awdur 'The Men of Wales', am gydnabyddiaeth ei gydwladwyr i'r gwroniaid:

> . . . Then loudly let the chorus sing,
> God's arm through man prevails;
> And every English heart shall sing,
> The gallant men of Wales.

Ac yn y Crystal Palace ar 6 Mehefin pwysleisiodd Henry Richard, A.S., cymaint y rhagorai gwroldeb Tynewydd ar wroldeb gwaedlyd maes y gad: 'Gwroldeb i "gadw" bywyd ac nid i'w "ddinystrio" oedd y gwroldeb a ddangoswyd yn nglofa Tynewydd; fe bair hwn i wroldeb maes y gwaed gywilyddio yn ei bresenoldeb.' Fel y dywedodd *Y Gwladgarwr* wrth ategu, yr amlygiad 'o wroldeb anarferol—gwroldeb mor bur a dyrchafedig—gwroldeb nad yw yn ymddangos ei fod yn cael ei anurddo gan gymhelliadau hunanol . . .' a barodd i bawb 'o'n Grasusaf Frenines, ar ei gorsedd, i lawr hyd y tlawd yn ei fwthyn tô gwellt,—gael eu hysgwyd gan deimladau o haelioni ac o edmygedd gan helynt glofa Tynewydd.' Bellach, yn ôl F. L. Tucker, Treorci, ni ellid gwadu gwerth y glöwr:

> . . .All hail! thou band of heroes, and the land which gave thee birth,
> Thy praise will ring in accents of each nation of the earth;
> Thou hast taught the mean detractors of the toilers underground,
> Equal courage in the coal-mine with the battlefield is found.[87]

Y pwynt i'w bwysleisio, fodd bynnag, oedd mai gwroldeb wedi'i wreiddio mewn ffydd Gristnogol gadarn ydoedd. Prif bwrpas David Jenkins a Moses Powell wrth adrodd hanes eu gwaredigaeth oedd moli Duw am Ei ddaioni a'i drugaredd tuag atynt a chael pawb ledled daear i'w addoli. Yr oedd pregeth ymhob sill o stori Tynewydd. Mewn argyfwng o'r fath y gwelid dyn ar ei orau: 'Anghofir beiau pawb. Teyrnasa ymasgaroedd trugaredd. Bydd diluw dyngarwch wedi gorchuddio holl bechodau dynion mewn perygl. Ni bydd dim yn y golwg ond calon fawr dynoliaeth trwy yr holl wlad. Cyfyd y cynhyrfiadau i'r fath uchder, fel yr ymblesera dynion i osod eu bywydau eu hunain mewn perygl i achub bywydau ereill.' Dyna oedd barn *Tarian y Gweithiwr* a aeth yn ei flaen i danlinellu'r wers i bechaduriaid yng ngweddïau George Jenkins: 'Os deallasant ddim, cawsant lwyr argyhoeddiad mai crefydd bersonol yn unig a all weinyddu cysur i ddyn wrth wynebu angeu. Nid oes dim mewn seremoniau, defodau, swyddogaethau, talentau, athrylith barddonol, llenyddol, na dim tu allan i grefydd y galon, a etyb bwrpas dyn wrth farw.' Yn erbyn cefndir o'r fath y mae gwerthfawrogi'r stori a adroddai David Jenkins yn ddiweddarach am un o'i gyd-garcharorion, sef John Thomas. Pan ofynnwyd i hwnnw a oedd wedi offrymu gweddi danddaearol ei ateb oedd na fedrai am nad oedd yn perthyn i unrhyw enwad. Da cofio fod rhai felly ymhlith arwyr Tynewydd.[88]

Yn ddiddorol ddigon nid yn un o bapurau'r De y cafwyd yr ymateb mwyaf ymosodol-bleidiol o safbwynt y glöwr i epig Tynewydd. Fe'i cafwyd yn *Yr Herald Cymraeg* mewn erthygl olygyddol dan y pennawd, 'Dim ond Colliers,' a gyplysodd y glöwr â'r chwarelwr. Dioddefasai'r ddau yr un dirmyg am yn rhy hir: 'Chwarelwr neu Golier, y mae'r naill a'r llall yn ddyn! Profasant eu dynoldeb o dan amgylchiadau cyfyng. Do! profasant eu dewrder, eu gwroldeb a'u dynoldeb, o dan amgylchiadau mor gyfyng, ac hefyd o dan amgylchiadau mor ddirwasgol, ac yn erbyn ammodau anianyddol a moesol mor anhydrin, ag y gwnaeth gwroniaid penaf pob hanesyddiaeth, yn mhob rhyfel, ac yn mhob gwlad.' Fe dalai i'r wasg Saesneg gyfaddef mai'r un rhai oedd 'brawny giants' Tynewydd â'r glowyr a ddilornwyd adeg 'cloi mas' 1875 : 'Nid mewn diystyrwch y defnyddia neb byth mwyach yr hen ymadrodd goganus, "Dim ond Collier!" ' [89]

Manteisiodd *Yr Herald Cymraeg* yn llwyr ar y cyfle i atgoffa gormeswyr y glowyr yn 1875 mai'r ysbryd a wynebodd newyn y flwyddyn honno a wynebodd yr Angau yn Nhynewydd, 'serch fod gan Hwnw drwch o bymtheg llath ar hugain o graig, a hono yn graig mor ddu a gwrthfywydol ag ef ei Hun, gyda holl adnoddau ei ddyfroedd, ei greigiau go-gwymp, ei dagnwy a'i losgnwy, i ymladd yn erbyn y glowyr hyn—y "brawny giants" . . . Hwy a ymladdasant yn erbyn Angau yn ei holl agweddion mwyaf dychrynllyd.' Wele wir arwyr Prydain: 'Nid fel y dywedodd un newyddiadur Seisnig mai dyma'r bobl sydd yn cyfansoddi'r Fyddin Brydeinig. Nage ddim. Ysgymyndod ein cenedl, neu ychydig o'n bechgyn goreu wedi digwydd troseddu ar reolau'r capel, yr eglwys, neu'r aelwyd, sydd yn ymrestru i'r fyddin, ond nid dewrion fel glowyr Gwent a Morganwg a chwarelwyr Meirion ac Arfon.' Pendefigion llafur oedd y rheini. [90]

I genedl fechan y dibynnai'i rhagoriaeth i'r fath raddau ar deilyngdod ei gwerin yr oedd glowyr Cymraeg Tynewydd yn asedion sefydlog na fedrai mo'r *Times* a'r *Daily Telegraph*, hyd yn oed, eu dibrisio. Fe'u gorfodwyd i ganmol:

'These humble men', meddai'r *Telegraph*, 'unknown before except by their relatives and fellows, had thus become, by the greatness of their sufferings and the concentrated interest created by the splendid energy of the help afforded them, representatives of their patient, useful class, and as it were martyrs of the noble army of industry . . . Good and glorious news it is for everybody that the poor fellows have been saved; and Pontypridd, Porth, and Ferndale may be proud of knowing that when folks talk again of the faults and failings of mining people they will not

forget the gallant work done for the love of God and man in that South
Wales coalpit, and, so remembering, will confess that diamonds may be
rough, and yet be diamonds all the same.'

Cyrhaeddodd clod y *Daily News*, hefyd, glustiau'r Cymry ac fe'i
derbyniwyd heb falio am ei ddiweddglo trawsfeddiannol:

'Happily it has been proved in this case, as in so many before it, that
English workmen do not regard their own safety when they are working
for the rescue of their fellows.'[91]

Geirda'r *Times*, fodd bynnag, fyddai coron pob teyrngedu ac fe'i
cafwyd. Aeth yr hen ddirmygwr ati'n eangfrydig i ganmol arwriaeth
Tynewydd:

'It was an intense exercise of self-devotion, patience, and deliberate
courage—a concentration, as it were, of qualities which could only be
acquired by the habitual exercise of these qualities in everyday life, and
perhaps their cultivation through many generations. It is a great thing to
make a single vigorous effort of self-sacrifice to save the life of a fellow-
creature or comrade; but to work on for days in the darkness of the gallery
of a coal mine, threatened every moment with death from either water, or
gas, or compressed air is an effort very rarely, if ever, exhibited
elsewhere.'

Byddai gofyn i ddyn eto wynebu llawer o beryglon Natur wrth fforio
yn enw Cynnydd a Gwareiddiad. Fel yr agorai gwyddoniaeth fwy o
lwybrau i'w tramwy byddai galw arno i fentro'i fywyd drosodd a thro,
a byddai gofyn iddo ymddwyn yn deilwng o ysbryd Tynewydd:

'It was but right that the stamp of national honour should be formally
placed upon all such deeds, and the Welsh miners deserve the thanks, not
merely of their comrades, but of their country for having established in
public esteem a new and permanent order of merit.'[92]

I sylweddoli pa mor anarferol o hael ydoedd y mae gofyn gosod
mawl y *Times* i lowyr Tynewydd rhwng y ddau ymosodiad diraddiol
ar Gymru a'r Gymraeg a gyhoeddwyd ganddo, y naill ym Medi,
1866, a'r llall yn Rhagfyr, 1877. Yn 1866 dyfnhawyd clwyf y Llyfrau
Gleision gan ymateb hiliol y golygydd, Delane, i glod Matthew
Arnold i'r Cymry yn Eisteddfod Genedlaethol Caer. Y mae'r
enghraifft honno o ddifenwi yn rhy gyfarwydd, bellach, i hawlio'i

dyfynnu yma. Y mae'r ail enghraifft yn llai cyfarwydd ac yn haeddu ei lle yn rhinwedd cyflawnder ei sgorn. Ag inc ei fawl i'r arwyr ond prin wedi sychu manteisiodd y *Times* ar ffrae rhwng Arglwydd Aberdâr a'r *South Wales Daily News* i sicrhau ei ddarllenwyr nad oedd rhaid, er gwaethaf Tynewydd, gymryd cenedl y Cymry ormod o ddifrif. Cawsai'r *South Wales Daily News* achos i edliw i Arglwydd Aberdâr ei fod mewn eisteddfod ym Merthyr yn 1857 wedi dweud nad oedd gan Gymru 'wŷr mawr' i ymffrostio ynddynt. Taerai Arglwydd Aberdâr ei fod yn cael cam, a chafodd y *Times* yn gefn iddo.[93]

Yn gyntaf, dylasai Arglwydd Aberdâr wybod ei fod yn troedio tir afreswm wrth fynd i lywyddu mewn eisteddfod a dylasai fod wedi ymbaratoi'n briodol:

'It might reasonably be expected that any gentleman undertaking such a function would have prepared himself to enter into the humour of the occasion as much as if he had consented to award the flitch of bacon at Dunmow or to adjudicate between the two mayors of Brentford. It is a case in which you go in for everything or nothing, and the only question is how much nonsense a rational man can perpetrate and endure, say, in twelve hours.'

Yn ail, dylasai wybod fod y Cymry yn eu balchder yn genedl amhosibl o groendenau:

'His words sank deep into the susceptible Welsh nature. There they fester, and will never be forgotten. His carefully enunciated words have assumed the succinct traditionary form, 'that Wales never produced a great man,' contrary to the universal Welsh belief that they are the only people on earth that have produced really great men, and that they have produced a very great number of them.'

Yn drydydd, ni ddylid gor-ryfeddu at honiadau'r Cymry gan eu bod yn amlwg yn sylweddoli ei bod hi'n anodd i'r Saeson roi sylw difrifol iddynt. Am fod ganddynt cyn lleied i'w gynnig yr ymffrostient mor groch. Dylai Lloegr ddiolch eu bod yr hyn oeddent:

'The Welsh have many claims to our respect, our gratitude, and our regard. It is something that they are proud of their race, even to excess ... They are a picturesque ingredient in our too tame and matter of fact community ... We believe it is found that at the College specially frequented by Welshmen at Oxford they generally attain a respectable mediocrity, neither winning much nor failing often . . . The Welsh are industrious, thrifty, and generally sober . . . They do not excite the jealousy of the English by dashing to the front as Irishmen do, or by slowly and safely working their way to that position, with the certainty of success, as Scotchmen do. The Welsh do not meet us everywhere and beat us in the race of life. They are not long headed or long tongued, or large hearted and minded, or overbearing or overweening, or over anything, except in a way that does us no harm whatsoever. Truth to say, their most charming quality in English eyes is just that which Lord Aberdare wishes to chastise them out of. It is their pretty little vanity; their sweet self-complacency; their lovely self-conceit; their absolute satisfaction with what they suppose to be their poetry and history. We wonder to see the innocent creatures hugging something, and when we look into it and find it nothing at all we love them all the more for it. We feel them safe and easy neighbours, who will not set the pace too strong for us. Our other neighbours are hurrying us out of breath and off our legs. Art, science, politics, discovery, and even poetry, all are developing at such a rate that there is no keeping up with them in these days. So it is pleasant to glance over the shoulder and see at least one of our neighbours always steadily in the rear, and more than satisfied with that position.'

Ac yn olaf, ni fyddai gobaith i'r Cymry argyhoeddi neb fod ganddynt na 'gŵyr mawr' na dim arall o bwys tra glynent wrth y Gymraeg: 'Educated Europe cannot admit what it knows nothing about . . . The Welsh language, like the Englishman's house, is his castle and his prison. What its own literature may be few can say, for few know; but it certainly tends to shut out the common literature of this great Empire.' Dysged y Cymry gan y Gwyddyl a'r Albanwyr:

'Scotchmen and Irishmen are great as far as they are also Englishmen . . . The Welsh need not forget their own language, but they will have to learn ours, and bring into it what poetry they have, before they will be able to produce a list of great names. They need not forget their own antiquities, but they will have to sift them, and to put them well upon the English stage . . . Antiquarian researches are like deep-sea dredging. Sometimes they bring up a prize, oftener rubbish, and sometimes the dredge goes altogether. But it is in vain that the Welsh invite the English to follow them into the darkness of their own confused and incredible legends. They will have to bring the mineral to the surface, and reduce it before they can stand as well as Scotland, for example, does with her wealthier and lordlier neighbour.'

Gwaetha'r modd, yr oedd lle i ofni nad oedd digon o weld yn y Cymry

i ganfod eu lles eu hunain. Os dyna'r gwir, byddai'r pris i'w dalu yn
un hallt:

> 'It may be doubted whether they will ever do this of themselves. They
> want better light than their own traditions or their own language and
> literature. They may think this a deliberate insult, but it is the way we
> have advanced, and the Divine Law of human progress by international
> fusion and aid. Their French counterpart, the Bretons, are much as they
> have been a thousand years or more, as uninformed, as conceited, and as
> much the victims of imposture and political delusion. What they really
> worship is their own dear selves, and that is an idol that never made any
> man either better or wiser.'

Fel y prawf A. N. Wilson, neu Keith Waterhouse a ystyriai mai
darparu 'Television for the Daft' oedd sefydlu S4C, y mae eto'n fyw
ambell newyddiadurwr o Sais i adleisio gwawd *Y Times* yn 1866 a
1877. Deallwn fod yn rhaid i Loegr wrthynt a chydymdeimlwn. Nid
dyna a wnaeth Emrys ap Iwan pan ddechreuodd wrthymosod yn erbyn
y Sais dirmyglon yn *Y Faner* yn 1876. Nid oedd mor hawdd chwerthin
am ben y Sais a gredai fod ei dom yn aur pan oedd cynifer o Gymry
yn barod i gredu'r un peth—er nad oedd Swyddfa Gymreig yn bod
bryd hynny i'w talu'n gwangoaidd am wneud. Datblygodd Emrys ap
Iwan arddull 'llygad am lygad a dant am ddant' gan ddigio'r Cymry
a gredai mai trwy ddyhuddo'r Saeson yr oedd byw'n broffidiol wrth
eu hymyl. Wrth wneud eithafwr ohono ef caent fwy o flas ar eu
rhesymoldeb tra'n anwybyddu'r ffaith fod gŵr mor dderbyniol â
Henry Richard, A.S., yn cael ei wylltio lawn cymaint ag Emrys
weithiau gan drahauster ei gymdogion bras.

Cafwyd enghraifft dda o'i ddicter ef yn Ionawr, 1879, pan atebodd
olygydd y *Cambrian News* a oedd wedi edliw iddo ei orbarodrwydd i
gondemnio'r wasg Saesneg am ddatgelu gwydiau Gwerin Cymru:
'Speakers may describe the inhabitants of Wales as wingless angels,
and may even get to believe in the picture their fancy has painted, but
down here the people know that they are commonplace human
beings, toiling, sinning, and suffering from day to day . . . When will
the well-meaning friends of the Principality begin to abstain from
making their countrymen appear ridiculous by grandiose talk.
Flattery ceases to be pleasant when it gives rise to laughter and
derision.'[94]

Y mae ateb Richard eto'n profi cymaint y poenai blaenoriaid y
genedl am wawd y wasg Saesneg ddeng mlynedd ar hugain wedi

cyhoeddi'r Llyfrau Gleision. Gwadodd ei fod yn ffladrwr ei bobol a haerodd eu bod yn cael cam: '. . . they often have been very grossly and unjustly assailed, in the English press. Thirty years ago, when I first undertook their vindication, the columns of the London papers abounded with coarse and brutal attacks upon Welshmen and Welshwomen . . . Much later than that—only ten years ago—the Conservative Press of London was reeking day by day with the foulest and falsest slanders upon the Welsh Dissenting Ministers and the Welsh Dissenting Press . . . And the *Times* never writes of Wales and Welshmen except in the most bitter and scornful spirit . . .' Mae iaith yr Apostol Heddwch yn dweud mwy na digon am wres ei ddicter yn Ionawr, 1879.[95]

Fe'i ceryddwyd gan y *Cambrian News* am brotestio yn erbyn y modd yr oedd y *Daily News* wedi sylwi ar ymddygiad potsiars eogiaid yn Rhaeadr, gan daeru, yn ddigon teg yn ôl y *Cambrian News*, mai chwiorydd o'r un groth fall oedd Rebecca Cymru a Rebecca Iwerddon: 'The offspring of Rebecca, like the Maffei of Sicily, find their "raison d'être" in a constant and even violent protest against any laws which they do not happen to like.' Anwiredd dybryd oedd gosodiad o'r fath, anwiredd y gwyddai Richard ei fod yn gwneud drwg mawr i'r Cymry: 'Nobody but those who live among the English can understand how such writings as this prejudice our neighbours against us. ''What a lawless set your countrymen are,'' is the sort of remark that greets one's ear. And this in the face of the fact that as a rule the Welsh are much more quiet and law-abiding than the English, as the ''judicial statistics'' abundantly prove. The English press does not treat its own countrymen like that.' Hynny yw, nid oedd un enghraifft leol o dorcyfraith a therfysg yn rheswm dros gollfarnu'r Saeson fel cenedl. Yn sicr, nid oedd eisiau i'r *Cambrian News* ofni fod gorganmoliaeth yn debygol o ddrygu'r Cymry: 'I don't think you need fear the Welsh people being spoiled by flattery. There has been no time within my memory when poor Wales had not plenty of devil's advocates in the form of caustic and contemptuous critics in England and of ''candid friends'' in Wales, to point out the failings of her sons, so that they are not in danger of being exalted above measure.' Tawodd y *Cambrian News* â sôn.[96]

Mae cefnogaeth y *Times* i'r Arglwydd Aberdâr ac ateb Richard i olygydd y *Cambrian News* yn gosod edmygedd y Cymry o arwyr Tynewydd yn ei briod gyd-destun,—cyd-destun y frwydr barhaus dros gydnabyddiaeth deg i'r genedl gan Loegr. Profodd yr arwyr eu gwerth fel arbedwyr enw da eu cydwladwyr, yn ogystal â bywydau eu cydweithwyr, bron ar unwaith. Caed noddfa yn eu harwriaeth pan frawychwyd y wlad ganol haf, 1877, gan y llofrudd, Cadwaladr Jones, y tynnodd ei erchyllwaith yn Nolgellau sylw annymunol y wasg at gnawdolrwydd y werin gapelgar. Ac yntau'n ŵr priod ifanc ac yn dad, llofruddiodd ferch leol a fygythiai ddatgelu ei fod yn hwrgi.

Yn ôl 'Gohebydd' *Y Faner*, diwrnod ei grogi, 23 Tachwedd 1877, 'a chymmeryd pob peth i ystyriaeth' oedd 'y diwrnod duaf a welodd Cymru o fewn y ganrif bresennol! Nis gallwn feddwl am amgylchiad a gymmerodd le o fewn y ganrif hon a adawa "ystaen" a sudda mor ddwfn, ystaen—y bydd mor anhawdd ei olchi ymaith yn y dyfodol— a'r hon a adawa gyssylltiad yr enw "MARWOOD" [y crogwr] a thref Dolgellau foreu y trydydd ar hugain o'r mis Tachwedd presennol.' Ofnai'r 'Gohebydd' fod 'gan yr Arglwydd gŵyn neillduol yn erbyn Cymru cyn y buasai yn goddef i'r fath beth a hyn i ddigwydd yn ein mysg; cyn y buasai yn goddef i'r fath "flotyn du" ag ydyw hwn i ddisgyn fel hyn i ystaenio caritor cymmydogaeth lân, oleuedig, foesol, a chrefyddol Dolgellau a'r cwmpasoedd . . .' Rhaid mai'r gwir am 'Gymru lân' oedd fod ynddi 'hyd yn oed yn rhai o'r ardaloedd a ystyriem fel y mwyaf moesol, goleuedig, a chrefyddol yn ein tir, gorsydd afiach a heintus yn cael eu goddef—corsydd ag ydynt drwy y blynyddau fel "ulcers" yn y cymmydogaethau lle y maent— corsydd y dylasai fod "public sentiment" y wlad wedi eu sychu cyn hyn er's hir amser.' Aed y diwygwyr ati i ddiwygio â sêl ffyrnig. Peryglodd Cadwaladr Jones integriti'r ddelwedd genedlaethol y buasai'r cyfadferwyr wrthi'n ei rhoi ynghyd er 1847 ac yn yr 'argyfwng' a grewyd ganddo cynyddodd gwerth arwriaeth glowyr Tynewydd. Y fath gysur oedd medru troi atynt hwy i glensio'r ddadl mai eithriad athrist o Gymro oedd y llofrudd o Ddolgellau.[97]

Câi'r Cymry bwyso ar eu glewder am hydoedd. Nid dim ond y ffilm, *David*, a roes i'r glöwr Cymraeg le anrhydeddus yn nathliadau Gŵyl Prydain yn 1951. Daeth glowyr Tynewydd eto i gynnal breichiau Amanwy yn nrama radio Islwyn Williams yn y gyfres, 'The Rescuers', a ddarlledwyd gan y B.B.C. o Lundain ar ôl iddi eisoes gael ei darlledu o Gaerdydd yn 1947 pan chwaraewyd rhan Isaac Pride gan Richard Burton. Ac yn 1986 teledwyd y stori o'r newydd gan Ffilmiau'r Nant ar gyfer cynulleidfa'r gyfres 'Almanac' ar S4C—cynulleidfa a ddaliwyd yr un mor sicr gan ei chyffro. Stampiwyd y waredigaeth fawr yn ddwfn ar ddelwedd y glöwr Cymraeg. Yn llenyddol, o leiaf, yr oedd yn dal yn gaeth ym mhoced aer Tynewydd pan ganodd Tilsli ei awdl foliant iddo yn 1950, a heb sylweddoli hynny ni wnawn fyth lawn werthfawrogi ei phoblogrwydd.

Cyn diwedd y flwyddyn 1877 yr oedd maes glo'r De yng ngafael dirwasgiad a ddaeth â thrueni mawr yn ei sgil am fisoedd lawer a mynych sôn yn y wasg am newyn ac angen torcalonnus. Yr oedd bellach filoedd i'w gwared rhag gwae a llawer mwy i'w diwallu nag a fedrai elusen a chardod fyth wneud. Dwysäwyd arwriaeth Tynewydd gan ddioddefaint y cymunedau glofaol. Wedi'r gorchestion yn y pwll bu'n rhaid crefu'n ddolefus drachefn am ymwared rhag creulonderau'r farchnad. Rhaid casglu, yn ôl cerddi 'Ioan Bach' a James Clement, Gilfach Goch nad oedd stoc y glöwr ronyn uwch waeth beth am Fedalau Albert:

> . . . Ai nid bod dynol yw
> I'w gyfrif yn ein mysg?
> Paham y mae mor wyw
> Yn ngolwg perchen dysg?
> Ai caethwas fydd heb obaith gwell
> Na'i lwyr newynu yn y gell?

ac y mae'n amlwg nad eithriadau mohonynt. Yn ôl un gohebydd o'r De 'roedd gan y Cymry fwy o gydymdeimlad â thlodion yr India na'u cydwladwyr anghenus. Barnai fod 'pawb megys yn cau pob tosturi tuag at eu brodyr sydd yn eu hymyl. Ie, ein brodyr o'r un bru a lwyr anghofir gennym.' A phan ddarllenir sylwadau un arall o ohebwyr *Y Faner* wrth drin 'Helyntion Rhanau o Gwm Rhondda' adeg dirwasgiad 1877-8 nid yw'n anodd deall pam fod cynifer o lowyr wedi dewis ymbellhau oddi wrth iaith a ddefnyddid mor aml i foesoli a phulpuda'n hunangyfiawn ar gorn eu hadfyd a'u tipyn hawddfyd adeiniog fel y'i gilydd. Pechod parod y glowyr oedd anghofio fod Duw yn bod yn nyddiau eu digonedd a byw'n afradlon heb feddwl y byddai'n rhaid cwrdd â'r gost rhyw ddydd:

'Peth cyffredin yn yr amser a aeth heibio yn mhlith y dosbarth gweithiol oedd y gwibdeithiau costus, gwirionffol, a diangenrhaid. Gallesid gweled yn yr amser hyny ein dynion ieuaingc yn ennill arian da, ond yn eu gwastraffu trwy bwrcasu dillad da, oriawr, a chadwyn aur, er mwyn ymddangos yn foneddigaidd, ac yn 'treatio' y merched gyda gwibdeithiau (excursions), ac, o bosibl, yn dychwelyd wedi trwytho eu hunain yn dda â thrwyth Syr John Barleycorn, ac wedi colli eu horiaduron, a distrywio eu dillad drudfawr, ynghyd â gwneyd llongddrylliad o'u cymmeriadau yn wryw a benyw. Ac ar ol hyn, collent ddau a thri thyrn lawer gwaith; fel, erbyn pob peth, er fod eu hennillion dyddiol yn uchel, yr oedd yn methu cael deupen y llinyn ynghyd yn eu teuluoedd. Ac erbyn hyn, nid oes ond trallod, helbul, a gofid yn eu haros yn eu cartrefi.'

Ugain mlynedd yn ddiweddarach, cyfansoddodd Ben Bowen 'Cri y Glowr' i'w chanu gan 'barti o lowyr . . . ar hyd y wlad adeg "strike" fawr 1898' ar yr alaw 'Y Gwenith Gwyn' neu 'Yr Eneth gadd ei gwrthod.' Apêl am dosturi a chardod gwlad ddi-hid yw'r gerdd. Y mae'r colyn yn y pennill olaf:

> . . . Pa le mae Cymru, gwlad y gân,
> A Chymru lân ei chariad,
> Sy gymaint am ei bri drwy'r byd,
> Sy fwy mewn cydymdeimlad?
> A gaiff griddfannau y 'can mil'
> O hil Brythoniaid glewion,
> Griddfannau'r glowyr—bywyd byd,
> Droi'n fud heb gwrdd â'i chalon?[98]

Fel pe na bai pangau'r dirwasgiad yn ddigon ingol, ar 13 Medi 1878 lladdwyd 268 gan danchwa ym Mhwll y Prince of Wales yn Abercarn. Er mwyn diffodd y tanau bu'n rhaid boddi'r pwll trwy ddargyfeirio Camlas Mynwy a gadael ugeiniau o gyrff heb eu claddu. Arswydwyd y cyhoedd gan drychineb mor erchyll ac unwaith eto cododd Arglwydd Faer Llundain gronfa i helpu'r gymuned ddrylliedig. Yng nghanol y trallod yr oedd i olygydd *Y Tyst* gysur mewn un ffaith: 'Mae yn llawen genym ddeall y rhoddir gair da i lawer o'r rhai a gymerwyd ymaith fel dynion rhinweddol a chrefyddol; a dywedir fod pump o bob chwech o honynt yn arfer cyrchu i ryw le o addoliad. Dywedai un o arolygwyr y gwaith glo, "Bydd ein capel ni y Sabboth nesaf heb haner yr aelodau ynddo, a'r ysgol heb haner y bechgyn;" a diau genym mai Sabboth i'w gofio yn Abercarn a'r amgylchoedd fydd y Sabboth diweddaf.'[99]

A thrallod Abercarn o hyd heb ei leddfu, ar 13 Ionawr 1879 lladdwyd trigain ym mhwll Dinas yn y Rhondda gan danchwa arall, ac ar 22 Medi lladdwyd 84 ym mhwll Waunllwyd, Glyn Ebwy. I'r glöwr, daeth y 70au i ben yn adfydus. Yn wir, cyfres o dreialon a champ y 'Côr Mawr' ynghyd â gwaredigaeth Tynewydd yn brawf o'i ewyllys i'w gwrthsefyll a choncro, weithiau, fuasai'r degawd ar ei hyd iddo. Aeth yn haws nag erioed i'r Gymraeg ei ddelweddu'n arwr dioddefus wedi anffodion y 70au. Ni fyddai iddo fyth ymwared rhag damweiniau a thrychinebau, ac ar ôl derbyn y 'Sliding Scale' yn 1875 ni fyddai'n hir cyn yr esgorai ei anniddigrwydd ar streiciau'r 90au a'r 'FED'.

Trwy'r cyfan byddai'r Gymraeg yn gragen lân, ddigyfnewid iddo a'i chlod i ffigurau cynrychiadol fel Alaw Goch, Davies Llandinam, Mabon a Charadog i'w glywed ganddo'n gyson yn dyrchafu'r rhagoriaethau diwylliannol, materol ac ysbrydol, y dylai'r glöwr o Gymro eu coledd er mwyn sicrhau enw da a chytgord cymdeithasol. I'r sawl a fynnai lenydda mewn difrif am fywyd y glöwr wedi'r 70au byddai'n rhaid wynebu cragen rwystrus y Gymraeg lefn, ond ni chododd yr un Daniel Owen yn y De a chanddo'r gallu i'w chracio ag eironi nofelydd neu ddramodydd a wyddai fod mawr angen datgelu'r croesterau a hanfyddai rhwng ymddangosiad a realiti yn y maes glo. Y mae'n anodd credu nad oes dim heriol i'w gael am y glöwr yn llên y Gymraeg tan 1934 pan achosodd *Cwm Glo* danchwa, a thrist yw gorfod cydnabod mai cyndyn fu cyd-awduron Kitchener Davies i elwa ar ei ddicter ffrwydrol ef.

NODIADAU

[1] Hywel Teifi Edwards, *Gŵyl Gwalia*. Gw. Pennod 2.

[2] ibid., 69-70, 82.

[3] *Cofnodion a Chyfansoddiadau Buddugol Eisteddfod Genedlaethol Bangor, 1890*, 9, 17, 22.

[4] Hywel Teifi Edwards, *Gŵyl Gwalia*, 93-6; idem., *Eisteddfod Ffair y Byd, Chicago 1893* (Llandysul, 1990), 18-20.

[5] L. J. Williams, 'The New Unionism in South Wales, 1889-92,' *The Welsh History Review*, I (Part 4), 1963, 413-29; *Tarian y Gweithiwr*, 20 Rhagfyr 1883, 5; Hywel Francis, 'Society and Trades Unions in Glamorgan 1800-1987,' 89-107.

[6] Hywel Francis, op.cit., 94.

[7] ibid.

[8] ibid; John Davies, *Hanes Cymru*, 425.

[9] E. W. Evans, *Mabon. A Study in Trade Union Leadership* (Cardiff, 1959), 10-14; Herbert Williams, *Davies the Ocean, Railway King and Coal Tycoon* (Cardiff, 1991), 159-65.

[10] *Y Bywgraffiadur Cymreig Hyd 1940* (Llundain, 1953), 970-1; E. B. Morris, 'Alaw Goch,' *Cymru*, 27, 1904, 91-4.

[11] Hywel Teifi Edwards, *Gŵyl Gwalia*, 26-7.

[12] Dafydd Morganwg (gol.) *Gwaith Barddonol Alaw Goch* (Caerdydd, 1903); Y Parch J. Thomas (Ieuan Morganwg), 'Pryddest o Glod i D. Williams, Ysw., Ynyscynon, ger Aberdar (Alaw Goch)', *Detholion o Gynnyrchion Barddonol yr Eisteddfod Iforaidd a gynnaliwyd yn Aberdar, Mehefin 10, 1857 . . .* (Aberdâr, 1864), iii, 22-31.

[13] ibid., 26.

[14] *Yr Eisteddfod, I, 1864, 269-75.*

[15] *Gwaith Barddonol Hwfa Môn* (Llanerchymedd, 1883), 15-33.

[16] Gw. yn arbennig gyfrol ddiweddar Herbert Williams, *Davies the Ocean* (1991).

[17] ibid., 7-21, 83-6.

[18] ibid., 87-96.

[19] ibid., 93-6, 124, 132, 158-9, 1-6.

[20] ibid., 158, 97-110, 213-24.

[21] ibid., 138-43, 213-20.

[22] ibid., 4.

[23] ibid., 123-4; Gwyn A.Williams, 'Architect of Empire', *The New Welsh Review*, No. 18, 1992, 42-5.

[24] Herbert Williams, *Davies the Ocean*, 97-8.

[25] ibid., 131-7.

[26] ibid., 193-201; David Williams (Alawydd Orchwy), *Atgofion Bore Oes yn y Rhondda*, 9.

[27] Herbert Williams, *Davies the Ocean*, 95-6, 158, 230.

[28] ibid., 134-5.

[29] ibid., 125-30.

[30] *Y Bywgraffiadur Cymreig Hyd 1940*, 1; E. W. Evans, *Mabon*, 1-12; *Y Geninen*, XV, 1897, 292.

[31] E. W. Evans, *Mabon*, 1-12.

[32] ibid., 9, 20-1, *The Western Mail*, 15 May 1922, 5-6.

[33] L. J. Williams, 'The First Welsh "Labour" M.P. The Rhondda Election of 1885,' *Morgannwg*, 5-6, 1961-2, 78-94; E. W. Evans, *Mabon*, 66-78, 79-92, 95.

[34] *South Wales Daily News*, 28 April 1875, 3.

[35] Herbert Williams, *Davies the Ocean*, 161-5.

[36] ibid., E. W. Evans, *Mabon*, 13-15, 47-62; *Mabon*, 'On the Sliding Scale,' *The Red Dragon*, 1, 1882, 466-9.

[37] *Tarian y Gweithiwr*, 2 Ebrill 1875, 6; 4 Mehefin 1875, 4.

[38] *Y Gwladgarwr*, 31 Rhagfyr 1870, 2; 8 Ebrill 1871, 6.

[39] ibid., 6 Chwefror 1875, 5; 4 Mehefin 1875, 5.

[40] Robert Griffiths, 'Llwynog o'r Graig,' *Llafur*, 3, Rhan 3, 1982, 86-92.

[41] *Tarian y Gweithiwr*, 25 Mehefin 1875, 2; 21 Gorffennaf 1876, 2; 1 Rhagfyr 1876, 2.

[42] ibid., 25 Mehefin 1875, 2.

[43] ibid., 12 Mawrth 1875, 4; 30 Gorffennaf 1875, 5.

[44] *Y Faner*, 27 Ionawr 1875, 14; 3 Chwefror 1875, 4; 'Ein Glowyr: Yn Siroedd Dinbych a Fflint, ac Ardaloedd Eraill yn Nghymru. Eu cyflwr Gweithiol, Cymdeithasol, a Gwleidyddol', *Y Faner*, 27 Rhagfyr 1882, 1; 7 Mawrth 1883, 11; 28 Mawrth 1883, 7; 2 Mai 1883, 13; 13 Mehefin 1883, 11; 1 Awst 1883, 4; 19 Medi 1883, 6; 31 Hydref 1883, 6; 28 Tachwedd 1883, 11; 12 Rhagfyr 1883, 7.

[45] *Tarian y Gweithiwr*, 17/24 Awst 1893, 5.

[46] *The Western Mail*, 15 August 1893, 6.

[47] Michael and Richard Keen, 'The Coal War in South Wales, 1893,' *Glamorgan Historian*, Vol. Ten, 35-49; *Tarian y Gweithiwr*, 31 Awst 1893, 5.

[48] Michael a Richard Keen, op. cit., 48-9.

[49] *Tarian y Gweithiwr*, 7/21 Medi 1893, 5; *The South Wales Daily News*, 9 September 1893, 4.

[50] *Tarian y Gweithiwr*, 8 Medi 1898, 4; John Davies, *Hanes Cymru*, 458.

[51] ibid., 3 Mawrth 1898, 4; 19 Mai 1898, 4; 23 Mehefin 1898, 5.

[52] ibid., 9 Mehefin 1898, 4; 30 Mehefin 1898, 4; 7 Gorffennaf 1898, 4; 19 Mai 1898, 6.

[53] ibid., 8 Medi 1898, 4; E. W. Evans, *Mabon*, 93-4.

[54] David Evans, *Labour Strife in the South Wales Coalfield 1910-1911* (Cardiff, 1911), 35; John Davies, *Hanes Cymru,* 457; Roy Gregory, *The Miners and British Politics 1906-14*, 59.

[55] *Tarian y Gweithiwr*, 20 Mehefin 1912, 4.

[56] *Y Faner*, 30 Gorffennaf 1890, 12; *Seren Cymru*, 1 Awst 1890, 5; *Y Goleuad*, 31 Gorffennaf 1890, 10-12; 7 Awst 1890, 7, 9-10; 14 Awst 1890, 8-9.

[57] David Williams (Alawydd Orchwy), *Atgofion Bore Oes yn y Rhondda*, 10-11.

[58] *Y Darian*, 18 Mai 1922, 1; *Y Faner*, 18 Mai 1922, 5; *Y Brython*, 18 Mai 1922, 5; *Y Geninen*, XL, 1922, 201-5.

[59] *Llais Llafur*, 20 May 1922, 3; *The South Wales Daily News*, 16 May 1922, 6; 19 May 1922, 6.

[60] *The Western Mail*, 15 May 1922, 4; 16 May 1922, 4.

[61] Emyr Wyn Jones, *Sir Henry M. Stanley: The Enigma* (Denbigh, 1989); idem, *Henry M. Stanley: Pentewyn Tân* (Dinbych, 1992); *Y Faner*, 3 Medi 1873, 3; Ian Knight, *Nothing Remains But to Fight. The Defence of Rorke's Drift, 1879* (London, 1993).

[62] Hywel Teifi Edwards, *Gŵyl Gwalia*, 279-80.

[63] ibid., 279, 280-1, 281-2.

[64] ibid., 285-8.

[65] ibid.

[66] ibid.

[67] ibid.; Hywel Teifi Edwards, 'Y Gân a ganai Morlais', *Codi'r Hen Wlad yn ei Hôl*, 109-11.

[68] Hywel Teifi Edwards, *Gŵyl Gwalia*, 286-8.

[69] idem, *Eisteddfod Ffair y Byd, Chicago 1893*, 133-56.

[70] *The Western Mail*, 30 July 1914, 7; 11 August 1934, 6-7; *Y Brython*, 23 Awst 1934, 5.

[71] Rhidian Griffiths, *Cyhoeddi Cerddoriaeth yng Nghymru yn y cyfnod 1860-1914: astudiaeth lyfryddol ynghyd â llyfryddiaeth o gyhoeddiadau rhai cyhoeddwyr*. (Traethawd Ph.D. Prifysgol Cymru. Mai 1991). Gw. Cyf. 2: *Llyfryddiaeth* a'r eitemau canlynol: 116, 208, 105, 106, 107, 680, 21, 23. Gellir ychwanegu fod R. S. Hughes wedi cyfansoddi deuawd i denor a bas, 'Y Ddau Lowr' (gw. hysbyseb yn *Y Gweithiwr Cymreig*, 7 Ionawr 1886, 7) a bod y Parch H. Davies (Pencerdd Maelor) Plasmarl yn cynnwys triawd i denor, bariton a bas, 'Y Tri Glowr', ymhlith y cyfansoddiadau o'i eiddo a hysbysebwyd yn *Tarian y Gweithiwr*, 24 Mawrth 1898.

[72] Y mae'r hanes wedi'i adrodd yn llawn gan Ken Llewellyn, *Disaster at Tynewydd. An account of a Rhondda mine disaster in 1877* (second edition: Penarth, 1992); Emrys Pride, 'Profile of a Collier' yn *Rhondda My Valley Brave* (Sterling Press, 1975), 40-51; *Bywyd o Feirw; sef Hanes y Carcharorion Tanddaearol, yn Mhwll Tynewydd, Cwm Rhondda*,

o Ebrill yr 11eg. hyd yr 20fed., 1877. Gan David Jenkins a Moses Powell (Dau o'r Carcharorion), (Cwm-afon, c. 1877). Cyfieithwyd eu hanes i'r Saesneg gan y Parch. David Jones, Porthcawl a'i gyhoeddi dan y teitl, *Life from the Dead* (Cwm-avon, n.d.)

[73] *Disaster at Tynewydd*, 33, 35, 37-8.

[74] ibid., 45-6.

[75] ibid., 47-58; Emrys Pride, 'Profile of a Collier', 40, 47.

[76] *Disaster at Tynewydd*, 55, 68-71; Emrys Pride, 'Profile of a Collier', 48-51.

[77] ibid., 49-50; M. Wynn Thomas, *Internal Difference*, 18-19; *Disaster at Tynewydd*, 66.

[78] *Y Gwladgarwr*, 4 Mai 1877, 4; 17 Awst 1877, 5.

[79] *Tarian y Gweithiwr*, 30 Hydref 1919, 8.

[80] ibid., *The Rhondda Leader*, 1 November 1919, 1.

[81] *Y Gwladgarwr*, 15 Mehefin 1877, 5; *Y Faner*, 13 Mehefin 1877, 4; *Y Cymro*, 19 Hydref 1893, 5.

[82] *Disaster at Tynewydd*, 68-71, 72-3.

[83] ibid., 76-81.

[84] ibid., 74-5; *Tarian y Gweithiwr*, 10 Awst 1877, 3; *Y Faner*, 15 Awst 1877, 7.

[85] *Tarian y Gweithiwr*, 10 Awst 1877, 3.

[86] *The Sunday at Home*, 1877, 457-61, 676-81.

[87] *Disaster at Tynewydd*, 67-8; *Y Gwladgarwr*, 15 Mehefin 1877, 5; *Tarian y Gweithiwr*, 29 Mehefin 1877, 6; David Jenkins a Moses Powell, *Life from the Dead*, 45-8. Ceir dwy gerdd y cyfansoddodd Pencerdd Gwalia a Brinley Richards gerddoriaeth ar eu cyfer, sef 'Troedyrhiw Colliery; or, The Rescuers and the Rescued,' gan John Harries, Falmouth a 'The Men of Wales' gan Fred E. Weatherly.

[88] *Bywyd o Feirw.* Gw. 'Ein Rhagymadrodd'; *Tarian y Gweithiwr*, 27 Ebrill 1877, 5; Emrys Pride, 'Profile of a Collier,' 46.

[89] *Yr Herald Cymraeg*, 27 Ebrill 1877.

[90] ibid.

[91] Ymddangosodd sylwadau'r *Daily News* a'r *Daily Telegraph* yn y *Carnarvon and Denbigh Herald*, 21/28 April 1877, 6.

[92] *The Times*, 8 August 1877, 9.

[93] Hywel Teifi Edwards, *Gŵyl Gwalia*, 326-30; *The Times*, 11 December 1877, 5, 9.

[94] *The Cambrian News*, 31 Ionawr 1879, 4.

[95] ibid., 7 February 1879, 4.

[96] ibid.; y mae helynt potsiars Rhaeadr wedi'i drafod gan D. J. V. Jones, 'The Second Rebecca Riots: A Study of Poaching on the River Wye,' *Llafur,* 2, Rhan 1, 1976, 32-56.

[97] Rhoes *Y Faner* gryn sylw i achos Cadwaladr Jones. Gw. 1 Awst 1877, 6-7; 8 Awst 1877, 6-7; 7 Tachwedd 1877, 4-6; 28 Tachwedd 1877, 3-4, 6-7.

[98] *Tarian y Gweithiwr*, 8 Chwefror 1878, 6; 10 Ionawr 1879, 6; *Y Faner*, 28 Tachwedd 1877, 10, 11; E. G. Millward, *Ceinion y Gân*, 52, 102 (troednodyn 32).

[99] *Y Tyst*, 20 Medi 1878, 4-5, 8; 27 Medi 1878, 4.

Pennod III

Nid Bachan Budr yw Dai

Rhwng 6 Gorffennaf a 30 Tachwedd 1877 ymddangosodd 'Walter Llwyd, neu Helyntion y Glowr' yn *Tarian y Gweithiwr* a phan ddaeth y stori i ben danfonodd Llyfrbryf lythyr i'r papur i ddiolch am y gefnogaeth i'r nofel ac i sicrhau'r awdur, Roger Thomas (Adolphus), ei fod yn llwyddo i ddifyrru'r to ifanc. Yr oedd Adolphus eisoes wrthi'n ysgrifennu stori gyfres arall am Owain Glyndŵr ar gyfer yr un papur ac yn 1882 cyhoeddodd, yn un gyfrol, ail argraffiad o ddwy nofel fer o'i eiddo, sef *Gruffydd Llwyd neu Y Bachgen Amddifad, ac Ogof y Daren Goch.* Gellir olrhain ei ddiddordeb yn y nofel yn ôl i'r flwyddyn 1860, o leiaf, gan iddo'r flwyddyn honno rannu gwobr o £1.10.0 yn Eisteddfod Ystalyfera am 'Ffug-chwedl sylfaenedig ar Gastell Ynys-y-ceinion a Tharen Gwyddon'. Gwyddom, hefyd, i sicrwydd ei fod yn ysgrifennu storïau cyfres ar gyfer *Y Fellten* rhwng 1873 ac 1875 ac mai ei ramant ef ar 'Yr Hobert o Strathclwyd' a ddyfarnwyd yn orau yn Eisteddfod Genedlaethol Wrecsam, 1876, gan ennill iddo ddecpunt a thlws aur.[1]

Gwaetha'r modd, y mae'n anodd dod o hyd i wybodaeth am fywyd Adolphus. Nid ymddengys i neb lunio cerdd neu ysgrif goffa iddo pan fu farw—pryd bynnag y digwyddodd hynny—ac nid yw o'r herwydd wedi cael y sylw a ddylasai gael. Glöwr a symudodd o Gwmtwrch i Ystalyfera ydoedd. 'Roedd yn un o weithwyr J. Palmer Budd, sefydlydd Gwaith Haearn Ystalyfera, ac yn aelod gyda'r Bedyddwyr yng nghapel Soar—yn aelod digon teilwng i'w godi'n ddiacon. A barnu'n ôl rhai o'i gyfansoddiadau llenyddol, yr oedd yn enghraifft drawiadol o'r gweithiwr Fictorianaidd y gallasai Samuel Smiles fod yn meddwl amdano pan ysgrifennodd *Self-Help* (1859). Rhoes ei fryd ar ymddiwyllio a gwella'i stad, a cheir prawf o'i ddifrifwch eiddgar ar dudalennau papurau a chylchgronau'i enwad—*Y Bedyddiwr* a *Seren Gomer* a *Seren Cymru.* Mae ei erthygl ffeithiol ar 'Gweithiau a Masnach Morganwg' a gyhoeddwyd yn *Seren Gomer,* 1862, a'i draethawd arobryn yn Eisteddfod Ystradgynlais, 1857, sef 'Traethawd ar Ddechreuad a Chynnydd Gweithiau Haiarn a Glo Ynyscedwyn ac Ystalyfera yn nghyd a Sefyllfa Naturiol a Moesol y Trigolion', yn waith gŵr a chanddo ysfa'r ysgolhaig i gasglu a rhannu gwybodaeth.

Ni raid amau nad oedd Adolphus yn gymeriad solet, ac fel cymeriad solet yr ymgymrodd â'r nofel.[2]

Wrth gyflwyno *Gruffydd Llwyd* ... i'r darllenydd yn 1882 mynegodd ei ffydd yng ngwerth gwirionedd y nofel. Fe wnâi Daniel Owen hynny'n fwy cyrhaeddgar wrth gyfarch darllenwyr *Rhys Lewis* ac *Enoc Huws,* ond yr oedd Adolphus yntau o ddifrif. Mynnai bwysleisio 'yr angenrheidrwydd o ddarllen nofelau.' Ni allai'r darllenydd 'wneyd dim yn well i agor dy ddeall, gwrteithio dy feddwl, a grymuso dy gof. Y mae darllen nofelau da yn un o'r pethau goreu a fedri wneyd. Paid ti a chredu yr hen ystori sydd yn disgyn ar dy glustiau yn barhaus a diddiwedd, mai anwiredd yw pob nofel.' Yr oedd nofelau Scott, Dumas ac Aimard, heb sôn am *Taith y Pererin* Bunyan, yn fwy na digon o ateb i ffwlbri o'r fath ac yr oedd Adolphus am i'w ddarllenydd gredu 'fod llawer o "Gruffydd Llwyd," ac "Ogof y Darren Goch," yn llythyrenol wirionedd pob sill.' Ymddiriedai yn ei grebwyll: 'Y mae yr anturiaeth yn fawr; ond os caf dy oreu di, âf trwyddi yn "noble".'[3]

Fel Daniel Owen y mae Adolphus yn gofyn am gydnabod dilysrwydd gwirionedd y dychymyg gan ddefnyddio enghreifftiau o allu'r dychymyg nofelyddol i ddehongli'r gorffennol yn garn i'w honiadau. Trysorfa'r gwirioneddau a guddid rhwng y llinellau oedd pob nofel dda a'r gorffennol fu priod faes ei ddychmygion ef ei hun ac eithrio 'Walter Llwyd, neu Helyntion y Glowr' a ysgogwyd heb os gan streiciau'r 1870au a chan arwriaeth Pwll Tynewydd yn anad dim. Mae'n amlwg i Adolphus, ac yntau'n löwr ei hun, fynd ati'n fwriadol yn y stori honno i elwa ar gyffroadau'r presennol er mwyn dangos pa mor berthnasol i'r oes oedd ohoni oedd cynnyrch y nofelydd cyfrifol.

'Doedd dim dwywaith am ddifrifoldeb ei amcanion ef yn ôl fel y'u heglurodd ar ddechrau pennod gyntaf 'Walter Llwyd...':

'Hoffus gyfeillion—Fel y gwyddoch, prif orchwyl Nofelwyr yn gyffredin ydyw desgrifio rhyw *un* egwyddor fawr, neu ddygwyddiad cynhyrfus; ond yn y Nofel hon yr ydym yn bwriadu ymwneud a'r mewnol a'r allanol—gweithrediadau cyhoeddus a dirgelaidd dynion, yn o gystal a'r egwyddorion oedd yn eu cymhell i'w cyflawni ... Yr ydym am i chwi ddeall nad dychymygion gweigion, a breuddwydion diystyr, fydd genym yn eu trafod, ond ffeithiau noethion, syml, ac adnabyddus. Ni fydd y cyfan ond darluniad teg, cywir, a gwirioneddol, o fywyd y glowr—ei holl ymwneud o dan y ddaear ac ar y ddaear—ei fanteision a'i anfanteision— ei beryglon a'i galedi pan yn teithio llwybrau na welodd aderyn, ac na chanfu llygad barcud—y trais a'r gormes a ddyoddefa, yn nghyd a'i ysbryd anfoddog wrth ddwyn ei faich poenus. Er yn ymwneud a ffeithiau adnabyddus—ffeithiau ag y gwyr bob glowr profiadol am danynt, eto bydd yn rhaid i ni daflu math o orchudd dros lawer o honynt cyn eu dwyn ger bron. Y mae genyf amryw o resymau dros hyn, ond dichon nad yw o bwys eu nodi ar hyn o bryd. Rhoddwch le i bwyll a barn.'

Gellid maddau i rywun am droi'n awchus at hanes Walter Llwyd wedi darllen y geiriau hyn gan ddisgwyl math o 'exposé' realaidd cwbwl anarferol o gofio natur llenyddiaeth Gymraeg yr oes. Mae'r hyn sy'n dilyn, fodd bynnag, yn tymheru'r disgwyl oherwydd aeth Adolphus yn ei flaen i bwysleisio'n drwm mai ei fwriad drwyddi-draw oedd gwneud lles 'i gymdeithas yn gyffredinol . . . a dwyn y miloedd i undeb ffydd a chydweithrediad' a dwyn y meistr a'r gweithiwr at ei gilydd 'mewn rhwymyn cariad a thangnefedd . . . Gwir, y bydd yn rhaid dwyn llawer o bethau go annymunol ger eu bronau ambell i dro, ond ein hamcan yn hyn fydd eu diddyfni oddi wrthynt, a'u cymhell i fyw bywyd mwy rhinweddol yn y dyfodol.' A dyna obaith gweld rhyw Zola Cymraeg yn ymrithio yn y pellter yn diffodd yn y fan.[4]

Cyn amlinellu plot 'Walter Llwyd . . .' y mae'n werth sylwi ar ddwy stori a ymddangosodd o'i blaen, sef 'Ifor Ddu, neu Fywyd y Glowr' gan 'Ceredig' a gyhoeddwyd yn *Seren Cymru*, 1870, a 'Dafydd William, neu Amrywiaethau Bywyd y Glowr' a gyhoeddwyd yn ddienw yn *Y Gwladgarwr*, 1875. Mab Llewellyn Ddu ac Elen yw Ifor ac mae'r teulu'n byw mewn bwthyn paradwysaidd ar lan afon, y math o fwthyn gwyngalchog a gardd wrth ei gefn a oedd gan Ieuan Gwynedd mewn golwg pan ganodd ei delyneg enwog, 'Bythod Cymru'. Ar ddechrau'r stori y mae'r tad, a losgwyd yn enbyd dan ddaear, yn marw ac y mae geiriau agoriadol Elen a Llewellyn yn gosod cywair y stori ar ei hyd:

'O fy anwyl, anwyl Llewellyn! Mae fy nghalon yn ddarnau, fy llygaid yn ffynnonau dagrau, fy nghysuron tymhorol yn cael eu gyru oddiwrthyf, fel cymmylau o flaen y gwynt; gadewir fi a'm hanwyl Ifor yn berffaith amddifad, ac i dosturi gwlad! O! na chaem ein dau farw gyda chwi, fy anwyl, anwyl briod.

'Na wylwch, fy anwylyd,' meddai llais gwanaidd a chrynedig, 'os ydwyf fi yn marw, y mae Barnwr y weddw, a Thad yr amddifad, yn fyw. Rhoddwch eich gofal iddo Ef, ac Efe a gyfeiria eich camrau.'

Yn wyneb y dystiolaeth am adfyd y 70au ni raid amau realiti argyfwng y fam ond y mae'r arddull, yr arddull felodramatig, laes a oedd yn hwyluso empathi yn Oes Victoria, yn anathema i ddarllenwyr diwedd yr ugeinfed ganrif. Y pwynt sy'n cyfrif o'r dechrau yw fod Llewellyn Ddu yn ymgorfforiad o'r glöwr a'r penteulu da a duwiolfrydig. Tra bod Ifor yn darllen *Taith y Pererin* wrth ei wylad y mae'i dad yn marw ar ôl breuddwydio ei fod yn y Nefoedd a Mab y Dyn yn ei goroni. Mae'r golled ysbrydol o'i ddarfod gymaint mwy na'r golled faterol. [5]

A ddaw Ifor i gymryd ei le ymhob ystyr? Yr oedd eisoes wedi mynd dan ddaear yn ddeuddeg oed i helpu ei fam, ond bellach bydd rhaid iddo'i brofi ei hun yn ddyn. Mae'n mynd gyda'i gydweithwyr i'r Colliers' Arms ac yn meddwi. Daw ei fam o hyd iddo yn y nos ar ôl breuddwydio fod 'llewpart ysglyfaethus' wedi'i larpio a chael ei fod wedi'i grafangu gan feddwdod. Y mae'r sioc yn ei lladd cyn i Ifor sobri. Caiff ei fabwysiadu gan Arthur Thomas, rheolwr y pwll glo, a daw'r glowyr eraill yn fuan i gydnabod ei ragoriaethau. Y mae'n syrthio mewn cariad â Gwen, nith Arthur Thomas, a thrannoeth ffarwelio â hi mae carreg yn disgyn arno yn y gwaith a'i adael yn lledfyw am fisoedd. Ar ôl ei adferiad—'Danfonid iddo win, oranges, teisenau bras, "puddings" a'r "dainties" mwyaf dewisol. Yr oedd yn cael goreu y ddaear'—penderfyna'r ddau gariad briodi. [6]

Ar ddiwrnod y briodas mae'n mynd gyda'i gyfeillion eto i'r Colliers' Arms i ddathlu. Yno, mae glöwr diog o'r enw William Gruffydd yn ei sarhau am fod Arthur Thomas wedi'i droi o'r gwaith ac mewn sgarmes mae Ifor yn rhoi ergyd farwol i'r 'hen greadur diolwg, cas ac annynol.' Fe'i cymerir i'r ddalfa yn Abertawe i wynebu cyhuddiad o ddynladdiad ac yno llwydda'i gyfreithiwr, un o'r goreuon yn y wlad yn ôl gorchymyn Arthur Thomas, i berswadio'r rheithgor nad oedd modd cael un o gymeriad dilychwin Ifor yn euog. 'Roedd 'ei gymmeriad yn bur fel yr haul . . .' ac nid oedd 'yr un o'i linach wedi bod erioed o flaen yr ynadon . . .' Y mae gwarant buchedd ei dad o'i blaid, waeth beth am ei fam, druan, nad oes sôn iddo ddioddef pangau euogrwydd o'i cholli. [7]

Wedi'r prawf y mae Ifor yn cefnu ar y dafarn a genir mab iddo ef a Gwen a oedd 'fel angel mewn cnawd.' 'Roedd Gwen yn athrawes Ysgol Sul gyda'r Annibynwyr a gweddïai'n gyson nes bod 'ei gwely droion yn foddfa o ddagrau' am i'w gŵr gael troedigaeth. Wedi hir ymgyndynnu caiff ei lorio o'r diwedd gan hen bregethwr penwyn, seraffaidd 'a gwnaethpwyd y pechadur yn ddyn newydd yn Nghrist Iesu.' [8]

Ymhen blynyddoedd pan yw Ifor wedi olynu Arthur Thomas yn rheolwr y pwll a chanddo blant lawer 'yn canlyn llwybrau eu rhieni', mae'r glowyr yn penderfynu streicio am dri swllt yn y bunt. Gwrthodant dderbyn cyngor Ifor a daw'r perchnogion i'r Colliers' Arms i drafod yr anghydfod. 'Cloi mas' yw'r canlyniad. Fe gâi Ifor eirda ganddynt pe dymunai ac ar ôl diolch iddynt am eu caredigrwydd wyneba'r dyfodol heb chwerwi gan ymddiried, chwedl Gwen, 'ynddo Ef, a chredu ei addewidion.'

Yn y fan daw'r postmon â llythyr mwrnio ganddo yn dweud fod brawd i fam Ifor wedi marw a gadael ei holl arian iddo ef fel yr unig blentyn:

'''Mae ganddo wedi eu gadael ddwy fil yn y Bank of England, a fferm gwerth chwech cant o bunnau, yn Sir Benfro. Ni gawn siarad am hyna etto, maent yn claddu yfory. Rhaid i ni fyned i'r angladd, ein dau.'''

A daw'r stori i ben:

'Claddwyd yr ewythr hwn, daeth y cyfoeth i Ifor, ac y mae ef a'i deulu yn byw yn awr ar lethrau un o fryniau tlysaf Deheudir Cymru; ei blant a'i wyrion o amgylch ei draed, a Gwen fwyn yn parhau i adlewyrchu gogoniant ar ei ffyrdd ef.'

A beth am dynged y glowyr a wrthodasai gyngor Ifor gan ddweud: '''Hawdd y gellwch chwi sydd wedi eich codi uwchlaw i ni, siarad fel yna, tra yr ydych yn cael eich deg punt y mis, tŷ a'r tân, am wneyd dim.''' Beth yw eu tynged hwy?

'Ciliodd haul yr ardal yn ddisymmwth o dan y gorwel, a chyn pen wythnos yr oedd ugeiniau yn y pentref yn dyoddef eisieu. Torcalonnus ydoedd gweled y celfi yn cael eu symud y naill ddydd ar ôl y llall, a thŷ ar ôl tŷ yn dyfod yn wag.'

Rhaid casglu fod y trueiniaid yn talu pris gwrthod cyngor gŵr Duw, y rheolwr a gawsai droedigaeth, tra'i fod ef a'i deulu yn mwynhau gwobr duwioldeb yn y Ganaan a ordeiniwyd iddynt. Y mae buchedd dda ac ufudd-dod i'r Meistr—boed nefol neu ddaearol—yn sicrhau swcwr. Y mae herio'r drefn yn rhwym o ddwyn adfyd. Gall Ifor, gan iddo'u rhybuddio mewn da bryd, gefnu ar ei weithwyr gwrthnysig heb deimlo ias o euogrwydd na thynfa teyrngarwch.[9]

Propaganda o blaid y foeseg Gristnogol achubol yw stori Ifor Ddu, wrth gwrs. I'r sawl sy'n abl i'w harddel gall ei wared o'r pwll ac esmwytho'i fyd a byddai'r Gymraeg yn dal i gyhoeddi'r gwirionedd hwnnw am flynyddoedd lawer. Mae'n sicr mai dyna fyddai stori

'Dafydd William. . .' hefyd wedi gwneud pe cawsai'i gorffen. Er nad
oedd ei hawdur yn löwr ei hun gwyddai mai glowyr fyddai'i ddarllenwyr
gan mwyaf ac felly ceisiodd 'ddilyn natur a bod yn ffyddlon i natur yn
yr oll a ysgrifenwn . . .' Addysgu a hyfforddi oedd ei fwriad, nid porthi
chwerthin gwag, a barnai fod newyddiadur yn cyrraedd llawer mwy
o bobol na'r pulpud: 'Y mae y cyfrwng hwn yn un rhagorol i gyfeirio
meddwl y darllenydd at wersi a gwirioneddau bywyd yn nghyd ag
egwyddorion moesgarwch a Beibl, a cheisiwn gyda golwg ar hyny o'r
dechreu i'r diwedd.' [10]

Ganed Dafydd William yng Nghil-y-cwm wythnos wedi brwydr
Waterlŵ ond ni ddatgelir dim am ei rieni. Sicrheir y darllenydd 'fod
iddo dad a mam gyfreithlon, ac yntau wedi ei eni yn rheolaidd mewn
cyfnod cyfreithlon ar ol eu priodas.' Yn bump oed yr oedd yn unig
blentyn amddifad yn cael ei fagu'n ddi-serch gan hen fodryb sur,
anghynnes ond tra chrefyddol o'r enw Mallen. Fe'i dysgodd i ddarllen
y Testament Newydd cyn ei fod yn saith oed. Cyn ei fod yn ddeg oed,
pan aeth i weini at ffarmwr, gallai adrodd penodau a salmau ar ei gof.
Yna, ac yntau'n un ar bymtheg, cyfarfu â gŵr o Gil-y-cwm o'r enw
Lewis D— a ddaethai adref o Ferthyr i helpu gyda'r cynhaeaf a chododd
hwnnw awydd arno wrth sôn am arian mawr y gweithfeydd i
ddychwelyd gydag ef. Mae'r ddau'n cerdded o Gil-y-cwm i Ferthyr a
chan nad oedd Lewis yn ddyn crefyddol a Dafydd eto heb brofi
gwirioneddau crefydd, yr oedd y llanc yn mentro ar bererindod
beryglus. Dyn y dafarn a'r daplas oedd Lewis, 'Ac yn y gyfeddach
nosawl byddai . . . yn swagro yn annghyffredin ac yn ymffrostio yn ei
bwerau cyhyrol, yn ei allu ieithyddol [ei regfeydd] ac yn ei wybodaeth
fwnyddol a gloyddol.' Yr oedd i'r berthynas rhwng Dafydd a Lewis
bosibiliadau chwedl foesol dda ond gwaetha'r modd gadawyd y stori
ar ei hanner cyn i'r llanc gael ei hunan yng nghanol temtasiynau
Merthyr. [11]

Pe bai rhaid dyfalu gellid pondro'r posibilrwydd fod parhau â
stori o'r fath yn hinsawdd 1875 yn groes i raen Y Gwladgarwr a oedd
wedi gwrthwynebu'r streic pum mis o'r cychwyn, neu'n well fyth fod
perygl i Lewis ddatblygu'n gymeriad drwg mor atynnol fel na
fyddai'i drechu yn y diwedd gan rym crefydd Mallen ar waith yn
Dafydd yn ddigon o iawn am ei greu yn y lle cyntaf. Nid busnes
chwedl foes oedd cynhyrfu'r chwantau. Y mae'n ddiau y byddai
crefydd Dafydd, yn ôl bwriad yr awdur, wedi'i achub a'i godi i blith
y gweithwyr hynny a gâi swyddi teilwng o'u cymeriad diwygiedig, a
gellir edrych ar storïau 'Ifor Ddu . . .' a 'Dafydd William . . .' fel

fersiynau Cymraeg ar gyfer y maes glo o'r hen, hen thema a oedd mor boblogaidd yn llenyddiaeth Saesneg y ganrif ddiwethaf—thema'r arwr ifanc ymddangosiadol gyffredin sydd ar ôl nifer o dreialon yn cael fod ei briodoleddau anghyffredin yn sicrhau iddo ddedwyddwch llawn.

I'r un hinsawdd moesol â storïau 'Ifor Ddu . . .' a 'Dafydd William . . .' y perthyn 'Walter Llwyd . . .' Adolphus, ond ei bod yn gyfuniad o ramant, melodrama a chwedl foes mwy cyffroadol na dim a'i rhagflaenodd. Nid yw'n syndod fod 'lluaws o gyfeillion ieuainc', yn ôl Llyfrbryf, 'yn dymuno diolch i Adolphus am gyfansoddiadau mor rhagorol.' Digwydd pethau rhyfedd ac ofnadwy yn y stori Gymraeg hon a chofier y byddai un darllenydd ifanc yng Nghaernarfon yn cael ei wefreiddio yn 1880 wrth ddarllen *Rhys Lewis* am fod y Gymraeg yn sôn am ddyn a chanddo wn dau faril![12] Gan gofio amcanion Adolphus ystyrier plot ei stori.

Mae Walter yn fab i Joseph Llwyd a'i wraig sy'n byw yng Nghwmnoel, ac ar ddechrau'r stori y mae'n ddwy ar bymtheg ac yn un o'r gweithwyr gorau ym mhwll Abereithyn lle mae ei dad yn daniwr ac yn ymgorfforiad o onestrwydd a phwyll: 'Yn y gwaith a'r gymydogaeth edrychid ar Joseph fel math o oracl, ac yr oedd ei air bob amser yn ddeddf. Credai llawer o'i gydweithwyr ei fod yn gallach, ac yn fwy gwybodus na neb yn yr ardal, ac ato ef y rhedent am gyfarwyddyd yn mhob achos o bwys.'[13] Gan fod pwll Abereithyn yn un tra pheryglus oherwydd nwyon mae'r glowyr yn cwrdd i ystyried cynnal streic oni wnâi'r perchen, Mr. Llewelyns, weithredu yn ôl cyngor Joseph Llwyd. Yno'n wrandawyr cudd ar gais Llewelyns y mae dau fradwr, Jac Huddog a Wil Simwnd, a'r canlyniad yw fod Joseph a deuddeg arall yn colli eu gwaith. O'r diwedd caiff Joseph waith yng Nghwmcelyn, pedair milltir i ffwrdd dros y mynydd, ac mae'n gorfod lletya yno. Tua diwedd Rhagfyr penderfyna'i wraig groesi'r mynydd drwy'r eira gan gario'i baban a daw Walter o hyd iddi'n farw gorn, ei phen wedi'i rewi wrth y ddaear a'r baban chwe mis oed 'yn gorwedd ar ei mynwes ac yn sugno ei bron. Yr oedd ef yn fyw ac yn ymddangos yn hynod gysurus.' Gweddïa Walter fel un o broffwydi'r Hen Destament am gymorth Duw i ddial ar Llewelyns:

'. . . Gwel y dyn sydd yn byw yn y ty acw wedi llofruddio fy mam, a haner newynu fy nhad a ninau ei blant. Sylwa arno, ac yn dy gyfiawnder cospa ef a barn dymhorol a thragwyddol. Par i dan ddisgyn o'r nefoedd a'i losgi yn ulw. A gaiff ef fyw ddiwrnod arall? Oni thori di ef i lawr yr awr hon?

A gaf fi fod yn offeryn yn dy law i gymeryd ymaith ei fywyd? A gaf fi drochi fy nwylaw yn ei waed? A gaf fi ei symud oddiar wyneb y ddaear? A wnai di ganiatau i mi ei hyrddio yna atat ti i fyw? Os gwnei, bendithiaf dy enw byth. Clodforaf di am yr oes dragywyddol.'[14]

Tair blynedd, cofier, cyn i berthynas Rhys Lewis â'i fam gydio yn nheimladau darllenwyr Cymru yr oedd cariad llanc o löwr o'r De at ei fam wedi swyno a synnu darllenwyr *Tarian y Gweithiwr*:

'Yr oedd golwg rhyfeddol ganddo ar ei fam. Credai nad oedd y fath ddynes ar wyneb y ddaear. Hi ydoedd wedi dysgu cerddoriaeth iddo—hi ydoedd wedi ei gyfarwyddo i ddarllen ac ysgrifenu—hi ddangosodd y ffordd iddo i dreiglo berfau Cymraeg a Saesneg—hi blanodd barch yn ei fynwes at yr ysgrythyr lan ac ordeinhadau crefyddol. Yr oedd golwg rhyfeddol ganddo ar ei fam—ei fam ydoedd ei bob peth.'[15]

Cymaint lletach oedd diwylliant hon na Mari Lewis a chymaint mwy ei photensial mewn nofel! Ble yn y byd y cawsai ei haddysg? Y mae'n anodd maddau i Adolphus am fod mewn cymaint o frys i'w rhewi heb ddweud o ble y daethai i fod yn wraig i löwr.

Ond, wrth gwrs, y mae'n cael byw yn ei mab. Diolch iddi hi yr oedd yn ysgolhaig gwych a gallai chwarae nifer o offerynnau cerdd, yn enwedig y 'concertina' a'r 'fife'. Ac wrth gwrs, fe allai ganu. Fel petai'n aelod ffrenetig o 'Gôr Mawr' Caradog canai'n ddi-baid: 'Yr oedd bob amser yn canu. Gwynt, gwlaw, rhew, ac eira, yr oedd ef yn sicr o fod yn canu, ac yr oedd ganddo y llais mwyaf treiddiol a swynol a glywodd clustiau dyn erioed.' Fe'i clywir gan Emily, merch Llewelyns, a rhaid iddi ei longyfarch:

'"Yr ydych wedi cael eich bendithio a dawn a thalent canu rhagorol."
"Gweddol," oedd yr ateb, dipyn yn sychaidd.
"Ni chlywais cystal erioed. A fyddai o bwys mawr genych i ganu y gan yna sydd genych, Cymru fy Ngwlad, Cartrefle y Brython, etc., bob nos pan byddoch yn pasio y castell?"
"Dim rhyw lawer, er fy mod yn cyfrif fod genyf well can na hona, ond dichon nad ydych chwi wedi ei chlywed."
"Hona, yn ol fy meddwl i ydyw y goreu a glywais yn fy mywyd."
"Dichon, ond nid yw hyny, Madam, yn un prawf nad oes ei gwell i gael."'

Wedi i Walter ddangos cyfoeth ei 'repertoire' ymserchant yn ei gilydd. Fe'u gwelir yn cusanu gan Wil Simwnd a chaiff Llewelyns wybod fod dialedd Walter Llwyd yn dynesu ar adenydd cân a chariad. Penderfyna wneud carcharor o Emily a gyrr Adolphus ei stori yn ei blaen ar gefn thema fythol boblogaidd trechu'r rhwystrau sy'n cadw cariadon ar wahân.[16]

Fel diawl mewn croen y mae Llewelyns yn cynllwynio gyda Jac a Wil i lofruddio Walter, 'y whelp'. Ceisiant ei daflu i waelod hen bwll yr Hafod ond llwydda'r arwr ifanc, wrth hyrddio Wil i'r affwys, i afael mewn cadwyn gyfleus a disgyn ar hyd-ddi i'r gwaelod: 'Yr oedd ei elyn, yr hwn a ddisgynodd rhyw eiliad o'i flaen, yn un "mass" marwol; nid oedd cymaint ag asgwrn o hono yn gyfan.' Daw Emily, a oedd wedi llwyddo i rybuddio Walter o'r cynllwyn i'w lofruddio, i ben y pwll a gollwng pecyn i lawr yn cynnwys tair cannwyll, matsys, darn o bapur a phensil a thipyn o fara a chig. Yna, daw crwtyn deuddeg oed mewn gwisg morwr—John Jenkins wrth ei enw—i lawr ato ar hyd y gadwyn waredigol i'w helpu i ddianc. Nid yw'n neb llai nag Emily, wrth gwrs, ond yn y tywyllwch nid yw Walter i wybod hynny! Cânt fod hen gwymp wedi cau'r lefel ac nid oes ffordd allan. Disgyn Jac Huddog ar hyd y gadwyn a rifolfer yn ei law i saethu Walter gan fod Llewelyns wedi addo £100 iddo am ei lofruddio. Y mae'n daer amdano:

'"O! na chawn olwg ar y bustach am eiliad,' ebe fe, gan gyfodi ei arf angeuol i fyny. "Ni fyddwn uwchlaw haner mynyd yn gwneud chwe' ffordd awyr trwyddo."''

Mae Walter ac Emily yn cilio rhag y Jack Palance hwn o 'ventilator' ym mhae Llewelyns cyn belled ag y gallant drwy'r lefel ac yna achosir tanchwa ddychrynllyd gan gannwyll Walter sy'n agor ffordd o ymwared iddynt.[17]

Trefnir cynllwyn arall gan Llewelyns sy'n awr yn cynnig £200 i Jac Huddog am ei lofruddio a dod â'i ben i'r plas yn brawf ei fod yn gelain! Y mae meddwl am Emily yn priodi glöwr yn ei gynddeiriogi:

'Y mae fy merch i yn werth heno ddau can mil o bunau—gall eu cael boreu yfory; ond am dano ef nid yw ond glowr tlawd, ac y mae y syniad fod fy merch i yn uno a chreadur felly yn fy ngyru yn wallgof—y mae y drychfeddwl yn fy lladd yn lan loyw.'

Er ei bod yn gwybod yn dda am ddiawlineb ei thad nid yw Emily yn fodlon i Walter ei roi yn nwylo'r gyfraith, ac y mae'n cael ei ffordd!

Gyda chymorth ffug-blismon arweinir Walter at fedd agored lle mae
Jac Huddog yn bwriadu ei drywanu. Trechir Jac eto a'i glymu a'i
daflu i'r bedd. Ar ôl ei ryddhau y mae Jac yn llofruddio John
Edwards, crwt tebyg iawn o ran golwg i Walter, a phan ddeuir o hyd
i'w gorff y mae'r pen wedi'i dorri i ffwrdd. Fe'i ceir, diolch i gi'r
plismyn, mewn cwpwrdd yn nhŷ Jac ac â ef i'w grogi heb ddatgelu
rhan Llewelyns yn yr anfadwaith.[18]

Y mae ei gosb anorfod, fodd bynnag, ar ei warthaf. Mewn hunllef
fe'i gwêl ei hun yng ngafael dychrynfeydd uffern a Satan yn ei
longyfarch am roi cystal gwasanaeth iddo:

> 'Yr ydwyt wedi bod yn was ffyddlon i mi am hir flynyddoedd;—wedi atal
> cyflog y gweithwyr, a haner newynu gwragedd a phlant;—wedi
> llofruddio y diniwed, ac atal gwerth gwaed oddi wrth ei berchenog
> cyfiawn;—wedi ymhyfrydu yn ngwagder bol y gweithiwr, ac
> ymorfoleddu yn ngharpiau ei blant...'

Ond pan benderfyna ei lowyr streicio am godiad o hanner coron yn y
bunt cilia'r ofn. Yn ymgorfforiad o gyndynrwydd ariangar mae'n eu
gwrthsefyll:

> 'Y mae yr ellyllon yn bygwth "strike" eto. Gobeithio na fydd y d---l yn hir
> iawn cyn dyfod a'u cyrchu adref. Nid wyf yn cael ond tri swllt y dynell o
> elw yn awr, ac yr wyf yn siwr nas gallaf fyw ar lai. Cant fwyta eu gilydd
> cyn y cant un ffriling yn chwaneg. O'r paganiaid duon—y maent yn enill
> digon. Gallwn feddwl nas gallant achwyn rhyw lawer ar haner coron y
> dydd, ond beth bynag ni chant ddim chwaneg. Cadwaf fy ngweithiau yn
> segur am byth. Gallaf fi fyw, ond rhaid iddynt hwy newynu.'

A chan nad oes modd llofruddio Walter y mae'n trefnu fod Emily yn
cael ei halltudio i St. Petersburg am dri mis lle bydd dau Iddew
dichellgar yn rhwystro'i llythyrau rhag cyrraedd Cymru ac yn ei
thwyllo ei bod mewn dyled o £5,000 iddynt hwy er mwyn ei chadw'n
gaeth yn Rwsia am byth.[19]

Er gwaetha'r streic y mae Walter a'i dad yn gysurus eu byd yn
rhinwedd callineb a sobrwydd eu ffordd o fyw a phan ddaw Walter o'r
diwedd i wybod am drallod Emily y mae'n mynd i Rwsia i'w rhyddhau
ac yno'n cael yn wyrthiol neb llai na'r Czar ei hun yn gymorth
personol iddo! Gyrrir y ddau Iddew i Siberia a dychwel y ddau gariad
i Gymru.[20] Gwna Llewelyns un ymgais olaf i rwystro'r garwriaeth
trwy geisio gwneud lleidr o Walter. Trefna fod modrwy werthfawr o'i

eiddo i'w chuddio yn ei gartref. Daw plismyn i chwilio'r tŷ a'i chael a dygir achos yn ei erbyn. Fodd bynnag, daw llythyr oddi wrth Dafydd Jones, Bryn yn cyffesu ei ran yn y cynllwyn. Addawsai Llewelyns £100 iddo am ei helpu i ddarostwng Walter. Rhyddheir yr arwr ac y mae treialon y cariadon drosodd. Mae dydd eu priodas yn nesu.[21]

'Does dim ar ôl i Llewelyns ond llyncu gwenwyn. Ni all ddiarddel Emily ac nid yw am fyw i'w gweld yn briod â glöwr: ' "Merch ddrwg ydyw, ond nis gallaf gadw fy nghyfoeth oddiwrthi. Nis gallaf edrych arni yn wraig i'r cardotyn yna. Yr wyf yn rhwym o farw." ' Er gwaetha'i gythreuldeb caiff angladd ryfeddol o barchus a daw dwy fil i briodas y cariadon i wledda ar ddau ych wedi'u rhostio ac i ddawnsio tan hanner nos:

'Bellach yr oedd Emily Llewelyns yn Emily Llwyd, a bu iddynt saith o blant. Yr oedd ein gwron yn byw yn y castell, a disgynodd i'w ran holl gyfoeth ei dad-yng-nghyfraith. Yr oedd yn gyfoethog iawn, ac yn berchennog ar saith o weithiau glo yn Cwmnoel a Chwmcelyn, a gwnaeth ei dad yn brif arolygwr drostynt. Yn mhen tair blynedd cafodd ei wneyd yn ynad heddwch, ac yn mhen wyth mlynedd wedi iddo briodi cafodd ei ethol yn aelod seneddol. Yn awr yr ydym yn ei adael gyda choffhau mai ei fab ydyw y J.W. Lloyd, yr aelod seneddol presennol.'[22]

Yn wyneb plot mor ffantastig y mae braidd yn anodd derbyn fod Adolphus o ddifrif pan ddywedodd na fyddai hanes Walter Llwyd 'ond darluniad teg, cywir, a gwirioneddol, o fywyd y glowr . . .' ac mai 'ffeithiau noethion, syml, ac adnabyddus' yn hytrach na 'dychymygion gweigion, a breuddwydion diystyr' y byddai'n eu trafod. Y mae'n sicr fod brwydrau'r 70au ym maes glo'r De wedi achosi cryn chwerwedd o bobtu; y mae'n ddiau fod bradwyr i'w cael a oedd yn barod i danseilio safiad eu cydweithwyr; y mae'n ffaith fod trechu streicwyr trwy eu newynu a gwrthod gwaith i'w harweinwyr wedi iddynt ildio yn gosb gyffredin. Gellir derbyn fod 'pob glowr profiadol' yn gwybod am bethau felly ond y mae ymwneud Llewelyns â Walter Llwyd mor anhygoel nes peri meddwl am Adolphus fel rhagredegydd Alexander Cordell. Petasai ond wedi caniatáu i Walter adnabod Emily yn rhith John Jenkins pan oeddent gyda'i gilydd dan ddaear! Ta waeth, ni thâl dyfalu posibiliadau nad oeddent yn bod i egin nofelydd Cymraeg yn 1877.

Ymateb i apêl afradlon o felodramataidd stori Walter Llwyd a wnaeth cyfeillion ifanc Llyfrbryf. Y mae'n arwyddocaol nad ysgrif-

ennodd yr un glöwr i'r papur i ganmol ei realaeth. Nid ysgrifennodd
neb i gondemnio Adolphus, chwaith, am fynnu disgrifio'r golygfeydd
dan ddaear wedi'r danchwa, a'r llif a'i dilynodd, yn fanwl ddidostur.
O gofio amlder y damweiniau yn y maes glo fe all fod hynny i'w
briodoli i ddihitrwydd cynefindra neu fe all fod trwch cyffroadau'r
rhamant wedi pylu min darn o gofnodi a geisiai ddwyn y darllenydd
wyneb yn wyneb â realiti trychineb dan ddaear. Y mae un peth yn
sicr, sef fod moelni trengholiadol y darn sy'n dilyn o gofio modd
melodramataidd y stori ar ei hyd yn cael yr un effaith ag ergyd ddi-
rybudd ym mhwll y stumog:

> 'Gerllaw y twll yr ydym wedi son am dano yr oedd corff bachgenyn
> bychan, o ddeuddeg i bymtheg oed, heb un pen arno; yr oedd ei ben
> ddeugain llath oddi wrth ei gorff. Rhwng pen a chorff y llanc bach, yr
> oedd dau geffyl wedi cael eu "massio" trwy eu gilydd, fel nas gellid tynu
> un o honynt oddiwrth y llall. Yr oedd un o honynt wedi cael ei hollti yn
> gywir trwy y canol. Wedi iddynt weithio eu ffordd heibio y pentwr
> marwol yma gwelent ddarn o ddyn yn crogi wrth bar o goed dwbwl,—
> dim ond ei ran isaf. Nid oedd y rhan arall yn weledig yn un man . . .
>   'Tu draw i'r stwff a'r coed yma yr oedd dau ddyn wedi cael eu torri yn y
> canol. Yr oedd un o honynt yn ddau ddarn, a'r llall yn agos iawn a bod
> . . . Heb fod yn mhell oddiwrth y trueiniaid hyn, yr oedd ceffyl a chledren
> (rail) deg pwys ar hugain y llath wedi cael ei chwythu drwyddo. Yr oedd
> y creadur yn sefyll ar ei draed fel pe byddai yn fyw, ond yr oedd yn hollol
> farw. Wedi myned ychydig yn nes yn mlaen, gwelwyd corff y gyrwr, pen
> yr hwn y darfu i ni son am dano yn flaenorol. Yr oedd wedi cael ei stwffio
> rhwng y gob a'r top, ac yr oedd wedi cael ei wthio mor dyn fel yr oedd yn
> anmhosibl ei gael oddiyno . . .
> 'Yn ymyl y pwll yr oedd o ddeg ar hugain i ddeugain o "ddrams" wedi
> cael eu "massio" ar benau eu gilydd yn y pwll,—yr oeddynt fel
> "matches". Yn dyfod i'r golwg o dan y cruglwyth yma yr oedd braich a
> llaw dyn; eiddo yr "hitchwr" wrth bob tebyg. Ychydig nes yn ol na'r
> pentwr yma yr oedd dyn yn gorwedd ac yn mhangfeydd marwolaeth. Yr
> oedd un goes ac un fraich iddo wedi cael eu tori ymaith, a bernir ei fod
> wedi cael ei chwythu am ddau cant o latheni. Yn nes at y pwll ychydig
> gamrau na'r dyn hwn, yr oedd dau ddyn arall, yn ymddangos fel pe
> byddent yn fyw. Gellid meddwl wrth edrych arnynt eu bod yn cysgu yn
> dawel, ond nid oedd asgwrn cyfan yn eu cyrff. Wrth eu teimlo gellid
> meddwl fod eu hesgyrn wedi cael eu malu mewn melin.' [23]

Y mae'n amlwg, fodd bynnag, nad pwrpas Adolphus wrth ysgrifennu
mor ergydiol oedd ymgyrchu fel undebwr dros wella amodau gwaith

y glöwr trwy ddadlennu diofalwch marwol ei feistri. Teimlai, heb ddewis dweud pam, fod rhaid iddo 'daflu math o orchudd' dros lawer o ffeithiau y gwyddai'n dda fod y glowyr yn hen gyfarwydd â hwy: 'Rhoddwch le i bwyll a barn' oedd ei ble, ple od ar ryw olwg o gofio am ymddygiad llofruddiol Llewelyns, ond ystyrlon o gofio am ymatal-garedd Walter a'i dad. Ai mewn cydymdeimlad ag Emily y daeth yr holl fwrnwyr i angladd ei thad neu a oedd Adolphus, a gyflogid gan J. Palmer Budd, perchen gwâr Gwaith Haearn Ystalyfera, am ddangos ei fod yn deall sut y gallai gofal meistr am ei stad fynd yn drech na'i bwyll? A ydym i weld y tu ôl i fasg yr adyn melodrama geidwad trefn 'cyfrifol' yn cuddio? Rhy hawdd, efallai, yw gweld Llewelyns namyn ffieiddbeth na haeddai fyw. O weld y byd o'i uchelfan ef ni allai fod hawl gan yr un Walter Llwyd i briodi'r un Emily Llewelyns. Anhrefn oedd peth felly.

Ar y llaw arall, gellir dyfalu fod Adolphus, fel rhyddfrydwr, am ddangos nad tanseilio trefn yn gymaint â disodli un a fanteisiai'n frwnt arni oedd ei fwriad wrth roi Emily yn wraig i Walter. Byddai ef cymaint rhagorach cynhaliwr ohoni am y byddai'n feistr a pherchen mor rhinweddol. O weld pethau o'r ongl hon byddai'n haws gwneud synnwyr o haeriad Adolphus nad ei bwrpas oedd 'creu anghydfod rhwng meistr a gweithiwr, ond yn hytrach uno y ddau yng nghyd mewn rhwymyn cariad a thangnefedd.' Buasai'r Gymraeg yn pregethu cymod o'r fath ers degawdau a'r ffaith na allai Adolphus anghofio hynny sy'n cyfrif am ei amharodrwydd i garcharu, chwaeth-ach crogi Llewelyns am ei anfadwaith. Mae'n gwneud yn siŵr na chaiff Walter y gorau ar dad Emily mewn llys barn, ac y mae priodas y ddau gariad yn iawn am y cymod na all fod rhwng y glöwr a'r meistr traws yn yr achos hwn. Yr oedd wedi gofyn mwy na digon gan hygoeledd ei ddarllenwyr yn 1877 heb wneud Llewelyns yn dad-cu cariadus i blant Walter ac Emily.[24]

Os yw agwedd Adolphus at Llewelyns yn fwy amwys nag yr ymddengys ar yr wyneb am y rheswm syml nad yw am gael ei ystyried yn gynhyrfwr o awdur, y mae Walter yn gymeriad unplyg sy'n llwyddo yn rhinwedd ei ddaioni cynhenid. Buddugoliaeth cymeriad cywir a natur rywiog yw ei fuddugoliaeth ef. Yn ddiddorol ddigon, gan fod Adolphus yn Fedyddiwr selog, nid yw'r capel yn cael lle yn stori Walter. Y mae'n ddi-weinidog a di-ddiacon, ond pwysleisir fod ffordd dda wedi'i dangos iddo ar aelwyd ei rieni. Yr oedd Joseph Llwyd a'i briod 'ar eu heithaf yn ymdrechu talu eu ffordd a chyfodi eu plant yn anrhydeddus, a thrwy lawer o lafur a lludded yr oeddynt

yn llwyddo i gael y ddau pen i'r llinyn i gwrdd . . .' Pan gaiff Joseph
y sac nid yw'n ceisio ennyn dicter ei gefnogwyr. Mae'n mynd ymaith
i chwilio am waith mewn cwm arall yn ymgorfforiad o'r 'pwyll a
barn' a brisiai Adolphus, a chaiff ei wobr yn y diwedd.[25]

Daw holl eiddo Llewelyns i feddiant Walter wrth iddo briodi Emily
a gosodir Joseph Llwyd yn brif arolygwr dros saith o byllau. Fel Job,
y mae ei ddoethineb a'i amynedd yn talu iddo ar ei ganfed, ac y mae
ei safle ar ddiwedd y stori yn brawf fod gan y meistr newydd wir ofal
am les a chysur ei lowyr. Gellir danfon Walter i'r senedd heb ofni ei
weld yn anghofio'i dras na'i gyfrifoldeb i'w weithlu. Ni ellir na
llofruddio na llygru glöwr o'i ach a thrwy gymeriadau o'r fath yr
enillir tegwch yn y maes glo. Trech gwirioneddau testament na
hawliau maniffesto.

Mae stori Walter Llwyd ac adroddiadau'r wasg am arwriaeth
Tynewydd yn un yn eu pwyslais ar werth cymeriad bucheddol. Fel y
dangoswyd yn y bennod flaenorol, gwnaed môr a mynydd o ddibyniaeth
y gwaredigion ar weddi ac emyn, ond anwybyddwyd eu hawl i well
amodau gwaith a sicrach gofal ohonynt gan eu meistri fel y prawf y
ddau achos yn erbyn James Thomas, rheolwr Pwll Tynewydd. Yn y
Gymraeg, mater o gyffroi sentimentau da oedd ysgrifennu am
ddigwyddiad mor aruthrol hyd yn oed â'r achubiaeth a sicrhawyd yn
y pwll hwnnw. Heb awydd i'w droi'n ddrych o fywyd dyn ar drugaredd
materoliaeth, heb yr ysfa i ysgrifennu am yr ymdrech i ymgynnal yn
berson byw dan wasgfeuon goruchwyliaeth ddiwydiannol, reibus
beth ond emosiyna'n fyrwyntog a didactig ar ei gorn y gellid gwneud
â'r digwyddiad mwyaf dramatig.

Gallai ambell bwl o deimladrwydd, mae'n wir, beri mawr syndod
ac aros yn hir yng nghof y sawl a'i profodd. Ar 1 Mai 1877, ymhen
tair wythnos ar ôl gwaredigaeth Tynewydd, cynhaliwyd Cymanfa
Ganu Undebol yr Annibynwyr, cymanfa flynyddol yr eglwysi o'r
Ystrad draw i Dreherbert. Dan arweiniad Tanymarian canwyd anthem
Joseph Parry, 'Molwch yr Arglwydd', anthem o ddiolch yr oedd wedi
gwau iddi emyn y glowyr, 'Yn y dyfroedd mawr a'r tonnau . . .'
Tystia'r Parch. H. T. Jacob i'r gynulleidfa yng nghapel Carmel,
Treherbert ganu'r anthem drosodd a throsodd tua dwy ar bymtheg o
weithiau! Eisteddai'r arweinydd yn ei gadair yn foddfa o ddagrau tra
cerddai Caradog yn ôl a blaen ar y galeri fel dyn o'i bwyll:

'Yr oedd yr holl gynulleidfa megis ym meddiant rhyw ysbryd dieithr,
annaearol, a chlywais wedyn i Tanymarian ddweud wrth rai yno, na

chlywir eto byth ganu fel hwnnw nes cwrddo côr y Gwaredigion ym mro Caersalem lân!'[26]

Mor ddiweddar ag 1911 yr oedd Allen Raine 'manque' o'r enw Irene Saunderson wrthi'n ceisio elwa o hyd ar gyfalaf emosiwn achubiaeth Tynewydd wrth ddwyn ei rhamant, *A Welsh Heroine. A Romance of Colliery Life,* i ben. Cyflwynodd ei stori i'r Parchedig Ddr. Ellis Edwards, Coleg y Bala gan ddal iddi fel gwraig i feddyg a oedd wedi byw ymhlith glowyr am gyfnod hir wneud ei gorau i'w phortreadu'n gymwys. Gan fod helyntion *A Welsh Heroine* yn digwydd cyn dyddiau addysg orfodol mae'n rhaid fod Irene Saunderson o'r farn mai'r un brid oedd glowyr 60au a 70au'r ganrif ddiwethaf â glowyr cyfnod yr Undebaeth Newydd.[27]

A hi ei hun o dras Cymreig gwyddai am 'the passionate, impulsive and warm-hearted natures I have endeavoured to delineate in this story,' ac yr oedd yr arwres, Morfydd Llewelyn, i'w derbyn 'as a true representation of the average Welsh maiden—unsophisticated, ingenuous, and impulsive, full of generosity, yet bitterly resentful, and anxious for revenge upon the oppressor.' Y mae ganddi'n ogystal lais canu godidog, 'a peerless soprano', ac fel yn hanes Walter Llwyd ei llais sy'n agor drws dyrchafiad iddi hithau. Mae hi a'i brawd o löwr, Bensha, yn byw gyda'u mam-gu yn un o fythynnod y gwaith yng Nghwmglo. Mae 'Mamgu' yn rhyw fath o Fari Lewis radlon a chaiff ei hwyrion eu magu ar aelwyd sydd yng ngafael beunyddiol duwioldeb emyngar.[28]

Yr adyn sy'n eu gormesu yw John Meredith (Jack y Bandy), rheolwr pwll No.8 ac asiant y cwmni. O'r foment y mae'n dannod ei bastardiaeth i Morfydd y mae gelyniaeth hyd angau rhyngddynt ac y mae Bensha er mwyn dial sarhad ei chwaer yn ceisio saethu Jack y Bandy yn farw yn y gwaith. Dwyseir argyfwng y teulu bach wedi iddo brynu eu cartref a bygwth eu taflu allan ymhen y mis, ond daw ymwared yn annisgwyl. Y mae'r glowyr yn streicio am well cyflog ac y mae Jack y Bandy yn croesawu 'blacklegs' yn eu lle. Anfonir am filwyr i gadw trefn ac o'r foment y gwêl eu 'C.O.' a Morfydd ei gilydd ymserchant yn ei gilydd. Rhybuddir Jack y Bandy y bydd ei fywyd ar ben os achosir niwed iddi a dengys hi loywder ei chymeriad trwy amddiffyn ei gelyn rhag llid y streicwyr a oedd am ei daflu i'r afon. Â ei chlod trwy Brydain gyfan ar ôl iddi rwystro cyflafan trwy ddechrau canu 'O fryniau Caersalem . . .' pan oedd y milwyr ar fin tanio ar y streicwyr. Troes ffyrnigrwydd yn hwyl orfoleddus—y mae'r ffin

Cân Myfanwy.

rhwng y ddau gyflwr emosiynol mor denau mewn pobol mor elfennaidd â'r glowyr a'u teuluoedd—wrth i'w llais digymar 'in notes of triumphing harmony', godi uwchlaw 'the din of misery and danger.'[29]

O ganlyniad i'w dewrder operatig 'managers of various Music Halls, ever keen on the scent of novelty, vied with each other in offering extravagant terms for her services.' Ond rhyfeddach na dim yw effaith ei hymddygiad ar y 'C.O.', neb llai na'r Hon. Leslie Montcalm, etifedd stad fawr yn yr Alban. Daw i ymweld â bwthyn 'Mamgu':

> ' "What a ripping little room this is!" exclaimed he, allowing his glance to wander approvingly around the neat and homely apartment, and disposing of his fine, tweed-knickered limbs cleverly, as he sat upon the narrow and highly polished seat.'

Yn naturiol, y mae'n ennill calon 'Mamgu' yn ogystal â chalon Myfanwy.[30]

Yn fuan wedyn y mae'r hen wraig yn marw, ond nid heb ddatgelu i Myfanwy mai Jack y Bandy yw ei thad. Y mae hwnnw, ar ôl i Jeremiah Jenkins sy'n ail Thomas Bartley ac yn ymgeleddwr Myfanwy ei wared eto o ddwylo'r glowyr, yn cael troedigaeth ond y mae dicter Myfanwy tuag ato yn fwy nag erioed. Er fod Montcalm am ei phriodi er gwaetha'i bastardiaeth, y mae ei hymwybod hi â'i chywilydd yn drech na'i hawydd i'w dderbyn. Fe'i gorfodir i adael Cymru hebddi —am y tro.

Yr oedd Bensha, fel rhai o lowyr Tynewydd yn 1877, wedi rhybuddio fod perygl llif ym mhwll No.8. O'r diwedd, mae dŵr yn torri i mewn o hen bwll Glantaff ac y mae'n amser i'r glowyr eto ganu 'Yn y dyfroedd mawr a'r tonnau ...' Cyll Bensha ei fywyd wrth geisio achub ei gydweithwyr a chaiff Morfydd glywed gan Dr. Daniels, ei hymgeleddwr mawr arall, am ddewrder Jack y Bandy a wnaethai bopeth a allai i achub Bensha. Yr oedd wedi llwyddo i achub pedwar arall gan gynnwys ei arch-erlidiwr, Tom Chance y meddwyn a droesai'n ddirwestwr erbyn hynny. Yr oedd galar ac edifeirwch Jack y Bandy wrth wynebu ei ddiwedd yn ddigamsyniol.[31]

Disgyn Morfydd i waelod y pwll er gwaethaf pob perygl i chwilio am ei thad a'i gael ar fin marw. Gan adleisio geiriau Bob Lewis dywed wrthi, 'I see the end of the way!' ac y mae ei ferch yn canu 'Cawn ni gwrdd tu draw i'r afon' wrth iddo ddarfod: 'Her voice, however, grew in volume as she sang, until it filled the gloom and mystery with its beauty, creating an atmosphere of ineffable calm, amid the terror of the occasion.'[32]

Dychwel Montcalm i gynnig £1,000 i wirfoddolwyr am ddisgyn gydag ef i achub ei gariad. Gwrthodant ei arian ond ni wrthodant ei helpu—dyna'u ffordd o ddangos iddo eu bod yn rhagorach dynion nag y barnai ef—a thra eu bod yn chwilio y mae tyrfa fawr ar eu gliniau ar ben y pwll yn gweddïo'n ddiarbed hyd at lewygu dros Myfanwy dan arweiniad gweinidog Bryn Seion. Yno i'w twymo at y gwaith y mae Jeremiah Jenkins:

> '"Keep on prayin'! Gi' God no peace! ... I do feel shooar, iss, tan i marw!" again exclaimed the veteran Jinkins, "at the dear wench 'ill be given back safe an' sound to we. There be too many a-prayin', look, for her to be lost."' [33]

A'r gwir a ddywedodd. Ceir Morfydd yn ddiogel ac wrth iddi adael y pwll gyda'i 'warrior lover' cana'r dyrfa 'Bydd myrdd o ryfeddodau . . .':

> 'Never was singing so inspired—so pregnant with the fire of Welsh enthusiasm, as it arose, leaping into the night air lurid with the torches they held!'

Fel Walter Llwyd caiff Myfanwy hithau fynediad i'w phlas ar edyn cân ac olwynion rhinweddau a feithrinwyd ar aelwyd grefyddol. Byddai'r Parchedig Ddr. D. Ellis Edwards wrth ei fodd.[34]

Gresyn nad oes gennym ymateb glowyr go iawn i storïau Adolphus ac Irene Saunderson. O gofio am gïeidd-dra streiciau 1893 ac 1898, a therfysg y Rhondda rhwng 1910-12, y mae'n hawdd credu y byddai sylwadau amryw ohonynt ar *A Welsh Heroine* yn llai na pharchus. Â *The Miners' Next Step* ar y trothwy gellid tybio mai braidd yn anodd iddynt hwy fyddai stumogi'r Hon. Leslie Montcalm fel gwobr haeddiannol i un o arwresi'r maes glo er na olyga hynny, wrth gwrs, na fyddai'n dderbyniol gan luaws o ddarllenwyr a sychedai am ryddhad rhamantaidd rhag dirni byw. Mae'r croeso a roddwyd i'r Brenin Siôr V a'r Frenhines Mary pan ymwelsant â'r cymoedd yn 1912 yn ddigon o brawf fod apêl y bendefigaeth i'r miloedd anghenus yn dal yn rhyfeddol o gryf. Gwynfydodd hyd yn oed *Tarian y Gweithiwr*. Wyneb yn wyneb â'r glowyr ymddangosai Siôr V 'mor hapus a phe yn nghanol Iarllod a Duciaid.' Rhaid oedd gorfoleddu:

'O ganol rhwysg gorsedd ardderchoca'r ddaear heddyw i aelwyd y mae taith bell, "ond y mae un cyffyrddiad o natur yn cynesu yr hollfyd."'— Dyna brydferth oedd gweled ein Brenin a'n Brenines yn ei thramwy mor naturiol a dirwysg. Yn wir, ymddengys yn mron yn anhygoel. Gwefreiddiwyd yr holl deyrnas, ac am eiliad yr oedd pawb yn syllu mewn syndod y naill ar y llall, gan mor anhawdd sylweddoli y ffaith . . . Gallwn ddweyd yn ddibetrus fod Gorsedd Prydain Fawr yn nes yn awr i'r talcen glo nag y bu erioed.'

Yn Aberdâr yr oedd Uwch Gwnstabl Meisgin Uchaf wrth gyflwyno anerchiad i'r Brenin wedi canu clodydd glo Cwm Cynon a'i atgoffa o gamp 'Côr Mawr' Caradog. Fel yr Hon. Leslie Montcalm yn ymweld â bwthyn 'Mamgu' aed â'r pâr brenhinol i gartref Thomas Jones, halier yn y Bwllfa a drigai yn 71 Bute Street lle cafodd y Frenhines gwpanaid o de a bisgïen. Ar gais Mrs. Jones ailenwyd y tŷ yn 'Queen Mary's Cottage' a thros nos troes yn gyrchfan pererinion: 'Nos Iau a thrwy ddydd Gwener bu miloedd o bobl yn syllu ar y tŷ, fel pe buasai wedi ei daro gan fellten. Aeth llawer i mewn er mwyn gweled y cwpan y bu y Frenhines yn yfed o hono. Mae Mrs. Jones wedi rhoddi o'r neilltu y cwpan yna, ac hefyd damaid o "biscuit" a adawodd y Frenhines ar ei hôl.' Prin fod rhaid i Irene Saunderson

Thomas Jones a'i wraig ac Edna May, 71 Bute Street, Aberdâr, Mehefin 1912.

ofni'r derbyniad a gâi'r Hon. Leslie Montcalm gan undebwyr yn wyneb y fath brawf yn *Tarian y Gweithiwr* o afael rhamant y frenhiniaeth ar ddychymyg poblogaeth y cymoedd. Cynigiai yntau gysur dihangfa.[35]

Drachefn, gellid dyfalu na fyddai'r pwyslais parhaus ar ymddygiad bucheddol fel amod sicrhau gwelliannau i'r gweithlu mewn diwydiant barus yn debygol o arafu dicter undebwyr milwriaethus 1911. Yr oedd y pwyslais hwnnw, fodd bynnag, yn dal i ateb ei bwrpas er fod Ap Adda mor bell yn ôl ag 1882 wedi cyhoeddi marwolaeth y math o lôwr a'i gwarantai wrth bortreadu 'The Collier' yn *The Red Dragon*:

> 'My collier is a model collier, a distinctive and eminently respectable man . . . His youth was a quiet round of work six days a week, and a day of chapel and Sunday School . . . That old leaven of the superstitious and the God fearing, patient under suffering and meek in trial, is passing away. The one coming to the front is a different being.'[36]

Nid oedd y Gymraeg, fodd bynnag, mewn brys i'w ollwng a gallai Irene Saunderson gyfeirio at ddrama Beriah Gwynfe Evans, *Ystori'r Streic*, fel prawf diweddar ei fod eto'n fyw. Y mae'r ffaith fod y ddrama honno wedi'i chyhoeddi yn 1904 yn rhoi i gymeriad Gruffydd Elias, y glöwr daionus sy'n gymar ysbrydol i Joseph Llwyd a Llewellyn Ddu, sêl ddiwygiadol anghyffredin, wrth gwrs. Y mae'n llefaru fel un teilwng o'i dras a'i enw.

Yn y 'Rhag-olygfa' y mae Mavis (Y Fronfraith) sy'n gantores o fri ac ar fin priodi'r glöwr, William Thomas, yn cael ei hun ar drugaredd chwant Symonds, rheolwr y pwll a fersiwn trythyll o Mr. Strangle *Rhys Lewis* sy'n dal fod ganddo'r hawl i'w chwantu:

> 'Does yma neb gwerth ei alw yn weithiwr ymhlith y Cymry! Yr unig beth da welais i yng Nghymru yw'r merched; a chi, merch anwyl i, yw'r oreu welais i eto.'

Daw Gruffydd Elias, gŵr tua 58 oed, i'w rwystro ac y mae Symonds yn bygwth dial ar y ddau. Mae melodrama arall ar gerdded. Y rheolwr, sylwer, nid perchen y gwaith fydd yr adyn a'i agwedd at Mavis yw'r enghraifft gyntaf o ddramodydd Cymraeg yn delweddu gormes cyfalafiaeth yn nhermau rhaib y cnawd. Ar sail yr ystrydeb honno—ystrydeb y gwnaeth Zola ddefnydd cignoeth ohoni—y lluniodd Kitchener Davies *Cwm Glo* ac fe gofir fod gennym air y

Parch. Tywi Jones yn brawf fod iddi sylwedd real iawn yng Nghymru, hefyd. [37]

Y mae'r ddrama'n dechrau ymhen dwy flynedd wedi digwyddiadau'r 'Rhag-olygfa'. Mae'r glowyr ar streic dan arweiniad Gruffydd Elias ac y mae Symonds wedi perswadio'r perchen, Mr. Wynn, i gyflogi plismyn i gadw trefn ac i gynnig gwaith i bawb ond Elias a'i ddirprwyaeth. Trafodir ei gynnig yn y capel ar ôl canu 'O! Arglwydd Dduw Rhagluniaeth . . .', a'i wrthod ar dir egwyddor. Penderfynir sefydlu parti o gantorion i godi arian er cynnal y streicwyr a cheir Mavis i ymuno trwy chwarae'n ddigywilydd â'i theimladau fel mam ifanc. Erbyn diwedd yr act gyntaf y mae Gruffydd Elias yn ffigur Cristdebyg na all Mavis lai na'i ddilyn. [38]

Yn yr ail act y mae Davies, rheolwr Gwaith y Glyn, yn ildio i berswâd Symonds ac yn rhoi'r sac i William Thomas. Daw telegram i ddweud wrth Mavis fod ei baban yn sâl iawn ac y mae'n marw yn ei breichiau wedi iddi fynd adref. O ganlyniad, y mae'n colli ei phwyll. Llwydda Mrs. Wynn, sy'n casáu Symonds, i berswadio'i gŵr y dylai roi'r un cynnig eto i'r streicwyr ar ddiwrnod pen-blwydd eu baban hwy, Master Tom. Câi pawb a ddychwelai i'r gwaith yn ddioed ei hen le yn ôl a sofren o dâl rhag blaen—pawb ond Gruffydd Elias a'i ddirprwyaeth. Wedi mynd i'r dref i brynu anrhegion pen-blwydd gwêl Mr. a Mrs. Wynn angladd baban Mavis a aned yr un diwrnod â Master Tom, a gwelant Mavis glaf yn magu clustog ac yn canu 'Myfi sy'n magu'r baban . . .' wrth i'r angladd godi. Rhybuddir Mr. Wynn gan Arolygwr yr Heddlu i beidio â mentro allan yn y nos: 'Mae'r dynion wedi chwerwi yn enbyd atoch, ac mae yna lot o'r dynion ieuainc newydd ddod yn ôl o Loegr, ac 'rwy'n ofni fod drwg mewn golwg.' [39] Ni wyddai Mr. Wynn mai Symonds oedd yn gyfrifol am sacio William Thomas. Ym Mharc Plas Gwynn y mae Gwen y forwyn wedi mynd â Master Tom am dro. Daw'r streicwyr heibio gan fygwth dial ar y Wynniaid; yn eu plith mae John Hughes, cariad Gwen. Tra eu bod hwy wrthi'n siarad serch ac yn canu (eto fyth!) hen benillion bob yn ail daw gwraig mewn siôl i ddwyn Master Tom o'r pram.

Ar ddechrau'r drydedd act y mae'r streicwyr am waed Symonds. Barn un ohonynt yw fod 'Eisiau ei symud ef . . . o'r ffordd unwaith am byth!' Mae un arall yn anghytuno:

' "P'am hynny! Dyna fysen nhw wedi wneud yn Lloegr er 's wythnosau!' '
"Ie. Ond nid Cymru yw Lloegr.''

"Twt! Nonsense! Wedi dyoddef gormod ydym ni yn Nghymru o lawer iawn!" '

Penderfynir talu'r pwyth i Symonds heb ddweud dim wrth Gruffydd Elias. Ceir gafael arno a phan yw'r streicwyr ar fin ei daflu i'r afon daw Elias—fel Llewelyn Ddu, Joseph Llwyd, Myfanwy a Joseph Jenkins o'i flaen—i chwarae rhan y gwaredwr:

'"Fechgyn! Beth yw hyn? Nid dyma'r ffordd i setlo streic! Rhowch y dyn lawr ac ewch adref."

"Ond Gruffydd Elias! gwrandewch—"

"Dim gair Tom Price! Dos adref! Mae cywilydd ar fy nghalon i feddwl am danoch, a chithau, rhai ohonoch yn fechgyn yr Ysgol Sul! Ewch tua thre bawb!" '

Ufuddheir ar unwaith a chlywir lleisiau darpar-lofruddion Symonds yn canu 'O! Arglwydd Dduw Rhagluniaeth . . .' wrth ddiflannu yn y pellter. Yn wahanol i Bob Lewis ni chyrhaeddodd Elias yn rhy hwyr i ddofi llid ei ddilynwyr ef. Gwelir mor ffals yw Symonds sy'n mynd ati i reffynnu celwyddau ar ôl dadebru o'i lewyg a phenderfyna Mr. Wynn fod yn rhaid ei gael ef a'r streicwyr o'i flaen i setlo'r anghydfod.[40]

Ar ddiwrnod y cyfarfod tyngedfennol â Mavis i'r Plas Gwynn i ddangos ei baban i Mrs. Wynn. Master Tom ydyw wrth gwrs. Yn y cynnwrf sy'n dilyn y mae'n cofio am ei baban ei hun ac yn llewygu. Y mae, wrth gwrs, wedi'i hadfer i'w phwyll. Datguddir twyll Symonds gan Davies, rheolwr Gwaith y Glyn ac ar ôl i Mr. Wynn rwystro Symonds rhag ei saethu yn y fan a'r lle, caiff ei arestio. Mae'r streicwyr yn cael dychwelyd i'w gwaith; penodir William Thomas yn brif glerc i ofalu am yr holl gyfrifon a dyrchefir Gruffydd Elias yn rheolwr. Nid oedd yr un streiciwr tan y diwedd am ddychwelyd i'r gwaith hebddo ef ond, â'i galon yn llawn diolch am eu cywirdeb, â Elias at ei wobr mewn byd arall. Y mae'n marw ym mreichiau Mr. Wynn a'i eiriau olaf yw: 'Yn awr . . . y gollyngi . . . dy was . . . mewn tangnefedd.' Wrth i'r llen ddisgyn clywir canu 'Bydd myrdd o ryfeddodau . . .'[41]

Y mae'n ddi-os fod cymeriad Gruffydd Elias yn dwyn stamp duwiolfrydedd 1904-5 ond nid oes dim yn newydd yn ei ymatalgaredd Cristnogol wrth geisio cyfiawnder i'r gweithiwr. Wedi ei atal rhag gweithio y mae'n berffaith fodlon yn yr act gyntaf i ymddiried yn rhagluniaeth Meistr mwy na'r un a'i cosbodd, ac yn y drydedd act nid yw am i'w gyd-lowyr wrthod cyfle i ddychwelyd i'r gwaith am ei fod ef o hyd yn wrthodedig:

'Fechgyn! Cymerwch bwyll! Os oedd hi yn iawn i Un gael dioddef gynt dros yr holl genedl, ac os oes raid i mi ddioddef eto fel y llanwer cwpbyrddau gwag y pentref, yr wyf yn barod i wneud! Fe ofala'r Arglwydd am ryw gigfran eto i borthi Gruffydd Elias.'[42]

Y mae ei ddaioni yn ennill iddo deyrngarwch ei gydweithwyr ac o'r cywirdeb ysbryd sy'n eu cynnal ynghyd fe geir yn y diwedd ateb teg i'r streic. Fel ei ragredegwyr y mae Gruffydd Elias yn bod i gynnal safbwynt. Nid yw'n ffigur dramatig am nad oes iddo 'du mewn' i boeni amdano ac am nad oes modd gwrthsefyll ei ddaioni. Dameg o ddyn ydyw ac iddo bwrpas rhagordeiniedig.

Erbyn 1914 yr oedd yn glir, wedi degawd o drybestod, na ellid dal i ganiatáu i'r glöwr da ei fuddugoliaethau anorfod. Y flwyddyn honno cyhoeddwyd *Pai Johnny Bach,* drama gan John Davies (Pen Dar) sy'n dangos y glöwr da ym mherson Dafydd Ifans yn cael ei yrru gan anghyfiawnder nid yn unig i herio'r meistri glo ond i gondemnio'r grefydd yn ei gapel, Ninefeh, a rôi i'w rhaib le o anrhydedd yn y Sêt Fawr. Mae'n wir ei fod ef a'i deulu yn well eu byd erbyn diwedd y ddrama oherwydd ei rinweddau ef a'i fab, Johnny, ond cyn hynny ceir clywed geiriau o enau Dafydd Ifans y byddai Gruffydd Elias wedi'u hystyried yn iaith 'agitator' di-ras. Un arall o'r dramâu sy'n diweddu'n hapus yw *Pai Johnny Bach,* mae'n wir, ond y mae cywair ac idiom ei phrotest yn dynodi fod newid modd, waeth beth am newid mater, yn petrus ddigwydd.[43]

Cyn ei chyhoeddi yn 1914 ymddangosodd y ddrama yn *Tarian y Gweithiwr* fel rhan o golofn wythnosol, 'Pwll y Gwynt', a redodd o fis Mawrth, 1912, tan ddiwedd Rhagfyr, 1913, gan lwyfannu mewn tafodiaith liwgar helyntion un o bentrefi glofaol y De. Mae'r ysgrifennu arferol am y byd hwnnw i'w weld hyd yn oed yn llwytach ar ôl darllen colofn John Davies (Pen Dar) a fu farw yn 74 oed ar 2 Chwefror 1940. Buasai'n löwr am 32 mlynedd ac yna'n 'whipper-in' i Bwyllgor Addysg Aberdâr am ymron 30 mlynedd. Yn aelod gyda'r Bedyddwyr yn y Gadlys, bu'n ddiwyd ei gefnogaeth i'r Cymmrodorion ac yn Gynghorwr Llafur ar Gyngor Dosbarth Aberdâr. Hanes lleol oedd ei brif ddileit ac yn *The Aberdare Leader* bu'n rhannu ei wybodaeth â'i gynulleidfa mewn sgyrsiau â'r 'hen bartner Dai' a aeth gyda marw ei grëwr 'into the realm of the immortals, a legendary figure, personifying the simple, kindly Welsh miner of the old type who contributed so

John Davies (Pen Dar).

much to the wealth of a mighty empire.' Ymhell cyn creu Dai, fodd bynnag, yr oedd John Davies wedi poblogi 'Pwll y Gwynt' â chymeriadau gogleisiol iawn, a rhoes ran i rai ohonynt yn *Pai Johnny Bach.* [44]

Yn ei gyflwyniad i'r ddrama tystiodd y Parch. John Jenkins, Rheithor Cilrhedyn mor dda oedd cael 'gan ddrama werinol gymeriad mewn llawn cydgordiad ag egwyddorion tragwyddol gwirionedd, cariad a chyfiawnder. Pwysleisir y fuddugoliaeth derfynol i rinwedd gan nad pa mor arw ei lwybr. Gafaela yn yr ystormydd duaf ar ffydd yn yr anweledig a gobaith am y dyfodol . . .' Clodforodd allu John Davies i ddadlennu bywyd teuluol y glöwr:

'Paentia ei ddarluniau i gyd o'r "tu fewn". Helyntion dyddiol ei gymeriadau deniadol, eu hamgylchoedd cyfyng, eu gwendidau arwynebol, eu caledi a'u gofidiau gyda'r gwroldeb cryf a di-ildio i'w cyfarfod— deuant oll i fewn i'r pictiwr.'

Ac yn Johnny Bach creodd 'gymeriad mor ddel, mor fachgenaidd, ac mor gariadus fel y cymerir ef ar un waith at y galon.' Dibynnai'r ddrama ar apêl Johnny:

'Tynged y bachgen bach o Bwll y Gwynt fydd tynged aml i fachgenyn eto hyd nes daw nodyn mwy teilwng o Gristionogaeth i fewn i'n bywyd gweithfaol. Gosodir bob Cymro iaithgarol a dyngarol o dan rwymedigaeth fawr i'r llenor galluog o Aberdar am ddrama sydd yn sicr o ddyddori, lloni a synu yr edrychwyr, a pheth sydd yn fwy pwysig fyth, eu cynysgaeddu a delfrydau hawddgar a dyrchafol.'[45]

Mae i'r ddrama saith act a phwysigrwydd Johnny yw ei fod yn daer dros fynd dan ddaear i ennill deuddeg swllt yr wythnos o gyflog gan fod ei dad wedi colli ei waith am fod yn 'agitator'. Yn yr act gyntaf daw Morgan Jim i gasglu rhent dros Mr. Bigbeli gan fygwth taflu'r teulu allan o'u cartref oni chaiff ei dalu. Fe'i teflir ef allan yn ddiseremoni gan Dafydd Ifans ac yn yr ail act daw'n ôl yng nghwmni Cwnstabl Pen-wag i arestio'r tad. Ond nid yw'r cwnstabl neb llai na Wil Long-legs, y crwtyn o löwr gynt a arbedwyd rhag boddi yn y pwll gan Dafydd Ifans. Buan y rhoir Morgan Jim yn ei le.

Y mae'r drydedd act ar ei hyd yn ymosodiad ar grefydd Ninefeh. Gorfodir y gweinidog, Y Parch. Gwallt-hir Jones, i wynebu ymosodiadau o du Dafydd Ifans, Gwenny'r bacws a Twm Bola Cwrw, halier cwrs ond cywir sy'n addo gofalu am Johnny. Gan ei fod yn gapelwr ffyddlon y mae'r gweinidog yn ei chael hi'n anodd ateb Dafydd Ifans pan yw'n edliw iddo mai'r rhai sy'n ei ormesu ef a'i deulu yw'r blaenoriaid pwerus yn Ninefeh,—Mr. Stoutman a Mr. Leathercap, rheolwr ac is-reolwr y gwaith glo a Mr. Sandman y groser. Fe'i cyhuddir gan Gwenny o fod yn barotach ei air na'i weithred a phan fygythia ei dwyn ger bron y Cwrdd Eglwys am wneud 'cam' ag ef y mae Dafydd Ifans yn gofyn iddo bwyso'r cam hwnnw ochor yn ochor â'r cam a wnaed ag ef am siarad dros gyfiawnder i'r gweithiwr. Am iddo hawlio'r 'minimum wage' ymhlith iawnderau eraill, '. . . dyma fi'n cal 'y ngalw yn dyrant, disturbar, ac yn hen ddiawl discontented.' Collodd ei waith: 'Beth am ras Duw, Mr. Jones?' Daethai i weld fod y pregethwyr 'yn mynd ar y wrong track.'[46]

Yn y bedwaredd act mae Dafydd Ifans wrth ddangos i Johnny sut mae'r lamp Davey yn gweithio yn ei annog i fynd i ysgol nos, ac mae ei wraig, sy'n gofidio'n fawr am ddiogelwch eu mab, yn gobeithio'i weld yn beiriannydd suful. Â Dafydd Ifans ati i felltithio'r drefn sy'n cadw'r swyddi gorau yn nwylo'r ychydig breintiedig, ac yn y bumed act y mae ei wraig, wrth sgwrsio â Gwenny, yn mynegi ei gofid o'i weld yn chwerwi fwyfwy at fywyd, ac at grefydd yn arbennig. Ateb Gwenny yw fod parch ei gydweithwyr at Dafydd Ifans yn ddigon o brawf o'i gywirdeb: '. . . sdim isha i chi fecso, fe allwch chi fentro fod

Dafydd yn catw'i olwg ar Iesu Grist o hyd, er fod i gefan a ar
Ninefeh.' Diolch i'w gydweithwyr sy'n barod i streicio drosto y
mae'n cael gwaith ac y mae'n cyhoeddi ei benderfyniad i ddal i siarad
drostynt hwy:

> 'Ha, Gwenny, nid mindo'i Number One nath Iesu Grist. Ma gwyr
> Ninefeh yn pryderi ac yn meddwl 'y mod i yn mynd ar ddisberod i'r tir
> pell. Ond yr w i yn fwy siwr byth y mod i ar y reit track wrth uwso'r tipyn
> gallu sy gyta fi ar ran 'y nghydwithwrs. Os dos isha crefydd yn rhwla, yn
> y gwaith ma'i isha hi. Ac os w i yn ffaelu a chal 'y nwylo'n rhydd yn
> Ninefeh, o herwydd fod y manager a'r bosses erill yno, w i'n gallu neyd
> ticyn bach o waith tu fas, ac yr w i'n siwr fod Duw yn bendithio y gwaith
> hyny.'[47]

Daw cyfle i brofi nerth ei benderfyniad pan ddaw Mr. Sandman y
groser i'r tŷ i ofyn iddo glirio'i ddyled, gan ychwanegu na chawsai
'hen gownt' ganddo pe gwyddai ei fod am 'droi mas yn gymint o
agitator a disturbar . . .' 'Roedd gan Mr. Sandman gyfranddaliadau
ym Mhwll y Gwynt a chaiff glywed gan Dafydd Ifans mai dim ond
crefydd y boced a oedd yn cyfrif ganddo. Am ei fod yn peryglu ei
enillion yr oedd Sandman am ei waed. Yr oedd cyfranddalwyr 'yn
mhob gwaith lle bydd streic yn meddwl taw cythreulied a disturbars
ofnadw yw pob dyn sy'n gallu gwed 'i feddwl dipyn yn ffrath a
diofan.'[48]

Yn y chweched act y mae Gwenny am baratoi parti ar gyfer dathlu
pae cyntaf Johnny, ond y mae'r crwt yn cael ei niweidio'n ddrwg cyn
ei dderbyn er mawr ofid i'w fam sy'n teimlo'n euog wrth feddwl iddo
ddioddef am ei bod hi'n awchu am ei gyflog. Fe'i cysurir gan Gwenny
ac yn yr act olaf, chwe mis yn ddiweddarach, wedi i Johnny wella,
cynhelir y parti a chymodir Gwenny, Twm Bola Cwrw a'r Parch.
Gwallt-hir Jones. Y mae gweithio gyda Johnny a gweld cystal dyn
oedd Dafydd Ifans wedi sobri Twm. Eu hesiampl hwy yn hytrach nag
unrhyw bregeth a wnaethai ddyn newydd ohono ac ategir ei deyrnged
ef iddynt gan benderfyniad Gwenny i adael ei harian i Johnny. Y
ddau dyst i'w hewyllys yw Twm a'r gweinidog—meddwyn a
gweinidog diwygiedig—a'r ddau yn brawf o ddylanwad daionus
glôwr y mae ei unplygrwydd dynol yn ei wneud yn ymgeleddwr i'w
gydweithwyr.[49]

Darn arall o bropaganda yw *Pai Johnny Bach*. Fel drama y mae'n
caglu ei ffordd rhwng melodrama a ffars. Y mae enwau Mr. Stoutman,
Mr. Leathercap, Mr. Sandman a'r Parch Gwallt-hir Jones ar

unwaith yn dynodi mai gwawdluniau ydynt. Targedi llonydd ydynt
ar gyfer saethau sosialaidd di-feth Dafydd Ifans. Ond ni all ef
ymwrthod â chrefydd er cymaint ei gas at ragrith capelyddiaeth
Ninefeh. Y mae'n 'agitator' am ei fod yn cymryd cenadwri'r Crist
gymaint o ddifrif â'r weledigaeth sosialaidd. Mae'n wir fod Dafydd
Ifans yn arfer iaith yr Undebaeth Newydd ond mae'r ffaith fod i'r
Parch. Gwallt-hir Jones groeso i barti Johnny yn dangos nad oedd
John Davies am wadu lle i'r capel ym mywyd y glöwr. Nid oedd yn
rhy hwyr eto i grefydd gydweithio â sosialaeth—dim ond iddi
ymgymhwyso i dderbyn telerau'r genhadaeth newydd. Drachefn, er
ei fod wrth ei fodd yn ei golofn, 'Pwll y Gwynt', yn gwatwar y
Rhyddfrydwyr o bryd i'w gilydd y mae'n gofalu fod y safbwynt 'Lib-
Lab' yn cael ei glywed yn ogystal â'r safbwynt sosialaidd ac nid yw
Dafydd Ifans wedi ymbellhau oddi wrth y glöwr Mabonaidd i'r fath
raddau fel bod yn rhaid ei ystyried yn gynrychiolydd brid newydd
anghymodlon. Y mae'n amlwg ei fod yn fwy ymosodol ei daerni dros
ei hawliau na Gruffydd Elias, ond estyniad ohono ef yw Dafydd Ifans
serch hynny. Fe'u gwreiddiwyd yn yr un tir.

Â'r Saesneg ar ei wefus y daeth y glöwr gwahanol, 'a different type
of being', chwedl Ap Adda, i danseilio'r glöwr da, dylanwadol. Yn
1912 enillodd J. O. Francis y gyntaf o wobrau'r Arglwydd Howard de
Walden â'i ddrama bedair act, *Change*, a lwyfannwyd am y tro cyntaf
yng Nghymru ym mis Mai, 1914, ar ôl ei pherfformio yn Llundain ac
Efrog Newydd. Fe'i cyfieithwyd i'r Gymraeg gan Magdalen Morgan
dan y teitl *Deufor-Gyfarfod* a'i hactio am y tro cyntaf yn Theatr y
Grand, Abertawe, 16 Ebrill 1929. Ym mherson Lewis, mab John
Price, daeth yr undebwr newydd i'r llwyfan i chwalu'r hen drefn—
gyda help ei dad. Yn wahanol i Bob Lewis—yr enwocaf o'r glowyr
da—y mae creu cynnwrf a chwalfa yn fwriad gan Lewis. Cyhuddodd
Bob lowyr y Caeau Cochion o fradychu ei egwyddorion pan
ymosodasant ar Mr. Strangle. Buasent yn arwyr yng ngolwg Lewis.
Graddolwr oedd Bob tra bod Lewis yn awchu am chwyldro.[50]

Fel 'glowr o'r hen ysgol' y disgrifir John Price ac fel 'glowr hen-
ffasiwn' y disgrifir Isaac Pugh. Y mae'r ddau yn flaenoriaid yn Horeb
a chanddynt bob o fab â'u bryd ar fynd i'r weinidogaeth, sef John
Henry a Robert Esmor. O'r ddau, John Henry, mab Price, yw'r
mwyaf dawnus ac y mae wedi'i dynghedu i gario uchelgais ei dad. Y
mae Price a Pugh yn arddel crefydd gystadleugar, falch a diymod,
crefydd bod ar y blaen. Pan ddaw John Henry adref o'r coleg wedi'i
lethu gan amheuon fe'i cyhuddir gan ei dad o fod yn anffyddiwr ac fe'i

diarddelir ganddo. Â i Lundain gyda Chôr Aberpandy sy'n cyngherdda
i godi arian er lleddfu dioddefaint streic a chan ei fod yn denor
ardderchog caiff waith mewn 'music hall'. Y mae gallu canu John
Henry yn ei wared rhag gormes disgwyliadau crefyddgarwch ei dad
ac yn ei ddwyn o'r wlad y buasai'i chân gyhyd yn amddiffynfa iddi
rhag collfarn Lloegr.

Glôwr yw Lewis, mab hynaf John Price, glôwr sydd eisoes yn
anffyddiwr ac yn sosialydd digyfaddawd. Fel ei bartner, Twm Powel,
ni all weld dim yn gwrthsefyll grym 'Solidarity of Labour' a 'Direct
Action'. Y mae'n arwain streic fel un â'i ffydd ym muddugoliaeth
derfynol yr Undebaeth Newydd yn ddi-sigl, gan ymateb i anghefnog-
aeth ei dad ac Isaac Pugh â chymysg ddirmyg a thosturi. Dibwys yn ei
olwg ef yw eu hymboeni hwy am addasrwydd diwinyddol gweinidog
nesaf Horeb. Iddo ef 'carcharorion y gorffennol' yw'r ddau heb le
iddynt yn y frwydr rhwng Cyfalaf a Llafur gan eu bod yn gaethweision
i bwll Bryndu. I John Price, mae'n annioddefol fod 'rhaid gatal i
"rodneys" ac anghredinwyr ddod a'r byd i'w le heddi,' ac y mae'n
cynddeiriogi wrth feddwl fod gan sosialydd o Sais dŵad fel Pinkerton
y fath afael ar lowyr Aberpandy, gan gynnwys ei fab ei hun. Ond i
Lewis y mae creu cynnwrf ymhobman yn amod ennill buddugoliaeth
i'r gweithwyr. Ni all oddef gochelgarwch ei dad:

> 'Mae amser aros wedi mynd hibo. Mae'n amser gwneud nawr. Drwy'r
> blynydda 'rych chi wedi bod yn aros ac yn gwneud y gora o'r gwaetha.
> Beth oedd 'ch enw chi—"Liberal Labour." Roedd hyd yn oed yr enw yn
> dangos 'ch gwendid—a dyna pam na wnethoch chi ariod ddim byd.'[51]

Rhwng Lewis a John Henry a'u tad saif y mab ieuaf, Gwilym,
sy'n paratoi i hwylio i Awstralia i geisio adferiad iechyd. Y mae'n
hoffus a deallus a'i ddymuniad yw cael gan ei frodyr a'u tad gyd-
ymddwyn â'u gwahanol ddaliadau. Fe wêl ef yn glir natur yr
ansicrwydd a'r ofn sy'n blaenllymu dicter John Price at Lewis a'i
gyd-streicwyr. Yn ateb i'w frawd sy'n condemnio'r 'Old Brigade' fel
'set o hen gythreuliaid cintachlyd, gormod mas o ddate i nithir dim 'u
hunen ac yn rhy eiddigeddus i roi lle i'r sawl sy'n gallu gnithir
rwpath,' y mae Gwilym yn gofyn iddo geisio gweld 'Dynon a
menywod yn mynd yn hen mewn byd sy'n cyfnewid fel na all 'u diall
nhw, na nwnta'i ddiall ynta.' Ac mae'n ei atgoffa fod amser o'i blaid
ef:

> 'Dim ond iti aros, fe enilli'n siwr iti. Ond all yr "Old Brigade" weld dim
> ond 'u bod yn colli tir, a mae' nhw'n cal 'u dyrysu ynghanol ymosodiada

Mewn Undeb mae Nerth (Tonypandy, Tachwedd 1910)

Amgueddfa Genedlaethol Cymru

o bob tu gan ddylanwada na allan' nhw mo'u diall. Os an' nhw i ddadla
â thi dyma nhw'n cal 'u trechu. Pam? Am 'u bod nhw wedi gofalu i ti gal
gwell addysg na'r hyn geson' nhw'u hunen—.'

Canlyniad oes o hunanaberthu oedd John Price. Yn ôl y goleuni a
roddwyd iddo ymroesai i sicrhau lles ei blant:

> 'Pidwch bod yn rhy galad arno, "boys", am nad yw yn gallu dishgwl ar
> betha fel yr ych chi. All e ddim help mwy na chitha. I'r hen gwm yma mae
> fe'n perthyn. Mae fe o'i haniad yn un o hen ddyddynwyr y fro—pobol
> gyndyn, pwyllog, a cheidwadol. Rwyt ti, Lewis, o deip hollol wahanol—
> plentyn y cyfnod diwydiannol wyt ti—heb wreiddio yn y tir. Dyna pam
> rwyt ti'n "rebel". Dyna pam mae'r bechgyn o'r un genhedlaeth a thi'n
> "rebels" hefyd.'[52]

Ond ni all John Price oddef enciliad John Henry a Lewis oddi wrth
ei fyd ef; ni allant hwythau oddef ei anoddefgarwch ef. Y mae'r
frwydr rhwng Lewis a'i dad yn frwydr rhwng dwy hawl i drefnu'r
byd, yn wrthdaro ideolegol, yn wir, rhwng dwy ffordd o awdurdodi
mewn cymdeithas. Mae i'r ddau fel y'i gilydd falchder dinistriol
dynion difrifol sy'n 'gwybod' eu bod yn iawn a rhaid i'r balchder
hwnnw bob amser wrth ebyrth. Aberthir Gwilym yn uniongyrchol
pan gaiff ei saethu'n farw wrth geisio arbed Lewis rhag cael niwed gan
y milwyr a ddaethai i sicrhau fod llond trên o 'blacklegs' yn dod i
Aberpandy i dorri'r streic.

Torrir y streic ond ni all Lewis ddychwelyd i'r pwll. Y mae
drychiolaeth Gwilym yn ei lethu. Cais ddianc yn ofer rhag ei euogrwydd
trwy ddiota, ond nid oes ymwared iddo. Barn John Price yw fod Duw
wedi'i felltithio, fod arno 'nod Cain', a chan ddweud wrth ei fam y
byddai'n sicr o ladd ei dad ped arhosai gartref, â Lewis i Awstralia
gyda Dai Matthews, athro yn yr ysgol ddyddiol a gawsai'r sac am
gefnogi'r streicwyr. Mae'r sosialydd ifanc a oedd am newid y byd yn
mynd, megis 'convict', â'i feddwl claf i'r wlad bell a oedd i wella
Gwilym, ac yno, heb falio am gred Dai mai 'Dyna'r lle i aelod o Blaid
Llafur,' ni ddeisyfai'r arch-gyffröwr ond heddwch a modd i anghofio.
Geiriau olaf John Price wrth glywed ei fab yn dewis bod yn alltud rhag
bod yn llofrudd yw, 'Does dim ofan arno' i', tra bod ei wraig yn
torcalonni ynghanol y chwalfa deuluol: 'Dim un, wedi'r cyfan! O
Dduw, dim un ar ôl! Dim un.'[53]

Change, heb os, yw'r ddrama bwysicaf a gynhyrchwyd gan y dadeni
a welodd berfformio dramâu gan W. J. Gruffydd, J. O. Francis, D.

Gwrthdaro rhwng John Price a'i fab, Lewis.
(Cynhyrchiad Ted Hopkins (inset) o *Change* yn Theatr Newydd, Caerdydd, Mai 1914)

T. Davies a R. G. Berry rhwng 1910-20, ac y mae John Price yn gawr ymhlith y blaenoriaid a fu'n dargedi i ymosodiadau'r dramodwyr hynny ar yr hyn a ystyrient hwy yn grefyddolder defodol a threisgar, fel yr esboniodd Francis yn ei erthygl enwog, 'The Deacon and the Dramatist', yn 1919. *Change,* hefyd, yw'r unig waith llenyddol o bwys yn y degawd hwnnw i ddramaeiddio'r gwrthdaro rhwng Anghyd-ffurfiaeth Fabonaidd a'r Undebaeth Newydd—gwrthdaro ar aelwyd amlwg Gymraeg y bu'n rhaid cael y Saesneg, fodd bynnag, i'w roi ar lwyfan.

Dywedir fod J. O. Francis wedi'i symbylu gan y drychineb a ddigwyddodd yn Llanelli adeg Streic y Rheilffordd yn 1911 pan saethwyd dau lanc yn farw gan filwyr, ond tynged Gwilym yw'r unig gyswllt penodol â'r helynt hwnnw a drafodwyd eisoes yn gampus gan Richard Griffiths a John Edwards. A barnu ar sail *Change* yr oedd Francis yn effro iawn i hylltod eithafiaeth, mor effro â golygydd *Tarian y Gweithiwr* a haerodd fod streic 1912 yn galw 'gyda difrifoldeb y farn ar i bob dosbarth i wynebu'r sefyllfa gyda phurdeb cymhelliad, a chyda didwylledd a chyfiawnder, ac wedyn gydag arwriaeth.' Barnai nad oedd y glowyr, fel y taerai'r wasg Saesneg, 'yn dewis "fighto" a'r meistri. Mae gan y gweithwyr ormod o barch i'w meistri i ymladd a hwynt, ac nid yw y meistri am ymladd a'r gweithwyr.' Gwyddai Francis, fodd bynnag, nad oedd hynny'n wir. Gwyddai fod sawl Lewis yn y Cymoedd yn 1912 a gwnaeth ddefnydd dramatig o hynny am ei fod am ddangos natur ddinistriol argyhoeddiadau crefyddol a gwleidyddol pan arddelir hwy gan bobol sy'n amharod hyd yn oed i ystyried y gall fod ganddynt lai na golwg gyfan ar y gwirionedd. Dengys John Price a Lewis y gall syniadau fod yn bethau enbyd o emosiynol a swyddogaeth Sam Thatcher, y cocni unfraich sy'n lletya gyda'r teulu, yw traethu bratiaith synnwyr cyffredin, megis corws demotig, yn gyfalaw i rethreg y blaenor o dad a'r undebwr o fab sydd am i'r byd ffitio mold eu 'hubris' hwy. Dan genlli hwyl y gwahanol argyhoeddiadau ni all Sam ond cyffesu wrth Lizzie Ann, ei ddarpar-wraig, fod deall y Cymry tu hwnt iddo:

> '. . . Fi gallu diall Scotchmen. Fi gwpod Niggers a Chinamen. Ond fi cal dim "hold" ar y Cymry—fi dim diall nhw.'

Pan âi pobol heb fod amgenach na 'bwndel o deimlata' i'r afael â'i gilydd, 'doedd dim i'w ddisgwyl ond trallod.[54]

Ym marn Wynn Thomas, y mae ei ddehongliad o bwysigrwydd *Change* i'w groesawu'n fawr wedi'r holl flynyddoedd o esgeuluso, math o 'alter ego' i Francis yw Gwilym ac y mae ei dranc yn ganolog i'r ddrama am ei fod, fel y gwelsai W.J. Gruffydd, yn cynrychioli gobaith y dramodydd y gellid cymod rhwng Capel a Llafur, cyflogwyr ac undebwyr, Rhyddfrydiaeth a Sosialaeth. Da y pwysleisiodd, hefyd, le Gwen Price yn *Change*:

> 'Central to the play is the plight of woman on the margins of a world, both of chapel and of work, in relation to which she is made to feel helpless and passive, being excluded from the crucial decision-making processes, whether they be deacons' meetings or strikes.'

Y mae'n wir fod i Gwen Price fwy o ddyfnder na'r un o'r gwragedd yn y gweithiau a drafodwyd eisoes, ond yn y gwraidd yr un swyddogaeth ddramatig sydd iddi hi, Mavis a Mrs. Ifans. Hi yw'r galon sy'n gwaedu wrth i wrthdaro syniadau ddifetha'i haelwyd. Hi yw'r fam dragwyddol bathetig ei dolur y gallai cynulleidfa ddosbarth-canol ymdawelu o'i gweld 'reassuringly situated at the very centre (and "heart") of these otherwise disturbing working-class developments.'

Wrth bitïo dirymid braw y terfysg a'i hamgylchynai hi, terfysg gwŷr di-droi'n-ôl a allai ddifetha mwy nag aelwyd.[55]

I nifer o fynychwyr yr Ŵyl Ddrama Genedlaethol yng Nghaerdydd yn 1914, yr oedd pwysigrwydd *Change* yn ddigwestiwn. Fe'i croesawyd gan y *Western Mail*, y *Welsh Outlook* a'r *South Wales Daily Post* ac fe'i clodforwyd, er enghraifft, gan W. J. Gruffydd, Howard de Walden, Owen Rhoscomyl, Llewelyn Williams, A.S., a Changhellor y Trysorlys, David Lloyd George, A.S., a'i galwodd yn 'veritable triumph' ar ôl gweld ei chwarae yng nghwmni'r Parch. John Williams, Brynsiencyn. 'It has been,' meddai, 'a dramatic presentation of the great transformation which is taking place in Welsh life,' a dywedodd iddo weld y trawsnewid yng nghymeradwyaeth y gynulleidfa: 'One section of the audience cheered one sentiment, and the other cheered another; and then you had the perplexed section. All this was as symptomatic of the change that is coming over Welsh sentiment as the play itself.' Fel yn Llundain ac Efrog Newydd, gwnaeth *Change* ei marc, hefyd, yng Nghymru.[56]

I'r Parch. Tywi Jones, serch hynny, yr oedd dramâu J. O. Francis —*Change* yn arbennig felly—yn weithiau bygythiol. Yr oedd gweinidog Peniel, y Glais, wedi bod wrthi er 1911 yn ennyn diddordeb lleol yn y ddrama fel cyfrwng i atgyfnerthu crefydd, moes a Chymreictod. Cyhoeddwyd ei ddrama gyntaf, *Dic Sion Dafydd,* yn 1911 a chafodd Brythoniaid y Glais ynghyd â sawl cwmni arall lawer o hwyl wrth ei chwarae. Fe'i dilynwyd gan *Eluned Gwyn Owen* (1912) a *Jac Martin* (1913), ac erbyn 1914 ystyrid Tywi Jones yn un o hyrwyddwyr y mudiad drama newydd yn y De. Pan gymerodd at olygu *Y Darian* yn 1914 yr oedd ganddo lwyfan wythnosol ar gyfer traethu barn ac fe'i defnyddiodd yn wrol tan 1934.[57]

Fe'i tramgwyddwyd gan ymosodiad y dramodwyr newydd, a J. O. Francis yn bennaf troseddwr yn eu plith, ar grefydd gyfundrefnol, crefydd llythyren y gyfraith a ymgorfforwyd i'w tyb hwy yn y blaenor/diacon awdurdodol. Yn wyneb gwrthdystiad Tywi Jones hawdd fyddai'i gyhuddo o gulni ond o gofio'i edmygedd o Ibsen a'i barodrwydd yn 1920 i drafod drama mor ddadleuol â *Dychweledigion* ar dudalennau'r *Darian*, prin mai culni hen-ffasiwn a wnaeth J. O. Francis yn 'bête noire' iddo. Y gwir yw iddo farnu ei bod yn fwriad gan Francis, waeth beth am W. J. Gruffydd a D. T. Davies, i danseilio'r grefydd ddiwygiadol y credai ef ei bod yn gonglfaen bywyd Cymru ar ei orau. 'Roedd Francis, a fagwyd yn fab i of ym Merthyr, yn euog o fradychu Cymru Tywi Jones trwy'r iaith Saesneg

Y Parch. Tywi Jones.

a phan gyhoeddodd Caradoc Evans *My People* yn 1915 ni fu golygydd *Y Darian* fawr o dro cyn gwneud Francis yn efaill iddo. Ofn gweinidog diffuant na fynnai dderbyn fod y Gymru y rhoesai'i fryd ar ei chynnal a'i chadw wedi'i chlwyfo'n angheuol rhwng 1910-1920 sydd i gyfrif am ymateb dig Tywi Jones i waith J.O. Francis. Yng ngafael ofn o'r fath y mae tegwch barn yn ymdagu.[58]

Ar ôl iddo weld dramâu Gŵyl 1914 haerai, (ar sail profiad personol!), fod drama un act Francis, *The Poacher*, yn ogystal â gwneud cam â'r potsiar fel teip yn gwawdio pethau cysegredig. Yn y ddrama fach honno a fu mor boblogaidd y mae Dici Bach Dwl yn gwaredu Tomos, glöwr a photsiar wrth reddf, o afael parchusrwydd hunangeisiol y blaenor, Dafydd Hughes, sydd am ei ystumio'n was i'r achos ac y mae'n dweud llawer am ymwrthod Tywi Jones â gwaith Francis ei fod yn ei gollfarnu am ddadlennu ar lwyfan yr union agweddau negyddol ar gapelyddiaeth a gondemniodd ef ei hun fwy nag unwaith yn *Y Darian*. Yr oedd *Change* fwy fyth o dramgwydd. Wyneb yn wyneb â diffyg egwyddor John Henry a hunangyfiawnder Lewis, gwelai John Price yn ddyn stans, yn gynrychiolydd arwriaeth oes a fu na ellid fforddio'i amharchu: 'Ni fydd diystyrru llafur ac aberth y tadau yn symudiad tuag ymlaen.' Ffurf ar eithafiaeth ffanatig oedd sosialaeth Lewis a'r peth gorau yn y mab ansad hwnnw oedd ei wallgofrwydd. O gofio'i gefnogaeth i Mabon a'i gas at arweinwyr sosialaidd di-Gymraeg, megis Pinkerton, nid yw'n syn fod Tywi Jones gant y cant o blaid John Price. Nid amheuai ei gymhellion ef fel yr amheuai gymhellion Lewis.[59]

Erbyn 1920 yr oedd yn sicrach nag erioed mai drama Gymraeg yn unig a wnâi les i'w wlad:

'Mae gennym bethau Seisnig a elwir yn Welsh Drama heddyw nad oes dim yn Gymraeg o'u cwmpas ond eu Saesneg. Ym mhopeth arall gwnant gam a Chymru.'

Aeth mor bell â gwadu hawl J. O. Francis i ddehongli'r Gymru Gymraeg: 'Pa safbwynt bynnag a gymerir i edrych ar y dramodau hyn, ni allant lai na briwio enaid Cymro a wyr beth yw gwir fywyd Cymru.' Ac wrth ystyried eto fyth ei anfadwaith ef a Caradoc Evans torrodd allan i alaru—a phroffwydo:

'O Gymru wen, pa hyd y'th waradwyddir gan fradwyr er mwyn aur a geirda Sais? Pa hyd y camliwir dy grefydd gan rai na wyddant ddim am dy iaith na'th lên nac am dy gymundeb a'r ysbrydol a'r anweledig? Ohonot ti Gymru hoff ac o'th fywyd glan y daw eto dywysog a fugeilia'r bobloedd.'[60]

Aethai Francis ac Evans ati i wneud cam â Chymru 'yn enw celf' trwy lunio cymeriadau er mwyn 'gwarthruddo Ymneilltuaeth Cymru.' Yr oedd John Price yn gymeriad 'amhosibl' am na allai ond rhagrithiwr ymddwyn mor greulon, ac nid oedd Price yn rhagrithiwr. John Henry, y darpar-weinidog a gefnodd ar grefydd ei dad, oedd yr adyn yn *Change* erbyn 1920. Yr oedd mor annheilwng o'r weinidogaeth ag yr oedd Lewis o'r mudiad Llafur. Pe credid Francis nid oedd na llawenydd na mawrfrydigrwydd i'w cael yng nghrefydd Cymru.[61]

Achubwyd cam Francis—ac yr oedd Tywi Jones yn gwneud cam dybryd â'i ddramâu—gan D. T. Davies. Barnai ef, fel Saunders Lewis, fod syniad y gweinidog o'r Glais am swyddogaeth foesol y theatr ym mywyd cenedl ac am hanfodion drama, yn wir, yn gwbwl naïf fel y profai'i osodiad fod John Price yn rhy gydwybodol i fod mor greulon ag y dangosai Francis ei fod. Yr oedd Tywi Jones, meddai D. T. Davies, yn fwriadol ddall 'i un o egwyddorion amlycaf hanes y ddynoliaeth er mwyn profi pwnc arbennig. Nid anfadwaith rhagrithiwr sydd o ddiddordeb i wir ddramodwr (er fod iddo ei le mewn drama) yn gymaint a chreulondeb gŵr cul, caled, cydwybodol . . .' Yr oedd hefyd yn euog o fyw celwydd golau:

'Pob croeso i chwi faldorddi am "Gymru wen a'i chymundeb â'r ysbrydol a'r anweledig" pan wyr pawb fod cymaint o ddu a gwyn yng Nghymru ag a geir yng nghyfansoddiad unrhyw werin arall. Y mae eich syniad am gelf ar yr un tir a'r lluniau anfarwol hynny a geir yng nghartref pob un o honom—y "family group", a phawb yn ei "ddillad dydd Sul".'[62]

Dal at ei safbwynt a wnaeth y Parch. Tywi Jones. Yn achos John Price yr oedd yn amddiffyn y math o löwr y buasai *Tarian y Gweithiwr* yn canu ei glodydd er 1875 ac y byddai'r *Darian* yn para'n driw iddo o 1914 ymlaen. Wrth ddangos John Price yn methu â sicrhau teyrngarwch ei feibion heb sôn am gadw ei gyd-lowyr o afael Pinkerton a'i debyg yr oedd J. O. Francis yn seinio cnul dylanwad achubol y glöwr da. Yr oedd ei ragflaenwyr wedi ennill eu brwydrau. Ni lwyddodd John Price ond i brysuro chwalfa aelwyd a thorri calon ei wraig—a'i grefydd a'i nerthodd i wneud hynny yn ôl dehongliad Francis o'i gymeriad. Cred haearnaidd tad fod ganddo hawl i ddisgwyl i'w feibion weld yr un byd ag a welai ef sydd wrth wraidd trasiedi *Change*. Daethai tymor y glöwr da, gorchfygol i ben gyda pherfformio'r ddrama honno.

O leiaf, fe ddaethai i ben yn Saesneg. Dyna'r iaith a beryglai barhad *Tarian y Gweithiwr* trwy ddarparu cyhoeddiadau llawer mwy milwriaethus ar gyfer miloedd glowyr y De. Dyna'r iaith y mynnodd Tywi Jones na châi le yn *Y Darian* tra byddai ef yn olygydd y papur.

Dyna'r iaith na chredai ef fod modd creu drama ynddi am y Gymru Gymraeg heb ei chamliwio. Fel y dywedwyd, ni wnaeth cyhoeddi *My People* mor fuan ar ôl perfformio *Change* ond dwysáu ei ddrwgdybiaeth mai iaith ar gyfer dymchwel ei Gymru ef oedd y Saesneg ac fe olygodd hynny iddo golli cyfle i droi'r *Darian* yn gyfrwng eofn i archwilio pac y De diwydiannol. Fel golygydd rhoes ormod o bwyslais ar gadw gwerthoedd a ystyriai'n 'sine qua non' Cymreictod gwladgarol, heb sylweddoli fod gwerthoedd, heb eu herio o'r tu mewn, yn rhwym o droi'n rhwystrau. O gofio pa mor wrol yr ymgyrchodd dros y Gymraeg mewn addysg a thros genedlaetholdeb politicaidd y mae'n drueni iddo ganiatáu i'w sêl dros fath arbennig o ddiwylliant moesol ei atal rhag ymgyrchu yr un mor egnïol dros gelfyddyd Gymraeg ddi-ofn a wnaethai fwy na dim i wrthsefyll gorlif Seisnigrwydd.

Nid tan 1929, fel y nodwyd, y cyfieithwyd *Change* gan Magdalen Morgan. Yn 1921 yr oedd Saunders Lewis, wedi iddo ddarllen dros 200 o ddramâu Cymraeg mewn dwy flynedd, wedi syrffedu ar bregethwyr a blaenoriaid anghyfnewidiol. 'Roedd dramodwyr 'Gwalia lân' yn fwy o ofid iddo na'r dryllwyr delwau di-Gymraeg:

'Yn y dramau hyn portreadwyd bywyd Cymreig pob sir a pharth, a hynny, gellid meddwl, gan sgrifenwyr oedd yn hen gynefin a'r pethau a ddisgrifient. Ond os teg derbyn y dramau fel darlun o fywyd Cymru heddyw, rhaid casglu mai dyma'r bywyd mwyaf undonog a diflas a di-liw a ddarluniwyd erioed. Heb iddynt wybod hynny, y mae'r dramodwyr Cymraeg, a'u cymryd at ei gilydd, yn llymach beirniaid na neb a ddibrisiodd Gymru yn Saesneg.'[63]

Bu'n rhaid aros tan 1934 am ddrama wreiddiol gan Gymro Cymraeg i beri cynnwrf bywiol. Yn Eisteddfod Genedlaethol Castell-nedd achosodd *Cwm Glo* J. Kitchener Davies gryn drafferth i'r tri beirniad ar gystadleuaeth y ddrama hir a rhaid sylweddoli pa mor ddi-rym yw Dic Ifans, yr hen löwr da traddodiadol, wyneb yn wyneb â diawlineb Dai Dafis, y glöwr brwnt ei anian a'i foes, os am ddechrau deall pam y bu i'r dramodydd dramgwyddo nifer o'i gyd-Gymry pan ddatgelwyd natur ei ddrama yn 1934 ac 1935. Nid drama Saesneg mohoni, nid Cymro di-Gymraeg mohono ef. Cardi o genedlaetholwr na chollasai'i barch at grefydd a roes Dai Dafis ar lwyfan. Fe'i crewyd gan Gymro o'r wlad a wnaethai'i gartref yn y Rhondda ac 'roedd yn anodd derbyn, yn anodd iawn i rai, fod gŵr o'r fath ac yntau'n athro wedi gwneud glöwr mor ddiraddiol yn ffigur canolog mewn drama o bwys.

Oherwydd yn ystod yr ugain mlynedd rhwng perfformio *Change* yng Nghaerdydd yn 1914 a 'gwobrwyo' *Cwm Glo* yn 1934 yr oedd delwedd y glöwr Cymraeg wedi sefyll yn ei hunfan. Ar ddechrau Awst, 1914, yr oedd y Parch. T. Mardy Rees, Castell-nedd yn barod i gyhoeddi *Difyrrwch Gwyr Morgannwg. Penodau difyr yn hanes bywyd Gwerin Morgannwg,* ond daeth y Rhyfel Mawr i'w rwystro. Yr oedd eisoes yn 1909 wedi cyhoeddi'r storïau a wobrwywyd gan Beriah Gwynfe Evans yn Eisteddfod Genedlaethol Llangollen, 1908, dan y teitl *Ystorïau Difyr: sef I. Bywyd yn y Rhondda. II. Penycoed.* Bwriadai i'r

GWYR MORGANNWG.

"Pwy mor ddyngarol yn ein gwlad?
Pwy yn fwy cywir, llon?
Pwy'n fwy heddychol a di-frad
Na'r glowr glew ei fron?"

gyfrol gyntaf 'greu chwerthin diniwed ...'; bwriadai i'r ail borthi synnwyr digrifwch cynhenid y glowyr a aethai yn eu miloedd i wrthsefyll y Kaiser:

'Nis gall y glowr Cymreig golli ei ysbryd digrif-difrif. Profa ei hoffder o'r digrif ei natur dda. Nid oes dim fwynha yn well nac ystori ddoniol. Medr chwerthin yng nghanol yr helbul mwyaf, ac y mae y gallu hwn yn gymhorth mawr iddo fyw yng nghanol y gwrthgyferbyniadau (contrasts) mynych gymerant le yn ei hanes. Credwn pe bai y Germaniaid yn feddiannol ar yr anian ddifyr yma na fuasent fyth wedi cymeryd eu hunain yn fodau mor ddifrifol bwysig. Buasai yr ysbryd digrifol yn ras achubol iddynt.'[64]

Y mae'n ffaith fod wynebu erchyllderau rhyfel neu beryglon gwaith beunyddiol yn meithrin hiwmor amddiffynnol ac y mae'n llawn cymaint o ffaith fod gwedd ddu a chiaidd i'r hiwmor a arferir yn fynych dan amgylchiadau o'r fath. Nid oedd rhaid bod yng nghwmni glowyr yn hir cyn profi awch eu digrifwch, digrifwch wedi'i goedio ag aml reg lysti i gadw'r byd rhag eu gwasgu. Byddai'n amhosibl, wrth reswm, i'r Parch. T. Mardy Rees gydnabod y wedd honno ar eu cyfathrach ac o ganlyniad y mae hiwmor ei lowyr ef yn ddiniwed i'w ryfeddu, mor ddiniwed fel na ellir credu eu bod yn byw mewn cymdeithas ddiwydiannol a rôi gymaint o straen ar ei thrigolion. Hiwmor 'yokels' glofaol mewn iorcs ydyw, hiwmor 'slawer dydd, ac ni allai H. T. Jacob a'r ddau gystadleuydd a rannodd y wobr am gasgliad o 'Ffraethebion y Glowr Cymreig' yn Eisteddfod Genedlaethol Treorci, 1928, anadlu fawr fwy o fywyd iddo ar bapur nag a wnaethai T. Mardy Rees.[65]

A fersiwn mwy llamsachus dafodieithol o'r un hiwmor a gafwyd gan y Parch. W. Glynfab Williams, Rheithor Dinas Cross, gŵr a aned yn Nant-y-glo yn 1855 ac a fu farw yn Hydref, 1947. Buasai'n ysgolfeistr yn Ynysddu a Clydach Vale cyn troi at yr Eglwys yn 1896. Ordeiniwyd ef yn 1898, fe'i codwyd yn Ganon Mygedol yn 1938 a bu'n Rheithor Dinas Cross a Llanllawer am ryw 45 mlynedd. Rhwng 1898 ac 1900 bu'n golygu'r *Llan* a'r *Haul* a bu ganddo ddiddordeb sionc yn y ddrama a'r nofel ar hyd ei oes. Yn 1918 ysgrifennodd am helyntion *'Ni'n Doi.' Dicyn o Anas Dai a Finna a'r Ryfal* a'i gyhoeddi 'I gatw'r ên Dafottiath yn fyw.' Cafwyd y trydydd argraffiad ohono yn 1920 ac addasiad Saesneg yn 1921, *'Us Two.' A Simple History of Dai and Shoni and the War.* Fe'i disgrifiwyd gan y cyhoeddwr fel y llyfr mwyaf difyrrus yn y Gymraeg a dilynwyd *'Ni'n Doi'* yn 1919 gan *'Y*

Partin Dwpwl'. Racor o Anas Dai a Finna a'r Ryfal, ac yn olaf, *'Y Twll Cloi.' Racor o Anas Dai a Finna a'r Ryfal*. Roedd y tair cyfrol i'w gweld fel tair shifft yng ngyrfa filwrol y ddau golier o'r Rhondda—'Shift y Bora', 'Shift y Diwetydd' a 'Shift y Nos'. O ran eu tafodiaith a'u Saesneg ceffylau y mae Dai a Shoni yn ddau symlyn sy'n frodyr i'r 'Stage Irishman' ond gofalodd Glynfab fod ynddynt ddigon o dân milwriaeth i'w gwneud, megis 'Fluellen' Shakespeare, yn gymeriadau na thâl i neb eu gwatwar. Gofalwyd rhoi lluniau o filwyr go iawn yn trin arfau go iawn ar gloriau'r llyfrau. Mae Dai yn ymgorfforiad o'r Celt ymladdgar sy'n gwybod sut i ymateb i sarhad:

'"Wot is Black Marias an' Jack Johnsons?" myntwn i.
"Cannons my lads," mynta fa.
"O," mynta Dai, "She is not a ooman then?"
"No, of course," mynta'r Sais. "I am blowed, you Welsh chaps can sing an' fight; but after all you are conundrums."
Ma Dai ar i drad.
"Wot!" mynta fa. "Wot! You call us conundrums agen an' I'll knock you into small coal."
Odd i got a off miwn wincad.'

Mae Dai a Shoni yn 'wladgarwyr tra mad' sy'n gallu 'cwnnu calon' eu cyd-filwyr â rhigwm a chân a pheri i neb llai na Syr John French, wyneb yn wyneb â'u hawydd i 'screggo Will o Berlin', ragweld concwest:

'"Now that the Welshmen 'ave arrived the Kaiser bettar look out."
Na chi eira, on tefa. I ethon trwyddo ni fel sa ni'n citcho yn andles yr ylectric mashine na yn y ffeira.'

Erbyn diwedd y Rhyfel y mae'r ddau golier comig ar ôl lladd a charcharu mwy o Almaenwyr nag a wnaeth Garry Cooper yn y ffilm, *Sergeant York,* yn mynd i Lundain i'w hanrhydeddu:

'Two heroes decorated. Captain Dai Jones, Dinas Cross, and Captain Shoni Morgan, Yetybompren, decorated by the King. The two V.C.s have risen from the ranks.'

Dyrchafiad arall i Gymro! Byddai tair cyfrol y Parch. Glynfab Williams yn werth eu darllen petai'n unig er mwyn pondro'i ddylanwad fel swyddog ricriwtio dros Brydeindod. Petasai wedi cyhoeddi'i lyfrau

ynghynt gwnaethai fwy dros filitariaeth nag a wnaethai'r Parch. John
Williams, Brynsiencyn. Maent yn werth eu darllen, hefyd, er mwyn
pondro'r ffordd y troes yr awdur 'natur dda' ddiarhebol y glöwr
Cymraeg yn ased filwrol o'r radd flaenaf trwy ddangos mai creulondeb
'Will o Berlin' at wragedd a phlant Ewrop a'u gwnaeth yn ddau
ddialydd concweriol. Mae'r parodrwydd i sefyll dros hawliau a
wnaethai lowyr y De droeon yn dargedi dicter y *Western Mail* a'r *Times*
bellach yn ddygnwch arwrol. Os nad yw Dai a Shoni yn medru iaith
'King and Country' yn rhy dda y mae eu greddfau Prydeingar yn
ddi-feth. Waeth beth am ramadeg, y mae cystrawen eu teyrngarwch
yn sicr.[66]

Er fod y Parch. J. J. Williams yn rhagori fel awdur ar T. Mardy
Rees a Glynfab yr oedd mor gaeth â hwythau i ofynion ei alwedigaeth.
Fel y dangosodd Robert Rhys y mae *Straeon y Gilfach Ddu* (1931) ac
Y Lloer a Cherddi Eraill (1936) yn gynnyrch 'yr awen lednais' honno a'i
gwnâi'n amhosibl iddo ymateb yn agored i'r byd y cafodd ei hun
ynddo yn y De: 'Melltith yr "awen lednais" yng ngwaith J. J. ac
amryw o'i genhedlaeth, fel y gwyddom yn dda, oedd bod sentimental-
iaeth a chrefyddolder gwag yn mynnu ystumio a chuddio'r darlun
diriaethol.' Fel golygydd *Y Dysgedydd* gallai J. J. Williams draethu'n
blaen yn 1934 ar drueni'r De ond yn ei storïau dewisodd nythu yn
niddanwch honedig rhyw Forgannwg bell yn ôl. Dylid cofio fod ei
stori enwocaf wedi'i chyhoeddi yn *Y Beirniad* mor gynnar ag 1911 ac
nid dim ond T. Gwynn Jones a gollodd ddagrau dros hanes Ieuan
Gwent, y bardd-löwr o'r wlad a gafodd ei awr fawr yn Nhregaron cyn
marw'n ifanc. Hyd yn oed petai Lewis Price *Change* wedi cael siarad
Cymraeg y Rhondda cyn 1929 ni fyddai wedi disodli Ieuan Gwent
gan na pherthynai i'r 'milieu' y disgwylid i löwr llên y Gymraeg fyw
a bod ynddo. Ac ni wnaeth neb fwy na J.J. Williams i fytholi apêl y
'milieu' hwnnw yn hanner cyntaf y ganrif hon.[67]

Gellir deall fod cysur i'w gael yn y 30au wrth ddwyn i gof 'y
dyddiau difyr gynt.' Rhaid wrth gysur dihangfa a chyni anesgor yn
llethu corff ac enaid. 'Roedd gan H. H. Evans, Llwynypia ddarlith
boblogaidd ar 'Shoni' wedi'i seilio ar atgofion am lowyr y bu yn eu
cwmni pan aeth dan ddaear yn grwt drigain mlynedd ynghynt. Daeth
i'w thraddodi gerbron Cymmrodorion Aberystwyth yn 1934—
'roedd ei fab ar y pryd yn ddarlithydd yn Adran y Gyfraith yn y
Coleg—a thraethodd yn llawn hiwmor 'fel y gweddai i'r testun.' Yn
ôl gohebydd y *Welsh Gazette* 'roedd yn 'werth cofnodi gyda llaw i'r
ddarlith gael ei pharatoi i amddiffyn anrhydedd Shoni; teimlai'r

darlithydd mai gŵr wedi cael cam ydoedd ac nad oedd y byd o'r tu allan ddim erioed wedi cael adnabyddiaeth iawn ohono.'[68]

Cafwyd portread o 'ŵr twym a rhwydd ei galon' waeth pa mor llwm ei fyd. Rhagorai fel gweithiwr caled a medrus; rhagorai fwy fyth fel capelwr:

'Crefyddwr oedd o flaen dim arall. Mynychai'r moddion o gariad ac o gydwybod ar y Sul ac ar nosweithiau'r wythnos, a'r bregeth a glywyd ar y Sul oedd testun y ddadl yn y lofa dydd Llun. Ar ei draed neu ar ei liniau yr oedd Shoni yn Sant bob modfedd. Hoffai'r eisteddfod ac ymdrechai mewn traethodau bychain, penillion a chanu, ond y Beibl oedd maes ei efrydiaeth. Yr oedd yn ddiwinydd gwybodus. Siaradai gydag awdurdod ar bynciau mawr diwinyddol yr oes honno.'[69]

O gofio fod crefydd ar drai yn y cymoedd a'r eglwysi'n cael eu cyhuddo o aneffeithioldeb, rhaid bod 'Shoni' H. H. Evans, fel 'Y Glowr' y canodd James Arnold Jones, Abermaw amdano yn *Y Dysgedydd* a'r *Eurgrawn* yn 1935, yn ateb galw hiraeth mawr. Âi cof y darlithydd, meddai, yn ôl i'r 1870au pan oedd ei 'Shoni' ef yn y mwyafrif—yn gapelwr, diwinydd, eisteddfodwr, penteulu cyfrifol, cwmnïwr parod i ddadlau a rhy barod i lasenwi weithiau, a gweithiwr a oedd 'mor gynefin a pherygl fel y dibrisiai ef. Yr oedd dewrder yng ngwaed ei ach.' I'r un teip o löwr y canodd James Arnold Jones, y teip a gâi fynd yn union wedi'i farw i ddyblu'r 'hen donau a garai gynt, /Yng nghwmni Ei engyl Ef.' A molawd i'r teip hwnnw drachefn a gafwyd gan Tom Davies yn 1936 pan gyhoeddodd ei fyrgofiant i Tom Stenner, hen seraff o'r Rhondda a fuasai'n löwr yn y Cymer am dros hanner canrif. Cawsai dröedigaeth wedi blynyddoedd o ofera ac 'roedd i'w restru, ar air Tom Davies, gyda'r pennaf o 'dduwiolion y dyfnderoedd.' Heb fedru darllen nac ysgrifennu bu'n foddion yn rhinwedd ei Gristgaredd i wneud pwll glo yn dŷ cwrdd ac y mae'n hawdd derbyn y câi wrandawiad gan ei gyd-lowyr o'i glywed yn siarad:

'Tom, mi fuas i yn ridlo lluti (lludw) y bore ma, a gwed y gwir wrthoch chi, mi etho i mewn i'r hen ridyll, ac mi ddisgwylas lân, ac mi wetas: "Arglwydd, ridla fi'n dda."'[70]

Os rhidyllwyd Tom Stenner gan ei Dduw, gofalodd rhidyll y Gymraeg, hithau, na châi'r un glöwr bras ei ollwng ganddi tan i Kitchener Davies fynnu gwthio Dai Dafis trwyddi. Yr oedd H. H.

Evans yn cydnabod bodolaeth Shoni lleiafrifol ers talwm, un gor-hoff
o yfed a chanu, ond nid oedd hwnnw mor llygredig fel nad ymdebygai
i'r Shoni mwyafrifol pan oedd yn ei bwyll: 'Parchai eraill os na
pharchai ei hun. Yn eu calonnau yr oedd y ddau Shoni yn cyd-
gwrdd.' I'r graddau y cawsent gyd-gwrdd yn llenyddiaeth y
Gymraeg, cwrdd er mwyn i'r naill Shoni ddiwygio'r llall a fuasai'r
arfer. (Nid achubir Jac Huddog a Wil Simwnd yn stori Walter Llwyd
am mai eu pwrpas hwy yw ymgorffori'r drwg y mae daioni'r arwr yn
rhwym o'i drechu.) Yn *Cwm Glo* nid yw Dai Dafis am ei achub ar
delerau Dic Ifans na neb arall. Y mae'n bod i geisio troi trefn gyfalafol
hanfodol anghyfiawn at ei iws ei hun ac mae'n darfod yng ngafael
chwerwder dialedd.[71]

Yn *Yr Efrydydd,* 1932, cyhoeddwyd sylwadau glöwr di-enw o'r
Rhondda a fuasai'n ddi-waith ers blynyddoedd. Y mae paragraff o'i
eiddo yn mynd at galon mater *Cwm Glo*:

'Y mae yma nythle diail i wrthryfel, dirywiad, a bygwth trais a chwyldro.
Y gwŷr canol oed heb obaith, y gwŷr ieuainc yn siomedig—safant ar
gonglau'r heolydd yn trafod eu ffawd, mor anghyfiawn a chaled ydyw
bywyd wrthynt. O fynych drafod eu cam ennyn eu dig yn erbyn y sawl
sydd yn eu tŷb hwy yn gyfrifol am eu blinder; cenfigen at y sawl sydd yn
gweithio; ac yn y diwedd gasineb at y gwareiddiad a ganiatâ bod tlodion
"ar elusen" lle y mae golud, dynion diwaith lle y mae gwaith, newynnu
lle y mae digonedd. O'r ochr arall esgorodd meddwl uwchben y sefyllfa
ar fath arall o ddioddef. Cwympodd nifer o ddynion da a gonest a gollodd
eu gwaith i'r fath syrthni meddwl ag a ddatblygodd yn bruddglwyf a
gwallgofrwydd a hyd yn oed farwolaeth.'

Wrth derfynu ychwanegodd y glöwr di-enw a wyddai beth oedd bod
yn rhy hen er pan oedd yn 37 oed:

'"Dyn heb alwedigaeth" yw esboniad y geiriadur ar y "Diwaith." Nid
yw hynny'n gyflawn heddiw. Dylid chwanegu "heb obaith," "uchelgais
wedi diflannu," "llymdra didrugaredd," "anfoddogrwydd a phruddglwyf
ysbryd." Nid tlodi yw'r gelyn pennaf—ond Cors Anobaith.'[72]

Dyna grisialu'r argyfwng y tarddodd *Cwm Glo* ohono, argyfwng yr
oedd Kitchener Davies eisoes wedi ymateb iddo mewn ysgrif ar
'Cyflwr Cwm Rhondda' a gyhoeddwyd yn *Yr Efrydydd* ym Mehefin,
1928. Mynegodd ei ddicter at y cyni yn ffrwd o ffeithiau ac ystadegau,
digon ohonynt i gyfiawnhau dweud nad oedd yn rhyfedd 'bod pobl un

ai yn wasaidd ai yn berwi o gynddaredd.' Fe'i câi'n anodd credu tystiolaeth ei lygaid, heb sôn am ei dirnad:

> 'A hwn yw Cwm Rhondda lle y mae pobl yn byw ar enillion dyddiau gwell, yn bwyta eu tai a difa addysg eu plant; yn bod ar gardod "a ddyry graith fâg nychtod swrth"; yn syrthio i ddyled, yn torri eu calonnau ac yn trengu o nychtod corff ac enaid.'

Ymgais i drosi gwybodaeth ffeithiol yn brofiad cig a gwaed oedd *Cwm Glo,* ac ymgais ydoedd yn bennaf i ennyn cynddaredd yn erbyn ecsploetwyr, rhagor piti dros anffodusion na allent helpu eu hunain. Hawliai mater *Cwm Glo* nofel neu ddrama fawr. [73]

Yn Eisteddfod Genedlaethol Castell-nedd, 1918, yr oedd cystadleuaeth y ddrama wedi gosod 'Bywyd Cymru yn yr Ugeinfed Ganrif' yn destun i'w ddehongli a dengys beirniadaeth Elphin fod 'Y Cyfiawnder Uwch' (gan 'Amos') ac 'Asgwrn y Gynnen' (gan 'Gelert Nabbes') yn ddwy ymdrech addawol i ddramaeiddio, mewn tafodiaith, helyntion glowyr Morgannwg. *Maesymeillion* D. M. Davies oedd y ddrama a wobrwywyd—drama arall yn dadlennu rhagrith crefyddolder enwadol, yng Ngogledd Ceredigion y tro hwn—ond pwysleisiodd y beirniad, Elphin, fod oes theatrig yr hen ddadleuon diwinyddol ar ben. Dangosai'r gystadleuaeth iddo ef mai'r

> '... cwestiwn mawr sy'n tynnu sylw yr ugeinfed ganrif yw, nid pa fodd yr ymdery dyn yn y byd a ddaw, ond sut i wneud y byd hwn yn fwy cyfaddas i ddyn fyw ynddo. Gelwir crefydd i gyfrif am gyflwr presennol dynoliaeth. Dro ar ôl tro ceir y cymeriadau goreu yn y dramodau hyn yn ensynio mai Mamon yw duw gwareiddiad diweddar, nad yw crefydd namyn cochl i gribddeiliaeth, ac mai cyfoeth ddyrchefir yn yr eglwysi, nid uniondeb. Y mae unfrydedd y dramodwyr ar y pynciau hyn yn arwyddocaol iawn.' [74]

O gofio'i ddadl â Llewelyn Williams yn y Fenni, 1913, ynglŷn â rhagolygon y ddrama Gymraeg, gellid disgwyl i Elphin groesawu'r 'gogwydd meddyliol' cyfoes a ddatguddiwyd yng nghystadleuaeth 1918. Fodd bynnag, nid oedd y Brifwyl i wireddu ei obeithion ac nid oedd y De diwydiannol i gael ei drama na'i nofel fawr. Gofynnwyd am nofelau yn disgrifio bywyd cyfoes Cymru yn 1918 ac 1932. Yn 1918 roedd dwy o'r 11 nofel yn trafod y chwarel a'r pwll glo ond gwobrwyodd Moelona nofel y Parch. G. Bedford Roberts,

Ponterwyd: 'Ceir y bywyd glan Cymreig yma ar ei oreu, ac yn holl gyfoeth ei amrywiaeth.' Yn 1932 rhoddwyd hanner y wobr i Elena Puw Morgan. Gwrthodwyd 'Adar y To' (*Cwm Glo* wedi hynny) gan feirniaid Eisteddfod Genedlaethol Port Talbot, 1932, oherwydd ei hanweddusdra. Yn yr un Brifwyl rhannwyd y wobr am ymgom ddigrif ddychmygol, (Cymraeg neu Saesneg), rhwng glöwr cyfoes ac un a fuasai farw yn 1880 rhwng 'Pelydryn' a 'Wayfarer'. Y Parch. J. Tywi Jones oedd y beirniad ac ymddengys iddo wobrwyo 'Pelydryn', sef y Parchedig Ddr. J. Caerau Rees, Port Talbot, nid yn gymaint am ddigrifwch yr ymgom rhwng Dafydd Morgan a'i nai, Thomas Dafydd, ag am sylwadau 'iach' y ddau ar y lle a ddylai fod i'r ddrama mewn cymdeithas. Gallai ddifyrru ac addysgu ond nid oedd iddi rym crefydd i godi dyn. 'Nid oes gennyf air,' meddai Dafydd Morgan, 'yn erbyn y llwyfan os portreedir brwydr fawr dyn â'i nwydau a'i amgylchfyd, ond yn ei galon ei hun yr ennill dyn ei frwydrau pennaf.' Hynny yw, drama perthynas y pechadur â'i Dduw oedd yr unig ddrama o bwys tragwyddol. [75]

Yr hyn a wnaeth *Cwm Glo* yn ddrama stormus, fodd bynnag, oedd perthynas pobol â'i gilydd mewn cymdeithas ddiwydiannol, ddirwasgedig. Rheidiau'r cnawd, rhagor yr enaid, sy'n penderfynu natur ymwneud y cymeriadau â'i gilydd; mae'r frwydr yn erbyn tlodi yn peri fod ymboeni am bris byw yn gostwng gwerth bywyd. Mae bod heb arian yn waeth na bod heb ras yn *Cwm Glo* ac ni all Dic Ifans ond ffwndro'n weddïgar ynghanol y llanastr o'i gwmpas. 'Arian papur y gyfnewidfa faith' yw pawb. Ni ddaw na chapel na gweinidog i lwyfan *Cwm Glo*. [76]

Yng ngolygfa gynta'r ddrama cawn gwrdd â Dai Dafis, Dic Ifans, Idwal a Bob yn brecwasta dan ddaear. Diogyn hunangar parod i weld y gwaethaf ym mhawb yw Dai. Betio ar geffylau a diota yw ei bleserau mewn bywyd ac o'r foment y gwelir ef yn dwyn brechdanau o focs bwyd y crwtyn, Bob, y mae ei ddiffyg hunan-barch yn amlwg. Yng ngeiriau Dic Ifans sydd newydd ei watwar ganddo am gymell Bob i ofyn bendith ar eu bwyd, y mae 'mor ddigywilydd â mochyn', a phan yw Dai yn gwylltio Idwal wrth geisio'i rwystro i ddysgu mathemateg i Bob, y mae Dic eto'n cyfeirio ato fel 'mochyn dienaid'. Ceir prawf mwy difrifol o'i fileindra pan gymer bibell glai o'i boced gan ddweud, 'Mi leiciwn i gael mwgyn bach o hon nawr',—gweithred sy'n peri i Dic ei daro a'i alw'n ddiawl wrth falurio'i bibell dan draed. Ond fel glöwr crefyddol, tadol o'r hen frid y mae Dic am weld rheswm dros ymgeleddu hyd yn oed Dai Dafis, ac y mae'n poeni am y dioddefaint a ddôi i ran ei wraig, a'u hunig blentyn, Marged, pe câi ef y sac am esgeuluso'i waith. Mae Idwal yn ŵr ifanc tua 30 oed a chwerwder rhwystredigaeth eisoes wedi cydio ynddo am fod ganddo'r gallu i fod yn rheolwr petai amgylchiadau yn rhoi iddo'i gyfle. Y mae hefyd mewn cariad â Bet, chwaer Morgan Lewis, rheolwr y pwll, ac y mae Dai Dafis yn gwybod sut i'w wylltio wrth alw hwnnw'n 'hen gi', ensynio fod Bet yn debyg iddo ac awgrymu fod ei garwriaeth â hi yn talu'n dda i Idwal. Ar ddiwedd yr olygfa gyntaf daw Morgan Lewis yn ddisymwth ar draws Dai yn segura a rhoi'r sac iddo er gwaethaf ymbilio Dic Ifans ar ran ei deulu.[77]

Yn yr ail olygfa cawn gwrdd â Mrs. Davies, y wraig a'r fam sy'n ymdreulio wrth gadw cartref ar y nesaf peth i ddim. Mae ei merch, Megan, yn groten ysgol bymtheg oed sydd eisoes yn ddig at y drefn ı sy'n ei dilladu a'i bwydo â chardod. Mae ei hagwedd at ei mam a'i dull anfoddog o negeseua dros Bet Lewis pan ddaw hi â basnaid o gawl i Mrs. Davies, yn dangos ei bod yn magu ei cham ar gyfer awr ei ddial. Ceisia Bet berswadio Mrs. Davies i roi mwy o waith iddi ei wneud, i'w pharatoi ar gyfer bywyd priodasol, ond ni wna hynny ond codi braw ar y fam sy'n difaru iddi hi ei hun briodi'n rhy ifanc. Pan ddaw Dai adref â'r newydd iddo golli ei waith y mae'r sgwrs sy'n dilyn rhwng y ddau yn mynegi anobaith gwraig sydd wedi'i llethu gan dlodi a'i hecsploetio gan ŵr brwnt ei anian. Heb anghofio'r modd y dryllir Mrs. Price yn *Change* gan falchder gwrywaidd, Mrs. Davies *Cwm Glo* yw'r wraig gyntaf yn llên y Gymraeg sy'n trosi sarhad ecsploetiaeth ar yr aelwyd yn ddolur cig a gwaed i'w deimlo. Pan â Dai ar ddiwedd yr act gyntaf i'w wely glân heb brin olchi ei ddwylo, gan orchymyn ei wraig, 'Rwyt tithau'n dod, cofia,' a gweiddi o'r llofft, 'Hei! Shapa hi!' mae'r Gymraeg yn trin gwraig ar lwyfan drama mewn modd na wnaethai o'r blaen. Fel atsain y drws yn cau'n derfynol ar ymadawiad Nora yn *Tŷ Dol* Ibsen, atseiniodd 'Hei! Shapa hi!' Dai yng nghlustiau'r cynulleidfaoedd a welodd actio *Cwm Glo* yn 1935.[78]

Yn yr ail act, a thair blynedd wedi pasio, y mae Idwal yn ei rwystredigaeth yn ceisio perswadio Bet i fynd i ffwrdd gydag ef i Lundain. Ni wêl obaith am swydd rheolwr a'i gwnâi'n bosibl iddo'i phriodi ac y mae'n amharod i ufuddhau i gonfensiynau sy'n gwahardd iddynt fwynhau eu serch: 'Ewyllys Duw yw i ni'n dau ymuno yn ein hirder. Hynny yw priodas gyda Duw; ond deddf briodas dyn sy'n ein gwahanu . . .' Y mae Bet, er ei bod yn ei garu, am oedi nes y gellir gwneud pethau'n iawn. Rhwng y dirwasgiad a Duw y mae'r ddau gariad yn gaeth. Torrir ar eu traws gan Dic Ifans sydd am geisio perswadio Morgan Lewis unwaith eto i roi ei waith yn ôl i Dai gan gymaint yw trueni Mrs. Davies. Mae Dic ei hun wedi colli ei waith oherwydd ei oedran, ond y mae wedi ildio i'r drefn yn ddi-gŵyn. Ceisia gael Idwal a Morgan Lewis ill dau i weld Dai Dafis megis un o'r adar to y rhôi Duw gymaint gwerth arnynt. Ceisia'u cael i weld eu bod yn ddibris ohono am mai ei ddefnyddioldeb yn nhermau'r farchnad sy'n cyfrif ganddynt. Un o ebyrth cyfalafiaeth yw Dai yn ôl Dic—glôwr at iws diwydiant nad yw'n ei barchu ef na'i amgylchfyd. Y mae wedi'i ystumio gan rymoedd materol na all eu gwrthsefyll.[79]

Wedi i Dic Ifans adael heb lwyddo i berswadio Morgan Lewis daw Megan, sydd bellach yn ferch ifanc 18 oed hollol ymwybodol o rym ei rhywioldeb, i nôl y pecyn dillad y mae Bet wedi'i adael ar ei chyfer. Nid dyna'r tro cyntaf iddi fod ar ei phen ei hun ynghwmni Morgan Lewis a'r tro hwn, ac yntau wedi bod yn yfed gwin, y mae ei chwant amdani'n drech na'i ddisgyblaeth. Mae'n rhoi hanner coron iddi 'i fynd i'r pictiwrs neu rywbeth' a phan yw'n ceisio'i denu i fynd gydag ef i'r ardd am fod ganddo 'lot o bethau' i'w dangos iddi, daw Dai ar eu gwarthaf. Mae'n bygwth dweud wrth Bet a phawb am awydd Morgan Lewis i lygru ei ferch ac ar ôl i hwnnw gynnig rhoi gwaith iddo eto, cynnig y mae Dai yn ei wrthod, y mae'n datgelu ei fwriad—blacmêl. Pris cywilydd y rheolwr a'i gyn-gyflogwr fydd cyflog Dai o hynny ymlaen.[80]

Ar ddechrau'r drydedd act, a blwyddyn arall wedi pasio, y mae Dai wrthi'n gwaedu ei brae. Un noson mae'n galw'r rheolwr allan o'i dŷ am ei bae nesaf ond fe'u gorfodir i guddio gan ddyfodiad Bet ac Idwal. Clywant Idwal eto'n ceisio'n ofer i'w chael i fynd i Lundain. Mae'n mynd yn gweryl rhyngddynt ac ar ôl iddi hi fynd i'r tŷ yn ddíglon daw Marged i gynhyrfu cnawd Idwal. Y mae'n ildio iddi. Fel llygad-dyst i'r cyfan mae gafael Dai ar Morgan Lewis, a fyddai eisiau arbed Bet rhag sgandal, yn tynhau. Y mae'n cael mwy o arian ganddo ac at hynny mae'n siarsio'r rheolwr i roi ei waith yn ôl i Dic Ifans: 'Hen fachan strêt yw Dic . . . fel y lein . . . a chlywais i neb tebyg iddo ar ei liniau. Dim yn 'y myw. Gweddïo . . . myn diawl i . . . na weddïwr.'[81]

Pythefnos yn ddiweddarach daw'r ddrama i ben yng nghegin Mrs. Davies. Mae hi'n pacio bag Marged sydd, meddai hi, wedi cael gwaith barmed yng Nghaerdydd. Daw Dic Ifans heibio â chweugain ganddo i Mrs. Davies gan ei fod bellach yn gweithio. Ni wŷr mai i Dai mae'r diolch am hynny, wrth reswm. Mae'n ceisio rhybuddio Marged am beryglon Caerdydd ac ar ôl i Mrs. Davies wrthod ei chweugain mae'n ei rhoi ym mag Marged heb yn wybod iddi hi na'i mam. Geilw Morgan Lewis heibio am air â Dai a dechreua Mrs. Davies sôn am ei gofid o weld fod gan ei gŵr ddigon o arian bob amser a'i glywed yn dweud pethau rhyfedd yn ei gwrw. Daw Marged i ategu geiriau'i mam gan ddynwared bost meddw ei thad er mawr ddychryn i Morgan Lewis. Pan ddaw Dai i'r tŷ fe'i dilynir yn union gan Bet ac Idwal sydd ar eu ffordd i ddal y trên i Lundain, a gwêl Marged ei chyfle i ddweud ei stori gerbron pawb heb gelu dim.

Mae ei chyffes, cyffes putain ifanc fuddugoliaethus, yn chwalu perthynas Bet ac Idwal yn y fan a'r lle a chan gredu ei bod yn carthu budreddi a fuasai'n rhy hir ynghudd y mae'n gwrthod tewi. Try at ei mam cyn gadael gan lefaru geiriau y bu cryn drafod arnynt wedyn:

> '. . . Does dim lot o wahaniaeth ynddo ni'n dwy, cofiwch chi, mam; a chi sy wedi cael y fargen waetha hyd yn hyn. Lawer gwaith er pan own i'n ddigon hen i sylwi rwy i wedi clywed nhad yn eich gorfodi chi—eich gorfodi i wneud ei ewyllys e—pun a fynnech chi neu beidio. Dim ond rhyw sy'n cymell dynion . . . 'Y nhad, a Morgan Lewis a Idwal . . . A Dic? . . . Dwn i ddim . . . falle mai ar ei liniau y newidiodd e i gariadon . . . a dewis doethineb yn lle menywod. Mae Stryd Fawr bert yng Nghaerdydd, Richard Ifans, a merched glân ar hyd-ddi. Mae gwragedd Cwm Glo i gyd, heb fynd i Gaerdydd o gwbwl, wedi gorfod troedio'r Stryd Fawr honno. Neu wedi peidio â bod, fel mae Bet wedi peidio â bod. A mae'n rhaid i finnau fynd i ddal y trên, next stop Stryd Fawr Caerdydd, a'i gonestrwydd agored. Goodnight i gyd.'

Disgyn Mrs. Davies megis corff i'r llawr a thra bod y lleill yn rhoi ymgeledd iddi ar y llofft mae Dai, sy'n gweld ei fod wedi colli ei afael ar Morgan Lewis, yn bygwth rhoi pwysau ar Bet a'i gwneud yn destun siarad. Gan gyhuddo'r rheolwr o 'spwylo Marged fach' ac o fod yn llofrudd ei wraig, pe byddai iddi farw, y mae'n ei gynddeiriogi i'w daro ag ergyd angheuol. Disgyn y llen wrth i Dic Ifans, â'i law ar ysgwydd Bet, ddechrau adrodd Gweddi'r Arglwydd. [82]

Y mae'n sicr fod mater trasiedi yn *Cwm Glo,* ond melodrama ydyw o ran naws ac effaith. Nid oes i'r un o'r cymeriadau fywyd mewnol person mewn brwydr ingol ag ef ei hun. Brwydrau yn erbyn amgylchiadau allanol sydd yn *Cwm Glo* ac nid oes dim yn arwrol yn y ffordd y mae'r gwahanol gymeriadau yn eu hymladd. Yn wir, drama am seithuctod ydyw, drama am bobol wedi'u rhwystro rhag mwynhau cariad teuluol, serch cariadon a chadernid cydymdrech gweithwyr gan y frwydr feunyddiol i oroesi'r dirwasgiad. Nid oes ynddi obaith yr un weledigaeth wleidyddol na chrefyddol, chwaith. Â Marged i Gaerdydd am ei bod yn barod i borthi blys sy'n drech na phob chaledi. Fe ŵyr na chaiff ei ffydd ym marchnad y cnawd mo'i siomi. Mae Bet, ar y llaw arall, ar ôl clywed am anffyddlondeb Idwal yn methu â chredu mewn dim: 'Dwy i ddim yn credu dim nawr, dim byd am neb na dim. Neu rwy i'n credu popeth am bawb; a dwn i ddim p'un yw'r creulona.' Yn ateb iddi dywed Mrs. Davies mai 'Uffern diffyg ffydd yw'r ddau!' Rhoes Idwal ei ffydd mewn penwythnos yn Llundain ond ni chaiff fynd mor bell â stesion Cwm Glo. Y mae ffydd Morgan Lewis yng ngallu arian i fodloni gwanc a diogelu enw da yn troi'n ddinistr iddo, ac yn yr un modd dinistrir Dai, hefyd, gan ei ffydd yn hunangaredd llygredig dyn.[83]

Saif Dic Ifans yn y canol fel haul cyfiawnder pŵl yn pelydru daioni i ddim pwrpas. Ni all arbed Dai rhag cael y sac; y mae'n methu â pherswadio Morgan Lewis i'w ailgyflogi tra bod Dai, trwy flacmêl, yn gorfodi'r rheolwr i ailgyflogi Dic; ni all atal carwriaeth Bet ac Idwal rhag chwalu; ni all berswadio Mrs. Davies i dderbyn ei elusen ac ni all atal Marged rhag mynd yn butain i Gaerdydd. Yn ddiarwybod iddo druan y chweugain a roes yn ei bag yw ei thâl proffesiynol cyntaf. Y mae'r hen awydd i achub yn gryf yn Dic Ifans o hyd ond y mae hinsawdd yr amseroedd wedi'i ddiffrwytho. Yn *Cwm Glo* aethai heibio'r dyddiau pan allai taerni'r glöwr da wared pobol o ddistryw. Gwadodd Kitchener Davies hen gysur i'w gynulleidfa am fod ei ddicter yn erbyn trefn wleidyddol-economaidd a wnâi i bobol buteinio a bradychu ei gilydd yn gofyn gan y gynulleidfa honno ffrwydriad o atgasedd moesol. Mynnai iddi weiddi na ddylai'r pethau hynny fod. Mae'n wir i *Cwm Glo* achosi ffrwydriad o atgasedd, ond at y dramodydd ei hun y'i cyfeiriwyd. Os oedd rhywbeth na ddylai fod yng Nghymru'r 30au drama o fath *Cwm Glo* ydoedd ym marn y rhai a gythruddwyd ganddi.

Ni chafodd Kitchener Davies ddim cymorth gan y tri beirniad— D. T. Davies, R. G. Berry a'r Athro Ernest Hughes—a roes sylw mor anffodus o nerfus i 'anfoesoldeb' y ddrama gan ddal na cheid yr un cwmni i'w chwarae na'r un Cymro a ofynnai i'w chwaer actio rhan Marged. Mae'n debygol fod y collfarnu ar fryntni honedig pryddest Prosser Rhys, 'Atgof' (1924); awdl Gwenallt, 'Y Sant' (1928) a nofel Saunders Lewis, *Monica* (1931) yn pwyso ar y beirniaid yn 1934 gan mai un o amodau'r gystadleuaeth oedd bod disgwyl i'r ddrama arobryn fod yn gymwys i'w pherfformio yn ystod y Brifwyl. Beth bynnag am hynny, y mae'n syn na welodd yr un ohonynt pa mor

hanfodol foesol oedd mater *Cwm Glo*. Ple ydoedd dros drefnu teyrnas
mewn ffordd na wadai i bobol eu hawl i weithio er cynnal corff ac enaid
ac na ddibrisiai mohonynt yn eu golwg eu hunain. Ni allai dim fod yn
fwy perthnasol i'r oes ac o gofio i'r Athro Ernest Hughes ladd ar
'mental indolence' a 'shocking dilettantism' y Cymry wrth draddodi
darlith ym Mhrifwyl 1934 ar 'The University of Wales from Within',
mae'n anos fyth maddau iddo am anghefnogi *Cwm Glo*.[84]

Anodd, hefyd, yw deall safbwynt Miss Janet Evans a ddaeth i
Gastell-nedd o Lundain yn un swydd i gymryd rhan mewn trafodaeth
a gadeiriwyd gan Howard de Walden ar 'The Relation of the
Eisteddfod to the Drama'. Ugain mlynedd ynghynt buasai'n actio yn
'The Plays of Aberpandy' a hi a chwaraeodd ran Lizzie Ann pan
berfformiwyd *Change* am y tro cyntaf yng Nghymru yn 1914. 'Roedd
yn un o ferched y dadeni ond yn 1934 yr oedd i bob golwg wedi
syrffedu ar y ddrama gymdeithasol a'i phroblemau. Mynnai fod
angen drama i gyffroi ymysgaroedd Cymru ac nid drama gyfoes yn
null Galsworthy fyddai honno. Fel Llewelyn Williams yn 1913 yr oedd
am ddramaeiddio Cymru Fu:

> 'What is Galsworthy to us? His strikes and lock-outs and industrial
> differences are only the difficulties of a recent hundred years and it is only
> our selfishness and petty self-interest that magnifies these things into
> tragedies. If we want to write of conflicts, surely there are subjects in our
> history and our literature, going back a thousand years and longer, far
> more enlightening, far more ennobling, and far more likely to give us a
> sane perspective of life and its purpose.'

Ymhlith y rhai a gyfrannodd i'r drafodaeth yr oedd Dyfnallt, gŵr a
fuasai'n ceisio hyrwyddo'r ddrama Gymraeg ers rhai blynyddoedd.
Ni fynnai ei charcharu yn y gorffennol ond 'roedd am iddi wasanaethu
pwrpas pendant: 'The whole movement ought to aim at a national
taste which would cultivate a love of plays that made for beauty, order,
and harmony.'[85]

Gresyn na wyddom beth oedd ateb Kitchener Davies i'w safbwynt,
safbwynt na chydnabyddai fod yn narostyngiad y cymoedd ddefnyddiau
trasiedi fawr. Gresyn, hefyd, na wyddom pa olwg ar y glowyr a gafodd
Eddie Parry yn ei ddrama radio fuddugol, 'Ofn'. Gwyddom, fodd
bynnag, fod y Parch. J. J. Williams wedi sicrhau fod yr olwg arferol
arnynt i'w gweld o hyd pan wobrwyodd 'Atgofion Hen Lowr' John
Davies (Pen Dar), awdur *Pai Johnny Bach,* yn hytrach nag atgofion
mwy cyfoes ac eofn Tywi Jones, a'r un oedd ei fwriad wrth wobrwyo'r

Cwmni Drama Gymraeg Abertawe yn Rhydaman, Chwefror 1935.
Ar law dde Kitchener Davies saif Clydach Thomas ('Dai Dafis').

Cwmni'r Pandy.

Isaac Williams Rich. Benjamin Mair Rees Morris Williams Islwyn Bowen

Letitia Harcombe J. Kitchener Davies Kate Roberts

cywydd gofyn ac ateb, sef '(A) Halier yn gofyn i oruchwyliwr glofa am waith. (B) Ateb y goruchwyliwr'—cywydd gan George Rees, Llundain sy'n ysgafn gyffwrdd yn dafodieithol ag asgwrn sawl cynnen yn y maes glo. Y mae'r halier diotgar yn cael gwaith er mwyn Mari'r wraig, a thybed nad er mwyn rhoi cyfle i un fel ef ddangos ei werth i'w gyflogwr y cynigiwyd gwobr ym Mhrifwyl 1934 i'r sawl a rôi harnais ar geffyl pwll gyflymaf. [86]

Bid a fo am hynny, nid gŵr oedd Kitchener Davies i'w ddigalonni gan gollfarn. Yr oedd ganddo yntau'i gyfeillion. Aeth Morris Williams, darpar-briod Kate Roberts, i'r afael ar unwaith â'r beirniaid ym Mhabell Lên y Brifwyl. Gan iddynt farnu fod y ddrama fel drama yn waith arobryn pa hawl oedd ganddynt i'w chael yn brin ar dir moesoldeb? Barnai D. T. Davies, R. G. Berry ac Ernest Hughes na cheid cwmni yng Nghymru i actio *Cwm Glo* oherwydd cymeriad Marged. Fe'u profwyd yn anghywir. Ar ôl trwyddedu'r ddrama gan Cynan, y sensor newydd-anedig, a'i chyhoeddi yn 1935, fe'i perfformiwyd am y tro cyntaf gan Gwmni Drama Gymraeg Abertawe, 7 Chwefror 1935, yn Rhydaman ac yna cododd y dramodydd Gwmni'r Pandy gan roi rhan Marged i'w chwaer, Letitia Harcombe; rhan Mrs. Davies i Kate Roberts; rhan Idwal i Morris Williams; rhan Bet i'w ddarpar-wraig, Mair Rees; rhan Dic Ifans i Isaac Williams; rhan Morgan Lewis i Richard Benjamin a chymryd rhan Dai Dafis ei hun. Tyrrodd pobol i'w gweld fel y tystiodd ei chwaer ar y rhaglen deledu am helynt *Cwm Glo* a ddangoswyd yn ystod y gyfres 'Almanac' yn 1982. Dros dro bu portread dramodydd Cymraeg o argyfwng cymoedd y De yn bwnc trafod cenedlaethol yn y ddwy iaith a bu'n rhaid wynebu rhai ceidwaid moes y gallesid disgwyl gwell ganddynt. Y mae'n syn meddwl fod awdurdodau Colegau Prifysgol Bangor ac Aberystwyth dan arweiniad Emrys Evans ac Ivor L. Evans wedi gwahardd eu myfyrwyr i actio'r ddrama a'i bod hefyd wedi'i gwrthod gan ddarllenwyr Cwmni Drama Cenedlaethol Howard de Walden. Esboniodd y *Western Mail* pam: 'The play was permeated with sex problems and was a collocation of rather abnormal persons in that direction.' [87]

Ni fynegwyd y gwrthwynebiad iddi'n ffyrnicach nag a wnaed yn yr *Amman Valley Chronicle* lle'r oedd gan Amanwy, yn enw'r 'Cerddetwr', golofn wythnosol. Fel David Evans, Trealaw a gondemniodd Kitchener Davies yn ddi-oed mewn llythyrau i'r *Western Mail* yn Awst, 1934, ni allai Amanwy yntau fel cyn-golier o sosialydd balch a brwd oddef y cam dybryd, fel y tybiai, a wnaethai'r dramodydd â chymeriad y glöwr ac roedd y ffaith ei fod yn aelod o Blaid Cymru yn ei wneud gymaint â hynny'n fwy o droseddwr, wrth gwrs. Nid cam ag Amanwy o gofio'i ymosodiad ar nofel Gwenallt, *Plasau'r Brenin,* a'i gyfeiriadau miniog at Saunders Lewis o bryd i'w gilydd, yw dal fod ei gas at *Cwm Glo* wedi'i hogi gan ei wrthwynebiad i'r cenedlaetholwyr. Ni olyga hynny na fyddai Dai Dafis wedi'i flino petasai'i grëwr yn sosialydd oherwydd yn syml ni allai'r glöwr fyth fod y math hwnnw o ddyn ym marn Amanwy. Fe fyddai wedi protestio, ond ni fyddai'r brotest lawn mor groch.[88]

Pan glywodd yn Ionawr, 1935, fod y ddrama i'w hactio yn Rhydaman mynegodd syndod nad oedd neb yn y dref wedi holi'r cwestiwn amlwg ynglŷn â'i gwedduster: 'A ydyw ''Cwmglo'' yn ddrama y gall dyn fynd â'i wraig a'i ferch neu ei fab yno, heb ofni y cyfyd camflas o'r perfformiad?' Proffwydodd y byddai'n fethiant am nad oedd ei gyddrefwyr wedi'u haddysgu 'i fwynhau drama â phroblemau ''rhyw'' ynddi. Gofyn am gael eu diddori mae pobl Rhydaman yn barhaus.' Cafodd weld yn fuan fod 'cwpwl piwr' o hyd yng Nghwm Aman heb golli dileit mewn 'problemau' o'r fath.[89]

'Roedd Amanwy yn barod i gydnabod angerdd argyhoeddiad Kitchener Davies er nad oedd ganddo ddim i'w ddweud wrth realaeth awduron megis Joyce, Lawrence, Saunders Lewis a Gwenallt. Mynnai fod rhai o'r digwyddiadau yn *Cwm Glo* yn 'feddylegol anghywir (psychologically untrue)'. Ni fyddai'r un glöwr fyth yn dwyn dim o focs bwyd glöwr arall, fel y gwnaeth Dai, ac 'roedd mynd i'w wely heb ymolch 'ar alwad nwyd ddall' yn weithred i 'godi cyfog ar bob glowr a gâr ei grefft.' At hynny, yr oedd ei glywed yn cyfeirio at gorff bach pert ei ferch bymtheg oed 'yn awgrym creulon a dichwaeth, ac yn dwyn ar gof i ddyn drychineb bywyd Wilde!' I ble'r aethai arwriaeth y glöwr?

> 'Paham y rhaid i ddramodydd o allu Mr. Kitchener Davies liwio'r graig y nadded ef ohoni â huddugl uffern?'

Ni welsai Amanwy ym Mynwy na Morgannwg ddim mor aflan â'i lowyr ef:

> 'Y mae'n anfri ar bobl sydd ar gyfartaledd yn gymeriadau cadarn, i'w portreadu megis ag y gwnaethpwyd yng ''Nghwmglo''. Na feier Caradoc Evans mwy am ''My People'' a ''Chapel Sion''! Dyma chwaer unfam undad i'w nofelau yng ''Nghwmglo''.'

Y fath gymorth hawdd ei gael fu Caradoc i geidwaid moes y Gymru Gymraeg! A'r fath droseddwr y rhaid fod Kitchener Davies i haeddu ei enwi ar yr un anadl â Caradoc a Wilde! Cyfannodd drindod wyrdroedig.[90]

Â chenedlaetholwr neu ddau ganddo mewn golwg, mae'n siŵr, haerai Amanwy y byddai Kitchener Davies ar ei ennill ped edrychai ar fywyd academigion Cymru lle câi, yn ôl a glywai, gymaint o aflendid i'w garthu ag a gâi ymhlith y glowyr: 'Yr ydym yn perthyn mor agos rhywfodd.' Ond am Dai Dafis ni chredai fyth y gallai glowyr y Rhondda syrthio mor isel ag ef 'hyd yn oed yn y wasgfa ddiwydiannol a ddaeth arnynt.' Yr oedd yn ddiolchgar i Clydach Thomas am 'droi cryn lawer o drasiedi'r ddrama yn rhywbeth tebyg iawn i ffars' rhag i'r cwbwl fynd 'yn boenus o ddiflas i'r neb sydd yn anwylo cymeriad glowr De Cymru.' Rhaid nodi yn y cyswllt hwn fod chwaer Kitchener Davies a D. M. Davies wedi datgan dau beth yn blaen yn ystod y rhaglen deledu honno am *Cwm Glo* yn 1982, sef fod gan y dramodydd deulu arbennig mewn golwg pan oedd wrthi'n ysgrifennu ac nad oedd eisiau i Marged adael y Rhondda i ymarfer ei dewis grefft.[91]

Pan glywodd Amanwy fod y ddrama i'w hactio drachefn yn Llandybïe adeg gwyliau'r Nadolig, 1935, ymosododd arni'r eilwaith yr un mor anfaddeugar, yn enwedig gan ei fod newydd alw ar ei ddarllenwyr i gynnal breichiau'r glowyr wrth iddynt ymladd am gyfiawnder: 'Peidiwch â bod yn galed ar y glowr pan ferwo trochion pair ei brofiadau drosodd ambell dro. Cofiwch mai'r glowr sy'n cynnal cymdeithas megis y'i ceir yn Nyffryn Aman . . .' Tro gwael oedd dod â drama a oedd yn ' "libel" ' ar lowyr Deheudir Cymru' yn ôl i'r fro a'i ateb i'r rhai a ddadleuai fod gan artist hawl i'w weledigaeth oedd, 'Eithaf gwir, eithr nid o ganol tomen o afiechyd y caiff "artist" na phroffwyd ei weledigaeth.' Nid oedd ond eisiau gosod *Cwm Glo* wrth ochor *Love on the Dole,* nofel Walter Greenwood a gyhoeddwyd yn 1933, i weld pa mor annheilwng ydoedd.[92]

Y mae'r gymhariaeth â *Love on the Dole* yn arwyddocaol o'i gweld yng ngoleuni erthygl gan Stephen Constantine ar boblogrwydd rhyfeddol y nofel honno yn y 30au. Gweithiwr a faged yn Hanky Park, Salford, oedd Greenwood ac yn ei nofel dangosodd sut y difrodwyd yr Hardcastles, un o deuluoedd y gymuned honno, gan ddirwasgiad a diweithdra. Gwerthwyd miloedd o gopïau ohoni, fe'i cyfieithwyd i'r Hebraeg a'r Rwsieg, ac fe'i troswyd yn ddrama bwerus gan Richard Gow mewn cydweithrediad â'r awdur. Yn 1941 cafwyd fersiwn ffilm ohoni a welwyd fel 'a terrible indictment . . . of a system which ruined men's bodies, killed their minds.' Ym marn y *Times,* yr oedd gwers i'r dyfodol ym mhob troedfedd o'r ffilm.[93]

O safbwynt agwedd Amanwy at *Cwm Glo* yr hyn sy'n ddiddorol yw fod Sally Hardcastle yn rhoi ei hunan i'r 'bookie', Sam Grundy, ac yna, trwy ddylanwad Grundy, caiff ei thad a'i brawd weithio eto. Y mae hwren yn llwyddo lle mae'r gwleidydd a'r undebwr yn methu. Er fod y British Board of Film Censors wedi gwahardd gwneud ffilm o'r nofel yn 1936 am ei bod 'a very sordid story in very sordid surroundings . . .', gan ddal y byddai cwymp Sally yn gwbwl annerbyniol gan y cyhoedd, yr oeddent yn cyfeiliorni. Fel ei brawd, Harry, a daflwyd allan gan ei dad am genhedlu plentyn siawns, ennyn cydymdeimlad a wnaeth ei chyflwr 'because the undermining of her standards is portrayed as an inevitable consequence of circumstances.' Rhaid casglu mai felly y gwelai Amanwy bethau, hefyd, a'i fod yn gallu teimlo dros yr Hardcastles am eu bod yn deulu hanfodol barchus a geisiai gynnal safonau a haeddai gymeradwyaeth y dosbarth canol yn nannedd amgylchiadau tu hwnt i'w rheolaeth. I'r gwrthwyneb, gwatwar safonau o'r fath a wnâi Dai Dafis ac ymwrthod â hwy a wnaeth Marged ar ôl gweld prawf ym Morgan Lewis a'i chwaer, Bet, o sictod a diffrwythdra'r dosbarth hwnnw. Tra bod *Love on the Dole* yn portreadu dosbarth gweithiol a ymdrechai i gynnal bywyd gwâr er gwaethaf adfyd, ni wnâi *Cwm Glo,* yng ngolwg Amanwy, ddim ond eu darostwng.[94]

Yn Llandybïe cododd rhai glowyr yn y gynulleidfa i aflonyddu ar y ddrama, er mawr foddhad iddo: 'Da iawn fechgyn Llandybïe! Hyderwn y gwêl glowyr pob ardal arall lle y chwaraeir y ffieiddbeth eu ffordd yn glir i ddilyn esiampl glowyr Llandybïe. Wele gyfle i lôwr i ddangos nad oes arno gywilydd o'r graig y'i nadded ohoni.' Porthwyd ei sylwadau gan 'G' a oedd am ailenwi *Cwm Glo* yn 'Cwm yr Ellyllon' a rhoi ei fys ar yr un pryd yn llygad Saunders Lewis, arweinydd y 'Blaid Ffasist Gymraeg' a oedd am amddiffyn Llŷn rhag rhaib y Weinyddiaeth Ryfel:

> 'Yn hyn cytunaf ag ef, ond atolwg, beth ydyw sarnu maes, dôl, ffridd a mynydd yn erbyn sarnu cymeriadau pobl y wlad "gan dylwyth ei dŷ ei hun," a gwladgarwyr mwyaf ein cenedl os ydym i roddi coel ar eu stori?'

Wele gynheiliaid 'Cymru lân' dan draed cenedlaetholwyr! Ond yr oedd 'y glowyr fel dosbarth wedi cyfrannu gormod tuag at fywyd gorau ac uchaf Cymru i ddioddef yr enllib hyn ar eu cymeriad yn ddi-

brotest.' Yng ngeiriau un ohonynt a aethai i weld actio *Cwm Glo* yn
Llandybïe:

> 'In spite of the sacrifice, struggle, and privation which has been the lot of
> the miner during these lean years of industrial depression, he still retains
> his dignity, and will certainly protest most emphatically against whatever
> appears to be a stigma imposed upon him.' [95]

Tra'n cofio am ei ragfarn boliticaidd byddai'n anodd rhagori ar
Amanwy, 'alias' *David* yn 1951, fel achubydd cam y glöwr Cymraeg
y buasai'i esblygiad moesol yn 'ffaith' i ymfalchïo ynddi ers canrif
dda. Yr oedd mor siŵr o afael y 'ffaith' honno ar ei ddarllenwyr fel y
gallai hepgor beirniadaeth ar *Cwm Glo* er mwyn canolbwyntio ar
fynegi 'outrage'. Byddai'r porthwyr wrth law. Pan aeth Cwmni'r
Pandy i Waun Cae Gurwen i actio'r ddrama er budd Ysbyty Cwmaman,
y geiriau a glywodd gohebydd lleol yr *Amman Valley Chronicle* y tu allan
i'r Neuadd Les oedd 'Common', 'Filthy', 'Putrid', 'Ghastly',
'Appallingly disgusting'. Y farn gyffredinol, meddai, oedd ei bod yn
annheilwng o'r Mudiad Drama yng Nghymru, 'casting as it does
vulgar and uneducated reflections on the mining community.' Bu'n
dda iawn gan y wasg, yn enwedig y wasg Saesneg yng Nghymru a
Lloegr, roi penawdau bras i ddicter piws amddiffynwyr y glowyr tra
parhaodd *Cwm Glo* yn destun siarad a hwyrach na ddylid synnu'n
ormodol, wrth edrych nôl dros y cythrwfl, fod cyn lleied o bwys
beirniadol wedi'i ddweud am y ddrama. O ran gwerthu papur mae
modfedd o foesoldeb clwyfedig yn rhagori llawer iawn ar droedfedd o
feirniadaeth lenyddol. [96]

Y mae lle i ddiolch, felly, fod yr *Amman Valley Chronicle* wedi gofyn
i artist ifanc o Rydaman roi ei farn ar *Cwm Glo* fel y gwnaethai yn y
Western Mail a'r *Amateur Theatre*. Traethodd Ken Etheridge yn
gadarnhaol ar ' "Cwmglo". A Modern Morality'. Llongyfarchodd
Kitchener Davies yn gyntaf dim am sgubo ymaith 'the religious
humbug found as an elegant padding in most of our old plays.' Ar ôl
syrffed o 'gomedïau' cafwyd drama i'w chymryd o ddifrif:

> '... He has shown in this play an unvarnished picture of a colliery
> district. He has been frank to the point of brutality, and if we do not like
> the picture, it is time we looked to the mending of the original. "Cwmglo"
> is the first drama of the realistic school on the Welsh stage. The picture it
> offers may be narrow, but it is penetrating, revealing the sordid lives of the
> collier and his wife and daughter. The author does not hold these up as

universal patterns, but I believe I am right in assuming that he has chosen three or four types to represent the lowest level to which the collier's family can sink.'[97]

Maentumiai Etheridge fod dylanwad D. H. Lawrence, 'a man in furious rebellion against the degradation of the North-country colliery town where he was born,' i'w weld ar *Cwm Glo,* gan nodi'n benodol eiriau Dic Ifans yn yr ail act pan yw'n dadlau fod cyflwr dirywiedig Dai Dafis yn ganlyniad byw mewn amgylchfyd anrheithiedig. Adleisio protest y Rhamantwyr ganrif dda o'i flaen yr oedd Lawrence, wrth gwrs, a siawns na wyddai Ken Etheridge fod P. Mansell Jones mewn erthygl ar 'Welsh Industrial Landscapes' yn 1931 newydd fod wrthi'n trafod pa mor anodd, onid amhosibl ydoedd i'r sawl a drigai'n feunyddiol yng nghanol 'hagrwch cynnydd' i feithrin hydeimledd esthetig. Ac yntau'n artist ifanc ni allai lai na theimlo grym y ddadl. Sut y gallai harddwch olygu dim i rywun fel Dai?:

> '"Dic Ifans" points out the cramping influence of the narrow streets and the slag-laden landscape of the coalfield. If only the land and the houses were clean, the men would be clean, too. That is the bitter cry of this writer all through the play, and this I have tried to catch in the backcloth painted for this scene. We see the lives of the people . . . going to waste, and the dirt of their environment is bitten so deeply into their souls that they seem beyond redemption. Who will consider this and call "Cwmglo" an immoral play? It is the fiercest criticism of industrial life that has yet appeared in dramatic form.'[98]

Pobol 'A balchder eu bro dan domennydd ysgrap, ysindrins, yslag' yw pobol *Cwm Glo.* Pobol 'Ar Gyfeiliorn'.

Tra'n cydnabod dawn Etheridge ni allai Amanwy weld y ddrama fel y gwelai ef hi. Yn wir, mynnai fod yn ddall i'w chenadwri. Fe'i gwelwyd yn glir gan Etheridge. Gwyddai mai dadlennu rhaib cyfalafiaeth oedd bwriad Kitchener Davies, yr union raib y gofynnai Amanwy yn enw'r glöwr am gymorth y cyhoedd i'w wrthsefyll, a'r un oedd dehongliad Glyn Ashton o'r ddrama pan adolygodd hi yn *Tir Newydd.* Ffolineb oedd sôn am anfoesoldeb; nid oedd yn *Cwm Glo* na chlod nac anghlod i'r glöwr: 'Swydd y ddrama hon yw mynegi afradlonrwydd profiad dyn, a hynny wedi'i ddylanwadu a'i ŵyro gan amgylchedd ac awyrgylch didrugaredd.' *Monica* Saunders Lewis a *Cwm Glo* oedd 'y ddau lyfr mwyaf moesol ac iach eu gwelediad a ddaeth allan o'r wasg Gymraeg—y ddau awdur yn gallu ac yn medru clywed a gwrando ar "the still sad music of humanity."'[99]

Gwaetha'r modd, ni ddaeth neb i elwa ar ehofndra Kitchener Davies. Yn wir, ni ddaliodd ef ei hun ati i weithio'r wythïen a oedd wedi'i hagor er na allai lai na sylweddoli, gan mor lluosog y tyrfaoedd a ddaethai i wylio actio'r ddrama, na fuasai'n cloddio'n ofer. Nid profiad Jack Jones yn Shaftesbury Avenue yn 1939 oedd profiad Kitchener Davies yn Ne Cymru yn 1935. Yr oedd y dosbarth gweithiol Cymraeg am weld eu portreadu ar lwyfan. Siaradodd *Cwm Glo* â Chymry'r cymoedd mewn modd annisgwyl o blaen, heb gynnig lleddfu dim ar drueni'r fan ond nid efelychwyd mohoni er mor ansylweddol, mewn gwirionedd, fu'r gwrthwynebiad iddi. Yn ei bryddest, 'Yr Anialwch', a enillodd iddo goron Eisteddfod Genedlaethol Abergwaun, 1936, defnyddiodd y Parch. David Jones, Cilfynydd—gweinidog a fuasai'n golier—y soned Shakespearaidd i adrodd stori glöwr o Forgannwg sy'n trengu oherwydd dwst y garreg. Oherwydd naws academaidd ei bryddest ar yr union adeg pan oedd uniongyrchedd mynegiant yn nodwedd ar y llenyddiaeth Saesneg am y bywyd diwydiannol a ysgrifennid yng Nghymru, fel yn Lloegr, ni wnaeth David Jones fawr o argraff. Yn *Cwm Glo* 'roedd rhyw gymaint o ddrewdod corff ac anfoes ar groen yr iaith ond buan y dychwelodd y glöwr i ofal y Gymraeg ffein a ddefnyddiwyd mor effeithiol gan Islwyn Williams, T. Rowland Hughes a Tilsli, a gadawyd i Rhys Davies, Lewis Jones, Jack Jones, Richard Llewellyn a Gwyn Thomas greu'r delweddau bras a brochus hynny o'r cymoedd y byddai'r awduron Cymraeg, heb fedru neu heb fynnu cystadlu â hwy, yn gorfod bodloni o'r 30au ymlaen ar gwyno eu bod yn dweud llai a mwy na'r gwir.[100]

Ym Mehefin, 1935, gwelai D. Llewelyn Walters arwyddion 'ysbryd adeni' ar waith yng Nghymru. Fe'i gwelai gliriaf yn llenyddiaeth yr oes, llenyddiaeth ac arni nod 'didwylledd, ac wynebu ffeithiau fel y maent yn hytrach nag fel yr hoffai'r llenor eu gweld.' Yr oedd o'r pwys mwyaf fod y Cymry eto'n ymwybod â'u harwahanrwydd diwylliannol—rhai ohonynt, o leiaf:

> 'Dywaid y meddylegwyr fod yng Nghymru heddiw ddau fath ar ddyn—y dyn â thraddodiad y tu cefn iddo a'r dyn di-draddodiad. Yr amaethwr cefn gwlad a'r glowr. Nid yw'r glowr druan, yn teimlo'i bod yn werth byw, nad yw'n werth ymdrechu i fyw. Teimla nad oes dim y tu cefn iddo.'

Yr oedd gwreiddiau'r amaethwr yn y tir. Gallai bwyso ar draddodiad a rôi iddo urddas a nerth i wrthsefyll treialon. Nid felly'r glöwr. Pan gollai ef ei gynhaliaeth faterol nid oedd ganddo ddim wrth gefn:

'Gan fod y bobl yn ddi-waith, ac nad oes fywyd cymdeithasol i'w cryfhau, y maent yn dirywio o ran corff, meddwl ac ysbryd, yn suro rhag popeth ac yn suddo i anobaith.'

Pa ryfedd yn wyneb cyffredinoliad amrwd mor hollgynhwysol fod Gwyn Thomas yn ewynnu poer wrth ladd ar y Gymraeg! Ac yr oedd Walters yn croesawu 'ysbryd adeni', cofier. Rhaid casglu na ddisgwyliai i'r ysbryd hwnnw allu gweithio ar y glöwr a ddibynnai 'ar draddodiad newydd yr oes weithfaol . . .', ac y mae gennym dystiolaeth un mwy nag ef i beri amau fod adfyd y De rhwng y ddau Ryfel Byd wedi profi'n drech nag ewyllys, waeth beth am allu, awduron y Gymraeg i'w drin.[101]

'Mae hi'n ddiwrnod oer, glawog, ysgythrog heddiw, a'r Rhondda'n edrych yn hyllach nag arfer.' Dyna frawddeg agoriadol erthygl fer yn dwyn y teitl, 'Dianc', a ysgrifennodd Kate Roberts ar gyfer *Y Traethodydd* yn 1935. Aeth yn ei blaen i ddweud:

'Wrth edrych allan trwy'r ffenestr ar y cannoedd tai, daw i feddwl dyn fod cannoedd o broblemau byw i'w datrys ynddynt, a phob un a'i helynt, mawr neu fychan . . . Sylwi ar hyn y naill wythnos ar ôl y llall a wnaeth imi feddwl cyn lleied o gysylltiad sydd rhwng llenyddiaeth Gymraeg heddiw â'r bywyd yma. Hyd y gwelaf, ni ddyry symbyliad i neb ysgrifennu storïau na barddoniaeth amdano yn Gymraeg.'

Eithriad iddi hi oedd *Cwm Glo,* drama anarferol ydoedd yn trafod problemau anghyffredin. 'Byddai nofel,' meddai, 'yn fwy cymwys at dawelwch cyffredin y bywyd hwn.' Rhyfedd yw meddwl am fywyd y Rhondda yn y 30au fel rhywbeth tawel a chyffredin, ond yr hyn a boenai Kate Roberts oedd nad oedd argoel yn unman am nofel Gymraeg i'w ddisgrifio a'i ddehongli—tawel ai peidio.[102]

Petai'n darllen y *Daily Worker* byddai wedi gweld ymosodiad Idris Cox ar yr Eisteddfod Genedlaethol yn 1932. Nid oedd dim iddo ef yn chwyldroadol ynglŷn â'r Brifwyl. Ni wnâi ddim i helpu'r gweithwyr ennill y rhyfel dosbarth. Llwyfan i ddiwylliant 'llonydd' ydoedd:

'The instinctive revolt against the narrow and cramped existence of the mining valleys is being exploited into nationalist and religious channels . . . All the songs, choral tests, poems, and dramas are divorced from the real life of the people. They deal with problems of the ''soul'', religious mythology, and the outworn traditions of the Welsh people.'

Prin y gellid disgwyl i Kate Roberts amenio safbwynt o'r fath, er mor ddiamynedd oedd ei hagwedd at grefydd sefydliadol bryd hynny, am y byddai Cox o'r un brid â'r Comiwnyddion hynny a roes amser caled i'r Athro Alfred Zimmern mewn cyfarfod yn Nhonypandy ym mis Mawrth, 1932. Cwynodd amdanynt mewn llythyr at Saunders Lewis am na fedrent 'feddwl am ddim ond yn nhermau economeg, a honno'n economeg unochrog o chwerwder at bawb sydd ganddynt fwy o bethau'r byd hwn na hwy. Yr oedd osgo rhai ohonynt wrth siarad megis "bulldog": maent wedi mynd yn llythrennol i ysgyrnygu dannedd.' Barnai fod eisiau 'troi meddwl y bobl hyn at lenyddiaeth ar y naill law ac at fywydeg ar y llaw arall. Maent erbyn hyn wedi colli pob lledneisrwydd a ddaw trwy lenyddiaeth ac ni ddeallant ddigon am hanfod dyn.' Rhwng y 'Daily 'Erald' a'r *Daily Worker* yr oedd eu meddyliau fel gwahaddod mewn trap. [103]

Wrth geisio esbonio iddi hi ei hun pam nad oedd llenyddiaeth Gymraeg y dydd 'yn ddrych o fywyd fel y mae yn 1935,' dechreuodd drwy ddadlau nad oedd i dlodi'r 30au ramant dioddefaint Rhyfel 1914-18. Nid oedd yr un dosbarth yn ddihangol o gyrraedd hwnnw. At ei gilydd ni wyddai'r dosbarth canol Cymraeg, y rhai cysurus eu byd yn y wlad, fawr ddim am archollion y dirwasgiad a dyna'r dosbarth a oedd yn cynhyrchu ac yn darllen llenyddiaeth. Yr oedd yn natur dyn i anwybyddu neu beidio â phoeni am bethau na pherthynai i'w fyd, er ei bod yn gwbl bosibl, wrth reswm, i awdur trwy rym dychymyg ysgrifennu'n afaelgar am brofiadau na phrofodd mohonynt ei hun. [104]

Nid oedd ganddi ateb safadwy i'r cwestiwn a'i blinai, sef pam fod y bywyd cyfoes yn ffurfio 'cyn lleied o ddefnydd crai ein llenyddiaeth?' Yn wir, ystyriai ei hun 'yn bechadur mawr yn hyn o beth,' yn un o'r awduron a oedd yn dewis dianc:

> '. . . Yn y gorffennol y mae eu byd a'u nefoedd. Pobl ganol oed yw llawer o lenorion y cyfnod hwn, fel pob cyfnod arall, a thuedd canol oed yw troi llygaid hiraethlon tu ôl i'r cefn a meddwl bod yr amser a fu yn well na'r amser hwn. Os yw hynny'n wir o gwbl, mae'n wir am y diwylliant a'r bywyd Cymreig—yn ôl y mae amser gorau hwnnw. Ac wedi'r cyfan, y bywyd hwnnw oedd y bywyd gorau i lenyddiaeth dyfu ynddo.' [105]

Fe fyddai Brynfab, y cafwyd ail argraffiad o'i fugeilgerdd ryddiaith, *Pan Oedd Rhondda'n Bur*, yn 1931 a J. J. Williams a gyhoeddodd yr un flwyddyn ei storïau mwyn, *Straeon y Gilfach Ddu,* am lowyr ers talwm pan fyddai Dic Ifans *Cwm Glo* yn gallu cael tro ar bawb—fe fyddai Brynfab a 'J.J.' yn fwy na pharod i Kate Roberts eu gwysio i brofi pwynt.

A hithau ar fin dychwelyd i'r Gogledd fe'i câi'n enbyd o anodd i weld dyfodol i lenyddiaeth Gymraeg yng nghymoedd y De. Tair blynedd ynghynt mewn ysgrif ar 'Cwm Rhondda', er teimlo mai'r peth gorau a allai ddigwydd i fywyd cyhoeddus y Cwm 'fyddai ei droi â'i wyneb i waered,' daliai i obeithio wrth wynebu'r frwydr. Er hylled yr amgylchedd yr oedd y bobol yn llawn diddordeb. 'Roedd 'rhywfaint o falchder' ar ôl ynddynt o hyd ac er fod y Gymraeg ar drai 'roedd yno 'lewych o obaith. Nid yw'r dyffryn hwn eto wedi mynd i'r tir marw

Rhai o blant y Rhondda yn y 30au.

Amgueddfa Genedlaethol Cymru

Y Rhondda Fawr yn yr 1920au.

hwnnw fel nad yw'n malio beth a ddigwydd.' Yn wir, ym mis Mai, 1932, dywedodd wrth Saunders Lewis ei bod 'wedi dechrau ysgrifennu nofel a'i chefndir yng Nghwm Rhondda,' ac aeth rhagddi i amlinellu'r plot a fyddai'n trafod helyntion teulu o'r Gogledd, 'teulu darbodus . . . o'r teip gorau,' o'r amser y symudodd i'r De rywdro rhwng 1900 ac 1910 hyd at 1932. Yr oedd yn rhaid iddi ymwneud â theulu o'r fath 'gan na wn i ddigon am drigolion y Rhondda (rhaid gwybod o'r tu mewn i wybod yn iawn) . . .'[106]

Yr un mis yn union, mewn llith golygyddol yn *The Welsh Nationalist,* yr oedd Saunders Lewis wedi haeru mai ei famwlad ef oedd yr uffern waethaf yn Ewrop y dwthwn hwnnw, gan sylwi'n arbennig ar enbydrwydd y De. Ar daith car trwy'r Rhondda bu'n rhaid iddo geisio seintwar yng nghartref cydnabod (ai Kate Roberts a'i gŵr?) 'who have made a gracious oasis in the centre of it all.' Ni ddywedodd wrthynt 'that it was the frightening, unnerving experience of that drive, and the realisation of the insane horror of the elongated bedlam of the industrial valley that made me turn into them to keep my mind clear.' Prin fod eisiau dweud ei fod, yn gymwys fel y gwnaeth wedyn yn y gerdd erlidiedig honno, 'Y Dilyw, 1939', yn arfer iaith polemig ac aeth yn ei flaen i haeru fod gan Gymru hawl i gyhuddo'r llywodraeth o anfadwaith 'hardly paralleled by any imperialism in any other land—it has made a bestiality where there was once decency and civilized life.' O gofio'r geiriau hynny nid yw'n ddim syndod fod *Deg Pwynt Polisi* Plaid Cymru yn 1933 yn cynnwys hwn: 'Er mwyn iechyd moesol Cymru ac er lles moesol a chorfforol ei phoblogaeth, rhaid yw dad-ddiwydiannu Deheudir Cymru.'[107]

Mae'r hyn a ddywedodd wrth Kate Roberts mewn llythyr ar ddechrau Mehefin, fodd bynnag, yn dangos mai taro drwm atgasedd at wleidyddiaeth estron, ddi-hid a wnâi yn *The Welsh Nationalist.* Ymatebodd yn frwd i'w hawydd i ysgrifennu nofel: 'Y mae'r Rhondda yn gefndir ardderchog, yn ei gymysgedd poblogaeth, yn ei dreigl a'i dwf, yn ei erchylltra hefyd, ac yn anad dim yn ei ferw . . . Bydd eich nofel yn ymdrin â chyfnod sy'n awr yn darfod, yn symud i'w dynged.' Ond ar yr un anadl yr oedd yn ei chymell i ddarllen *Llanwynno* Glanffrwd, un o glasuron rhyddiaith y ganrif ddiwethaf a drysorai'n fwy 'na'r holl lyfrau ar Farxiaeth gyda'i gilydd. Trysor yw hwn—pethau defnyddiol ydynt hwy.' Er gwybod fod diweithdra yn Nhonypandy yn uwch bron nag yn unman arall yn y deyrnas ym mis Mai, 1932, ac er ofni terfysg yn yr Hydref, ac er gweld yn glir fod yn nwylo Kate Roberts ddefnyddiau epig, gwell gan Saunders Lewis ei hun oedd dyfalu'r gorffennol amaethyddol: 'Pa fath fywyd, tybed oedd yn y Rhondda cyn dyfod y gweithiau glo yno?' Dyna'r math o gwestiwn yr ystyriai Alun Llywelyn-Williams ei fod yn ddi-fudd pan yrrodd erthygl i'r *Llenor* yn 1935 ar 'Barddoniaeth mewn oes ddiwydiannol'. Nid ysgrifennodd Kate Roberts mo'r nofel a oedd ganddi mewn golwg. Yr hyn a gafwyd yn hytrach oedd *Traed Mewn Cyffion* a meddwodd Saunders Lewis gymaint ar gyfoeth Cymraeg y nofel honno fel na cheisiodd berswadio'i hawdur i ailafael yn ei bwriad cychwynnol, er iddo gydnabod camp ei stori fer, 'Gorymdaith', a oedd 'wedi cadw am byth i lenyddiaeth Gymraeg chwerwder seithug y siwrneio a'r protestio a fu'n rhan y diwaith yng nghyfnod duaf Cymru.' A benthyca'i ffordd 'ex cathedra' ef o lefaru am foment gellir dweud mai anallu Kate Roberts i ysgrifennu'r nofel honno am y De yw un o'r colledion mwyaf, onid 'y' golled fwyaf, a gafodd ein llenyddiaeth yn y ganrif hon. Fe all iddi fethu am na chafodd amser i ymdaflu i'r gwaith, am na fu Saunders Lewis, hwyrach, yn ddigon taer ei anogaeth neu, a dyma sy'n fwyaf tebygol, am i ddirywiad y Rhondda ei llethu.[108]

Gadawsai'r blynyddoedd rhwng 1932 ac 1935 eu hôl ar ei hyder. Y mae'n hawdd credu, wrth ddarllen paragraff olaf ei herthygl gyffes, 'Dianc', y byddai hi a Kitchener Davies ar derfyn sesiwn hwyrol o gyfnewid storïau gylch y tân am gymeriadau Tregaron a Dyffryn Nantlle yn gofyn 'i beth oeddem ni'n dda yng Nghwm Rhondda yn lle bod gartref ymhlith ein pobl ein hunain.' Os oes paragraff yn y Gymraeg sy'n fynegiant llymach o ofid, onid torcalon llenor o allu mawr wrth wylio'n ddiymadferth ran dda o Gymru'r 30au a fuasai megis ddoe yn llafar iawn ei Chymreictod, bellach yn troi'n gladdfa i'r Cymreictod hwnnw, ni wn amdano. Ar ôl ei ddarllen prin fod eisiau gofyn pam nad esgorodd ugain mlynedd Kate Roberts yn y De ar fwy na'r tair stori fer am y frwydr yn erbyn cyni a gyhoeddwyd yn *Ffair Gaeaf a Storïau Eraill* yn 1937. Nid oedd ganddi mo'r galon lenyddol na'r stumog, hwyrach, at y gwaith. Onid dyna a ddywed ei chwestiynau rhethregol wrthym? Gallai ymroi dros Blaid Cymru er caleted y talcen a'i hwynebai ond ni allai lenydda am gymdeithas y credai ei bod eisoes tu hwnt i'w chyrraedd:

'. . . Lle mae mwyaf o dlodi heddiw, yno mae'r diwylliant Cymreig wedi marw. Mewn geiriau eraill, lle y gwelwyd Diwydiant a Chyfalafiaeth ar eu hyllaf, hynny ydyw, lle y buont fwyaf llwyddiannus, yno hefyd y gwelwyd diflannu'r peth mwyaf gogoneddus oedd yno—sef y diwylliant Cymreig. Yr oedd yn rhaid i un o'r ddau fynd, yn ôl safonau "dyfod ymlaen'' yn y bedwaredd ganrif ar bymtheg . . . Erbyn hyn, mae'r ddau beth wedi mynd, y Diwydiant a'r diwylliant Cymreig, ac nid erys dim ar ôl. Nid oes un siop a ddengys lyfrau Cymraeg yn ei ffenestri yn yr holl gwm, ni chlywir Cymraeg gan na phlant na phobl ieuanc ar yr heolydd. A ellir felly ddisgwyl codi llenor o Gymro ar y fath wrtaith o fywyd. Os oes llenor yma eisoes, ai hawdd iddo greu llenyddiaeth o fywyd sydd mor estron iddo â bywyd Coventry?'[109]

NODIADAU

[1] *Tarian y Gweithiwr,* 21 Rhagfyr 1877, 3; Roger Thomas, Ystalyfera, *Gruffydd Llwyd neu Y Bachgen Amddifad,* ac *Ogof y Daren Goch* (Caerfyrddin, 1882); Hywel Teifi Edwards, 'Gardd y Gweithiwr', *Cwm Tawe* (Cyfres y Cymoedd), 168-9; *Y Faner,* 30 Awst 1876, 4. Yn *Y Fellten* daeth ei stori, 'Nid Aur yw Pob Peth sydd yn Dysgleirio', i ben ar 29 Mai 1874 ar ôl ugain pennod. Dechreuodd 'Dafydd Jones, neu Y Cardotyn Cyfoethog' ar 14 Awst 1874 a gorffen ar ôl 25 pennod 19 Mawrth 1875.

[2] D. G. Evans, *The Growth and Development of Organized Religion in the Swansea Valley 1820-1890.* Traethawd Ph.D. Prifysgol Cymru (Rhagfyr 1977), 374; Maurice Davies, *Hanes Eglwys Soar, Ystalyfera 1843-1943* (Llandysul, 1943), 59; *Seren Gomer,* 1862, 319-33; *Seren Cymru,* 11 Mehefin 1859, 234; Roger Thomas, Cwmtwrch, *Traethawd ar Ddechreuad a Chynnydd Gweithiau Haiarn a Glo Ynyscedwyn ac Ystalyfera yn nghyd a Sefyllfa Naturiol a Moesol y Trigolion* (Caerdydd, d.d.)

[3] *Gruffydd Llwyd* . . . , gw. 'Gair at y Darllenydd'.

[4] *Tarian y Gweithiwr,* 6 Gorffennaf 1877, 2.

[5] *Seren Cymru,* 29 Ebrill 1870, 2.

[6] ibid., 13/20/27 Mai 1870, 2.

[7] ibid., 3/10 Mehefin 1870, 2.

[8] ibid., 17 Mehefin 1870, 2.

[9] ibid.

[10] *Y Gwladgarwr,* 30 Gorffennaf 1875, 2.

[11] ibid., 30 Gorffennaf a 6 Awst 1875, 2.

[12] Aled Jones, *Press, Politics and Society . . .,* 193.

[13] *Tarian y Gweithiwr,* 6 Gorffennaf 1877, 2.

[14] ibid., 3 Awst 1877, 2.

[15] ibid., 13/20/27 Gorffennaf, 3 Awst 1877, 2.

[16] ibid., 10/17 Awst 1877, 2.

[17] ibid., 24/31 Awst, 7/14 Medi 1877, 2.

[18] ibid., 21/28 Medi, 2; 5/12 Hydref 1877, 2.

[19] ibid., 19/26 Hydref, 2 Tachwedd 1877, 2.

[20] ibid., 9 Tachwedd 1877, 2.

[21] ibid., 16/23/30 Tachwedd 1877, 2.

[22] ibid., 30 Tachwedd 1877, 2.

[23] ibid., 14 Medi 1877, 2.

[24] ibid., 6 Gorffennaf 1877, 2.

[25] 6/20/27 Gorffennaf 1877, 2.

[26] *Atgofion H. T. Jacob (Abertawe, d.d.), 27, 62.*

[27] Irene Saunderson, *A Welsh Heroine. A Romance of Colliery Life* (London, 1911).

[28] ibid., 7-8.

[29] ibid., 120, 127, 164.,

[30] ibid., 168, 171.

[31] ibid., 273.

[32] ibid., 314-5.

[33] ibid., 324.

[34] ibid., 328.

[35] *Tarian y Gweithiwr,* 4 Gorffennaf 1912, 4-5.

[36] *The Red Dragon,* 1, 1882, 426-8.

[37] Beriah Gwynfe Evans, *Ystori'r Streic: neu Ddrama yn Arddangos Bywyd Gweithwyr Cymru Heddyw* (Caernarfon, 1904), 5-7.

[38] ibid., 16-21.

[39] ibid., 34.

[40] ibid., 38-41.

[41] ibid., 46-8.

[42] ibid., 47.

[43] John Davies, Aberdâr, *Pai Johnny Bach* (Aberdâr, 1914).

[44] *The Aberdare Leader,* 10/17 February 1940, 2; *Tarian y Gweithiwr,* 17 Ebrill 1913, 1.

[45] *Pai Johnny Bach,* 1-2.

[46] ibid., 39-42. Yn ateg i eiriau Dafydd Ifans gellir dyfynnu sylwadau Tywi Jones yn *Y Darian,* 10 Rhagfyr 1925, 4: 'Gwyddom beth oedd ein gorthrymu'n ddidrugaredd gan swyddogion pwll, a'r swyddogion hynny'n llanw set fawr eglwys arbennig ar y Sul. Codwyd cenedlaethau o anffyddwyr ac o eithafwyr mewn pyllau glo. A ellid disgwyl iddynt fod yn ddim arall? Cawsom mewn gweithiau eraill bob tegwch a chymwynasgarwch ar law swyddogion garw eu ffyrdd a digrefydd.' Daeth yn ôl at yr un mater yn ei 'Atgofion' yn *Y Brython,* 11 Ebrill 1935, 3. Cofiai am y 'pyllau enwadol' a'r swyddogion, 'Gwŷr y Sêt Fawr', a ofalai am eu cynffonwyr: 'Pan gofiaf amdanynt—yr olwg urddasol oedd arnynt yn y cysegr ar y Sul a'u gormes diesgus yn y gwaith drwy'r wythnos, nid yw'n synn gennyf i lawer gefnu ar grefydd.'

[47] ibid., 50-1.

[48] ibid., 53, 58-60.

[49] ibid., 60-70.

[50] *Deufor-Gyfarfod* (Welsh Drama Series, No.93), (Caerdydd, d.d.); Daniel Owen, *Rhys Lewis* (Wrexham 1885), Pennod XVI.

[52] *Deufor-Gyfarfod,* 32-9.

[53] ibid., 48-50.

[53] ibid., 123-7.

[54] *The Western Mail,* 25 June 1914, 7; Robert Griffiths, *Streic! Streic! Streic!* (Caerdydd, 1986); John Edwards, *Rememberance of a riot: the story of the Llanelli Railway Strike riots of 1911.* (Llanelli, 1988); *Tarian y Gweithiwr,* 7/14 Mawrth 1912, 4; *Deufor-Gyfarfod,* 104.

[55] M. Wynn Thomas, *Internal Difference,* 12-24.

⁵⁶ *The Western Mail,* 18 May 1914, 5; Hywel Teifi Edwards, *Codi'r Hen Wlad yn ei Hôl,* 285-315.

⁵⁷ Noel Gibbard, 'Tywi yng Nghwm Tawe', *Cwm Tawe* (Cyfres y Cymoedd), 240-65.

⁵⁸ ibid., 254-9.

⁵⁹ *Tarian y Gweithiwr,* 11 Mehefin 1914, 4.

⁶⁰ *Y Darian,* 12 Chwefror 1920, 5; 26 Chwefror 1920, 5; 4/11 Mawrth 1920, 4, 5.

⁶¹ ibid., 4 Mawrth 1920, 4.

⁶² ibid., 18 Mawrth 1920, 3; 8 Ebrill 1920, 6.

⁶³ ibid., 2 Mehefin 1921, 2.

⁶⁴ T. Mardy Rees, *Ystoriau Difyr : sef I.—Bywyd yn y Rhondda. II.—Penycoed* (Gwrecsam, 1909), gw. 'Rhagymadrodd'; idem., *Difyrrwch Gwyr Morgannwg. Pennodau Difyr yn hanes Gwerin Morgannwg* (Caernarfon, d.d.), gw. 'Rhagymadrodd'.

⁶⁵ H. T. Jacob, 'Glowyr Doniol 'welais i Ymhobman', *Y Ford Gron,* V, Awst, 1935, 223-5; *Ffraethebion y Glowr Cymreig. Y Ddau Gasgliad Cyd-fuddugol yn Eisteddfod Genedlaethol Treorci, 1928* (Caerdydd, d.d.).

⁶⁶ *Cardigan and Tivyside Advertiser,* 31 October 1947, 5; W. Glynfab Williams, *'Ni'n Doi.' Diccyn o Anas Dai a Finna a'r Ryfal* (Caerfyrddin, 1918), 74-5, 52; idem., *'Y Partin Dwpwl'. Racor o Anas Dai a Finna a'r Ryfal* (Caerfyrddin d.d.); idem., *'Y Twll Cloi'. Racor o Anas Dai a Finna a'r Ryfal* (Caerfyrddin, d.d.), 103.

⁶⁷ Robert Rhys, 'Cân y Fwyalchen: Golwg ar waith J.J. Williams (1869-1954)', *Cwm Tawe* (Cyfres y Cymoedd), 266-92.

⁶⁸ *The Welsh Gazette,* 8 February 1934, 6.

⁶⁹ ibid.

⁷⁰ *Y Dysgedydd,* 1935, 282; *Yr Eurgrawn,* 1935, 318; Tom Davies, *Tom Stenner. Bywyd a Helyntion Hen Golier o Gwm Rhondda* (Aberdâr, 1936), 40-1.

⁷¹ *The Welsh Gazette,* 8 February 1934, 6.

⁷² *Yr Efrydydd,* VIII, Mawrth, 1932, 156-8.

⁷³ ibid., IV, Mehefin, 1928, 232-5.

⁷⁴ *Cofnodion a Chyfansoddiadau Eisteddfod Genedlaethol Castell Nedd, 1918. Rhan I. Barddoniaeth a Drama,* 65-7.

⁷⁵ *Y Darian,* 8 Awst 1918, 2; *NLW Schedule of National Eisteddfod MSS.* Eisteddfod Genedlaethol Port Talbot, 1932. Rhif 48; *The Fifty-second Annual Report of the National Eisteddfod Association together with the Transactions of the Cymmrodorion Section of the National Eisteddfod* (Port Talbot), 1932, 43.

⁷⁶ Mair I. Davies (gol.), *Gwaith James Kitchener Davies* (Llandysul, 1980), gw. 'Cwm Glo', 143-204.

⁷⁷ ibid., 147-57.

⁷⁸ ibid., 158-68.

⁷⁹ ibid., 170-1, 173-77.

⁸⁰ ibid., 177-82.

⁸¹ ibid., 183-88.

⁸² ibid., 189-204.

⁸³ ibid., 200.

⁸⁴ *The Western Mail,* 8 August 1934, 10; 9 August 1934, 6,7.

⁸⁵ *The Fifty-fourth Annual Report of the National Eisteddfod Association together with the Transactions of the Cymmrodorion Section of the National Eisteddfod (Neath), 1934,* 88; *The Western Mail,* 9 August 1934, 6.

[86] *Straeon ac Ysgrifau Buddugol yn Eisteddfod Castell Nedd 1934,* 61-72; *Ogof Arthur, Y Gorwel a'r Holl Farddoniaeth Fuddugol yn Eisteddfod Castell Nedd, 1934,* 48-9; *The Western Mail,* 9 August 1934, 6.

[87] *Gwaith James Kitchener Davies,* 143, 145. Gw. 'Nodiadau'r Golygydd' ar ddiwedd y gyfrol; *The Amman Valley Chronicle,* 17 January 1935, 2; *The Western Mail,* 9 August 1934, 6.

[88] *The Western Mail,* 21, 28 August 1934, 11; *The Amman Valley Chronicle,* 13 September 1934, 2; ibid., 21 March 1935, 2.

[89] ibid., 17 January 1935, 2.

[90] ibid., 14 February 1935, 2.

[91] ibid.

[92] ibid., 24 October 1935, 2; ibid., 19 December 1935, 2.

[93] Stephen Constantine, ' "Love on the Dole" and its Reception in the 1930s', *Literature and History,* Vol. 8:2, Autumn 1982, 232-47.

[94] ibid., 234, 242.

[95] *The Amman Valley Chronicle,* 2 January 1936, 2, 4, 7.

[96] ibid., 21 November 1935, 3.

[97] ibid., 14 February 1935, 5.

[98] *The Welsh Outlook,* 1931, 154-6; *The Amman Valley Chronicle,* 14 February 1935, 5.

[99] *Tir Newydd,* 1, 1936, 2-3.

[100] *Yr Awdl, Y Bryddest, a Darnau Eraill Buddugol yn Eisteddfod Genedlaethol Abergwaun, 1936,* 21-33.

[101] D. Llewelyn Walters, 'Yng Nghymru Heddiw', *Y Ford Gron,* V, Mehefin, 1935, 171.

[102] David Jenkins (gol.), *Erthyglau ac Ysgrifau Llenyddol Kate Roberts* (Llandybïe, 1978), 305-7.

[103] *The Daily Worker,* 6 August 1932, 4; Dafydd Ifans (gol.), *Annwyl Kate, Annwyl Saunders. Gohebiaeth 1923-1983* (Aberystwyth, 1992), 87.

[104] David Jenkins (gol.), op. cit., 306.

[105] ibid., 306-7.

[106] ibid., 352.

[107] *The Welsh Nationalist,* 15 May 1932, 1; Saunders Lewis, *Canlyn Arthur* (Dinbych, 1938), 12.

[108] Dafydd Ifans (gol.), op. cit., 91, 114-5, 118; *Y Llenor,* XIV, 1935 (Gwanwyn), 23-34.

[109] David Jenkins (gol.), op. cit., 151, 306-7.

Pennod IV

Chwedl i'w Chadw'n Fyw

('Trueni mawr yw na ddatguddiwyd mo werth a chymhlethdod person-
oliaeth y glöwr gan na bardd na llenor yng Nghymru.' Amanwy mewn
sgwrs radio ar 'Y Glöwr' yn 1944)

Y mae'r ateb i'r cwestiwn a flinai Kate Roberts yn 1935 ynghladd
mewn cyfuniad o ffactorau fel yr awgrymwyd eisoes yn y Rhag-
ymadrodd. Rhy hawdd yw dweud fod anghyfoesedd llenyddiaeth
Gymraeg y dwthwn hwnnw wyneb yn wyneb â dirni bywyd y De i'w
briodoli i'r tueddfryd canol-oed cyffredinol i ddianc yn ôl at gysur y
cyfarwydd. Ac eithrio dyrnaid o gerddi gan Gwenallt, un ddrama gan
Kitchener Davies a phryddest anfuddugol gan Dyfnallt Morgan, prin
fod hynny o lenyddiaeth a gafwyd yn y Gymraeg am y De diwydiannol
yn y cyfnod dan sylw yma wedi ymryddhau o afael ethos a chonfen-
siynau llenyddol Oes Victoria. Yn fwy aml na pheidio 'roedd y modd
y canfyddid y glöwr wedi'i benderfynu gan ffurfiau ac ieithwedd a
fuasai mewn cylchrediad ers yr 1850au.

Gwnaeth y Diwygiad Methodistaidd y Gymraeg yn iaith y cadw
mewn mwy nag un ystyr. Cododd Pantycelyn y defnydd o'r iaith
honno i uchelion llenyddol wrth archwilio natur pechod a thywys
pererinion ar hyd llwybrau'r ymwared mawr. Iaith cadw enaid yw
iaith campweithiau Pantycelyn. Yn y ganrif ddiwethaf, fodd bynnag,
gyda thwf y sefydliad Methodistaidd ac ymlediad Anghydffurfiaeth
llanwyd y tir gan sŵn iaith cadw trefn, trefn foesol a chymdeithasol yn
arbennig felly, fel y dangosodd Daniel Owen yn ei ddisgrifiadau o'r
seiat wrth ei gwaith. Gwysiwyd y Gymraeg i wasanaethu moeseg
grefyddol a'i gorfodai i ddewis ei chwmni'n ofalus ac i arddel
swyddogaeth gyfyngol yn gyson. Yr oedd, yng ngeiriau Gwenallt, i
fod yn iaith 'gwerin bendefigaidd Duw' a chofier fod Goronwy Owen
yntau, er cymaint y casâi'r Methodistiaid, yn un â hwy fel bardd
Cristnogol ail ei ddylanwad i Bantycelyn yn y bedwaredd ganrif ar
bymtheg, yn ei bwyslais ar y Gymraeg fel cyfrwng aruchelu, puro a
chywiro.

Pan fabwysiadodd y prifeirdd eisteddfodol ei broffes lenyddol ef yr
oeddent i bob pwrpas yn ymwrthod â'r Gymru ddiwydiannol nad
oedd ei thwf diatal yn ddim byd llai nag epig. Gwahoddodd Goronwy

Owen ei 'gyfaill puraf' i adael trybestod Llundain a dod ato i'r wlad
'I gael cân (beth ddiddanach?)/A rhodio gardd y bardd bach.'
Denodd feirdd Cymru i'w ddilyn yn eu dillad parch i feysydd
pellennig yr epig feiblaidd ac fe'i dilynasant yn droetrwm. Bu iddo
statws bardd cenedlaethol, normadol trwy gydol y ganrif ddiwethaf a
sicrhaodd ei ddisgynyddion amlycaf—Dafydd Ddu Eryri, Caledfryn
a John Morris-Jones y byddai barddoni yn para i fod yn 'barchus,
arswydus swydd' yng Nghymru ymhell wedi'i farw ef yn alltud yn
Virginia. Dagrau pethau o safbwynt llenyddiaeth Oes Victoria yw
fod y beirdd a ddilynodd drywydd ei uchelgais farddol ef wedi
alltudio'u hunain o'r Gymru weithfaol newydd a ymddatblygai o'r
1780au ymlaen.

Yr oedd y pwyslais ar y Gymraeg fel iaith cadw trefn i drymhau
gyda chyhoeddi Llyfrau Gleision y tri chomisiynwr—Lingen,
Symons a Vaughan Johnson—yn 1847. Barnent hwy mai'r Gymraeg,
a'r Anghydffurfiaeth a wasanaethid ganddi, oedd i gyfrif i raddau
helaeth am anfoes ac anghynnydd Cymru ac yr oedd ganddynt, fel y
tybient, ddigon o brawf fod y werin bobol mewn cyflwr isel a thruenus
o ran dysg a moes. Yn yr adwaith i Frad y Llyfrau Gleision nid oes
dim sy'n fwy arwyddocaol o safbwynt llenyddol na'r modd y dwysäwyd
yr hen awydd diwygiadol i briodi'r Gymraeg ag amcanion dyrchafol,
ac yr oedd ailadeiladu cymeriad y werin yn noddfa i'r genedl rhag ei
dilornwyr yn bennaf amcan gan yr amddiffynwyr. Os darostyngwyd
y genedl gan ddiffygion honedig ei gwerinwyr fe gâi atgyfodi ar sail eu
rhagoriaethau anwadadwy.

Yn ail hanner y ganrif ddiwethaf yr oedd y broses hon o ddyrchafu
gwerin Cymru yn darian ac astalch anrhydedd y genedl i'w nerthu
gan ddylanwad Rhamantiaeth a'r pwyslais a roes ar urddas y 'volk'.
Ac ym mherson O. M. Edwards, gan ei fod yn Galfin o wladgarwr
rhamantaidd, cyfarfu'r grymoedd diwylliannol a'i gwnaeth ef yn
anad neb yn grëwr myth mawr y werin ddigymar a gynhaliai 'fywyd
gorau' Cymru. Trafodwyd y myth hwnnw gan Alun Llywelyn-
Williams mewn pennod olau ar 'Hen Werin y Graith' a chafodd sylw
yr un mor olau gan Prys Morgan mewn erthygl ar 'Gwerin Cymru—
Y Ffaith a'r Ddelfryd'. Dangosodd y ddau ohonynt mor gwbwl
wledig a gwladaidd, gwladgarol a chrefyddgar yw'r gwerinwyr a
ddyrchafwyd gan O. M. Edwards yn fodau dewisol. Nid yw craith y
glöwr yn amlwg yn y llenyddiaeth a gafodd sylw Alun Llywelyn-
Williams. Gwladwr yw'r gwerinwr Cymraeg yn ei hanfod, un y mae

ei fyd a'i fywyd ynghlwm wrth rythmau cynnes iaith ac arni hen flas y pridd a'r cysegr.[1]

Yr oedd y werin ddiwydiannol, fodd bynnag, yn byw mewn cymunedau brith ynghanol amgylchfyd anrheithiedig na welsid dim tebyg iddynt o'r blaen. Llafurient dan amodau annormal. Galwai'r sefyllfa am ddoniau Whitman neu Zola neu Gorky, am weld dewr, megis gweld Millet a Courbet a Van Gogh a beintiodd 'Y Bwytawyr Tatws' yn 1885, am feiddgarwch arddull a ffurf, ond yr oedd llen-yddiaeth Gymraeg wedi 1847 yn gaeth i ofynion amddiffynnol a fynnai gorlannu'r glöwr gyda'r werin wledig, rywiog. A honno, ym marn Prys Morgan, ydoedd craidd y ddelfryd a chwifiwyd gan O. M. Edwards, W. J. Gruffydd a Crwys 'i wneud i asgwrn-cefn y Cymry ymsythu.' Er mor wahanol ei fyd oedd y glöwr impiwyd arno ddelwedd y gwerinwr 'pur sang' yn ei holl ddaioni a'i ddiniweidrwydd a phrin y cafodd, o ran iaith ac agwedd, gyfle i beidio â bod yn ddim ond gwladwr du ei wyneb yn ystod y ganrif rhwng 1850 ac 1950. Fel y dywedodd Prys Morgan, o safbwynt y pentrefi diwydiannol ni wnaeth 'yr agwedd wledig i'r "werin"' ond 'pellhau'r ddelfryd fwyfwy oddi wrth realiti.'[2]

Cyn ei farw yr oedd Pantycelyn wedi deall y byddai'r Chwyldro Diwydiannol yn dwyn problemau dynol lawer yn ei sgil gan osod y gweithiwr, yn gorff ac ysbryd, dan straen enbyd wrth iddo orfod symud yn feunyddiol i rythmau gwaith llethol a churiadau trachwant cyfalafol. Mynegodd ei ofid yn *Hanes Bywyd a Marwolaeth Tri Wŷr o Sodom a'r Aipht...* (1768): '... y mwynwr a gloddia i ddyfnder y byd, ac a adewiff wrydion o greigydd heb rifo uwch ei ben i gael allan yr arian gloywion o'r carcharau saith dyblyg ... y toddydd sydd yn gwylied wrth y ffwrnes nos a dydd, heb roi hun i'w amrantau, a'i gnawd yn toddi fel bloneg gan wres y tân, er mwyn pentyrru arian nas gŵyr pwy a'u meddianna... Och Dduw! pa beth fydd diwedd hyn?' Ni ddaeth yr un bardd na llenor o bwys i wneud ateb ei gwestiwn yn flaenoriaeth lenyddol ac er i Siartaeth ennill cryn gefnogaeth yn Ne Cymru nid esgorodd, fel y gwnaeth yn Lloegr, ar feirdd o'r dosbarth gweithiol a gynhyrchodd y math o lenyddiaeth ymgyrchol y ceir detholion ardderchog ohoni yng nghyfrol Peter Scheckner, *An Anthology of Chartist Poetry* (1989). Ni chododd hyd yn oed ym Merthyr filwriaethus lle'r oedd traddodiad eisteddfodol yn bod a lle y cyhoedd-wyd *Udgorn Cymru* (1840-2), feirdd Siartaidd hafal i Thomas Cooper (1805-92), Ernest Jones (1819-68), William James Linton (1812-97) a Gerald T. Massey (1828-1907), ac ni chafwyd corff o farddoniaeth y gellid ei ddisgrifio yng ngeiriau Scheckner fel 'class-based literature, with its own language, and based on its own social and political struggles.' Nid oedd i'r olwg Siartaidd ar farddoniaeth a'i gwelai'n arf nerthol i'r gweithiwr mewn rhyfel dosbarth fawr o groeso yng Nghymru, ac y mae E. G. Millward wedi dangos na fu unrhyw newid o bwys i'r gwrthwyneb am weddill y ganrif yn dilyn methiant Siartaeth wedi 1848. Am gymod rhwng meistr a gweithiwr y chwiliai'r Gymraeg ac ni raid wrth well prawf o hynny na'r ddwy gerdd a gyhoeddwyd yn *Gardd Aberdar* (1872), sef 'Cwyn Hen Weithiwr Tanddaearol' gan George Lewis a 'Cynadledd, Ar Ddull Ymddyddan rhwng Gwaith Glo Mor a Gwaith Haiarn' gan William Lewis (*Cawr Dar*). Y mae'r naill fel y llall yn rhybuddio rhag dioddef eisiau 'Drwy fawr 'stwrian heb ystyried . . .'[3]

Y ffaith yw fod y Gymraeg wrth gyfarch y gweithiwr diwydiannol mewn pulpud a phapur, cylchgrawn ac eisteddfod wedi'i defnyddio fynychaf fel y defnyddiwyd y Saesneg gan nofelwyr dosbarth-canol megis Disraeli, Kingsley, Dickens a Gaskell wrth ymateb i her y Siartwyr. Gwâr a gweddus oedd cydymdeimlo, pitïo a chlodfori pob ymgais i ymddiwyllio ac ymddyrchafu, ond yr oedd pob bygythiad i'r drefn gymdeithasol gan weithwyr na pharchai'r berthynas 'briodol' rhwng meistr a'i weithlu i'w gondemnio'n ddiamwys. Chwedl Scheckner wrth drafod nofelau Dickens, 'Insurrection and revolution are evils more greatly to be feared than the exploitation of the poor.' Busnes i'r dosbarth canol goleuedig oedd diwygio'r drefn. Cofier geiriau Caledfryn yn 1865 wrth broffwydo yn Eisteddfod Genedlaethol Aberystwyth fod y Gymraeg yn iaith rhy lesol i farw:

> 'Ni feiddiodd Tom Payne a Voltaire ddangos eu gwynebau erioed yn Gymraeg. Cenedl o bobl lonydd a heddychol, a hynod o ffyddlawn i'w llywodraeth, ydyw'r Cymry. Pa bryd y clywyd am danom fel "cenedl" yn codi mewn gwrthryfel? Erioed!'[4]

Yr oedd y mudiad eisteddfodol o 1789 ymlaen i hyrwyddo'r defnydd moesol, llednais a rheolus o'r Gymraeg drwy ei chlymu wrth ffurfiau llenyddol safonol. Agorwyd rhigolau ar ei chyfer a bu'r Methodistiaid a'r Morrisiaid yr un mor barod â'i gilydd i ddiarddel y ffurfiau poblogaidd, yn arbennig felly y faled a'r anterliwt, a allasai osod cynseiliau i'r math o lenyddiaeth anghyfunrhyw yr oedd ei heisiau i gyfleu berw'r bröydd diwydiannol. Barnai Nicander mai dim ond gwehilion Merthyr a gâi flas ar chwarae anterliwt erbyn yr 1860au. Ar ôl darllen un ohonynt bu'n rhaid iddo ef 'ymprydio am dros

bythefnos cyn cael ei ffieidd-dod halogedig allan o'm dychymyg.'
Waeth beth am foesoldeb tinfain o'r fath, yr oedd disgwyl i feirdd a
llenorion y dosbarth gweithiol ddysgu traethu profiad yn llenyddol
ddidramgwydd. Mewn erthygl ar 'Essayists and Artizans—The
Making of Nineteenth-century Self-Taught Poets', dangosodd Brian
Maidment sut yr aeth y dosbarth canol ati i gymathu'r llenorion
hynny trwy geisio llywio a dofi eu mynegiant. Canolbwyntiwyd ar
ddiffygion arddull eu cyfansoddiadau rhag i'w cynnwys herfeiddiol
hawlio sylw. Yr oedd iaith arw yn bygwth gwerth barddoniaeth 'as a
civilized and rational discourse' ac yr oedd tafodieithu i'w gondemnio
'as a straying away from the rules and conventions governing literary
discourse, in which sincerity, originality of thought, and political
conviction threatened or even overturned ''poetry''.' Ar ôl ystyried
tystiolaeth y ganrif ddiwethaf, meddai Maidment: 'An abiding
impression is of the smothering effect that middle-class intervention
had on artizan poetry.' Yng Nghymru 'roedd cystadlaethau'r
eisteddfodau yn bod i ofalu fod pawb o bob stad yn gwybod beth a
ddisgwylid a beth na oddefid.⁵

Mae'r pris y bu'n rhaid ei dalu i'w weld yn glir mewn cerddi sy'n
cyson ddweud yr un pethau yn yr un ffordd drwyddedig. Yr oedd
iaith y pwll glo, fel y prawf cyfrol tra gwerthfawr Lynn Davies, *Geirfa'r
Glöwr,* yn gyfoethog lachar ei throsiadau ond yn ofer yr edrychir
amdanynt yng ngwaith y beirdd. Gadawodd Dyfed, Ben Bowen, Ben
Davies, Dyfnallt ac Amanwy, er enghraifft, iaith eu gwaith dan
ddaear a dysgu dweud yn gymwys 'yn ôl y mesur.' Y gamp oedd
ieithweddu fel bardd a gawsai addysg a pheidio â bod yn ddi-chwaeth.
Sylwodd John Burnett ar ôl astudio nifer o hunangofiannau gan
awduron dosbarth-gweithiol rhwng 1820-1920 mor gyndyn oeddent,
fel rheol, i ysgrifennu am eu gwaith, heb sôn am wrthryfela yn erbyn
y drefn a'u defnyddiai fynychaf mor ddi-hid, a gall mai awydd,
anymwybodol efallai, i sicrhau tecach delwedd i'r gweithiwr sy'n
cyfrif i raddau am y tawedogrwydd hwn. Fe dâl cofio fod y mwyafrif
o sylwebyddion Lloegr yn Oes Victoria yn gweld y glowyr, i ddyfynnu
Burnett, fel 'a strange, almost half-human, stratum of the working
class, pugnacious, brutalized by their lives of grimy toil, inhabiting
isolated communities which, in leisure time, became dens of drunk-
enness and savage sports.' Trwy ysgrifennu'n ymataliol am ffeithiau
beunyddiol gwaith a gorchwyl siawns nad enillid mwy o gydymdeimlad,
ac er fod y Gymru Gymraeg at ei gilydd yn barotach i gydymddwyn
â'r glöwr nag ydoedd dosbarth canol Lloegr, nid oedd yr agwedd

ddirmygus a fynegid yn y gollfarn, 'Dim ond coliers!', yn un i'w hanwybyddu os oedd y glöwr i fod yn un o asedion 'Cymru lân'.[6]

Ar ôl mynd dan ddaear cyn ei fod yn wyth oed a threulio ymron bymtheng mlynedd yno, nid dim llai na gwaredigaeth i Dyfed oedd cael cefnu ar y pwll: 'Cofiaf y dydd y daethum allan oddiyno, gan benderfynu nad awn i lawr byth mwy.' Cadwodd ei awen rhag mynd i lawr am destun cân, hefyd, a'r un fu stori Ben Davies unwaith y cafodd yntau ei ryddhau i eisteddfota heb orfod dychwelyd mwy i'r 'twllwch llychlyd.' Darllener y cerddi teimladwy, cynnyrch chwech o lowyr Shir Gâr, yn *O Lwch y Lofa,* y gyfrol fach a gyhoeddwyd yn 1924 er hwyluso ffordd y Parch. Gomer Roberts i'r weinidogaeth a sylwer mor lân o'r llwch hwnnw ydynt. Darllener, drachefn, y cerddi yn antholeg fuddugol Ieuan Rees-Davies yn Eisteddfod Genedlaethol Treorci, 1928, sef *Caniadau Cwm Rhondda* a sylwer eto ar y pwyslais ar lendid y cwm: 'Mae'r blodau a dyfai ar ei lethrau cyn i law diwydiant ei hacru, yn byw eto yn eu cerddi.' Yn eu plith ceir telyneg Wil Ifan, 'Cerdd y Glöwr'. Nid Dai Dafis mo'i enw:

Brysio wnawn yn gwmni distaw
   Tua'r Bwllfa Fawr;
Caled cyrchu gwlad ddiblygain
   Gyda thoriad gwawr!
Ond daw atgof am anwyliaid
   Yrr bob ofn ar ffo,
Dyna'r heulwen sy'n tywynnu
   Yn y talcen glo.

Beth a flinai'm priod heddiw
   Pan ddaeth canu'n iach,
Na chawn gychwyn cyn rhoi cusan
   I Aneurin bach?
Er dy wenau, Wenno annwyl,
   A'th chwerthinog rudd,
Gwn dy fod ar dorri'th galon
   Ambell doriad dydd.

Er caleted bywyd glöwr,
   Mae yn werth y draul;
Fe ddaw toriad gwawr i minnau
   Gyda machlud haul:

Gwn fod rhywun yn fy nisgwyl
Yn y gegin glyd,
Lle caf groeso gwell na brenin
Er fy llwch i gyd.

Daethai Alun Mabon i'r pwll glo. [7]

Y gwir yw fod mwyafrif y beirdd a geisiodd ganu am fyd y glöwr rhwng 1850 ac 1950 wedi llusgo ieithwedd bropor a mydrau rheolaidd o'u hôl fel petaent ynghlwm wrth gar llusg. Ni allent lunio arddull i'w galluogi i gymathu'r profiad diwydiannol ac yn hynny o beth, fel y dadleuodd Jeremy Warburg yn *The Industrial Muse,* nid oeddent yn wahanol i feirdd yn Lloegr : 'The styles which nineteenth-century poets made use of to express the new material—usually more "literary" styles—were often already committed to entirely different subjects, different forms of experience.' [8]

Yn ffodus, gellir cyfeirio at gerdd Saesneg gan Gymro i eglurebu pwynt Warburg. Yn 1863 yr oedd Llewelyn Thomas, mab Thomas Thomas, Canon yn Eglwys Gadeiriol Bangor yn fyfyriwr yng Ngholeg Iesu, Rhydychen. Cystadlodd am Wobr Newdigate, gwobr agored i israddedigion am y gerdd Saesneg orau, ac fe'i dyfarnwyd iddo gan neb llai na Matthew Arnold am ei gerdd, 'Coal-mines'. Fe'i hadroddodd, yn ôl yr arfer, gerbron cynulleidfa yn Theatr y Sheldonian, 17 Mehefin 1863:

'Llewelyn's success made a great sensation in Wales, where it was thought peculiarly happy that a poem upon coal-mines, which was to be recited before the newly married Prince and Princess of Wales, should be written by a Welshman, the son of the late vicar of Ruabon, itself the centre of a great coalfield.' [9]

Beth bynnag am hynny, syniadau a phrofiadau ail-law yn nillad benthyg Alexander Pope a gafwyd gan Thomas a rhaid casglu fod Arnold, a ganmolodd arddull y bardd ifanc, arddull 'The Rape of the Lock'!, mor anghyfarwydd ag yntau â realiti pwll glo. Ymarferiad dynwaredus yw cerdd Llewelyn Thomas:

   . . . Pale, bent, and furrowed, in this gloomy shade
      The hardy miner works his thankless trade;
      Half prostrate on the ground his axe he waves,
      And hews a pathway through the sunless caves;

While ofttimes from some cavern dark and deep
The baleful gales of poisoned vapour sweep,
Choked by the blast the gasping miner lies,
Unseen, unpitied, in the darkness dies.

At times unwary in some noisome pass
With opened lamp he lights the subtle gas;
Through the long aisles is heard a deafening sound,
And lines of blackened corpses strew the ground.

. . . Through the lone hamlet sounds the orphan's cry,
And woman's shriek of soul-felt agony;
Glad hearts are saddened by this awful fate,
And happy homes are dark and desolate.
While soon the wains, which we were wont to see
Piled with the wealth of mine or husbandry,
Through the small churchyard bear the mournful load
Of pallid corpses to their last abode. [10]

Aeth Thomas yn ei flaen i fod yn Gymrawd ac Is-brifathro Coleg Iesu
ac yn Ganon yn Eglwys Gadeiriol Llanelwy, ond nid aeth ymlaen i
fod yn fardd.

Y gwir plaen yw nad oes mwy o farddoniaeth dan wyneb ieithwedd
academaidd 'Coal-mines' nag sydd yng ngherdd Dewi Glan Twrch,
'Y Glowr'. Y mae'r naill mor osodiadol â'r llall er fod Dewi yn
gwybod beth oedd pwll glo mewn difrif. Y mae'i gerdd a gyhoeddwyd
yn *Y Gweithiwr Cymreig* yn 1886 yn werth ei dyfynnu ar ei hyd fel
enghraifft dda o'r ffrâm Fictorianaidd a ddaliai'r glöwr o Gymro yn
ei briod le:

Anturiol lowr! ein rheidiol weithiwr yw,
A geidw beiriant masnach byd yn fyw
A'i ager grymus. Gwawdia ofn a braw:
Disgyna'n hyf i'r dyfnder du islaw
Ar lwybr nad anturiodd llew erioed,
Ac nad adnabu barcud lun ei droed!
Dan wadnau'r bryniau—hen ystordai natur;
Yspeilia eu hadnoddau er ein cysur.

Cychwyna yn y boreu tua'r lofa
A'i lusern fechan—haul ei fywyd—yna
Anturia 'lawr; gwyneba ar beryglon
A ymlochesant megys brad-lofruddion

Y caddug Aifftaidd! Gweithia â'i holl egni
Nes bydd ei gorff yn mygu ac yn toddi
O dan ddylanwad ei ymdrechion cu
I dori seliau'r frawddeg, 'Felly bu!'

Y glowr diwyd! hwn rydd eglurhad
I ni o'r haenau sydd yn nghôd y wlad
Yn ocheneidio fel am dd'od yn rhydd
I wyneb haul tryloyw lygad dydd.
Mor ddedwydd ydyw! er fel alltud hefyd,
Ac ymgais rhai i leddfu tant ei fywyd
Drwy ei ddirwasgu â gorthrymder dibaid,
Nes rhwygo tannau 'teimlad byw ei enaid!'
Na ddigalona, canys dyma arfer
Y byd erioed yw sathru'r gwan bob amser.

Udgenir clodydd segur swyddwyr byd
A ddyogelir gan ddedwyddwch clyd,
Fe pe baent arwyr ardderchocaf fu,
'Ond dim un llinell am y glowr du!'
Anturia'i fywyd, ddydd 'rôl dydd, yn llwyr
Yn mreichiau celyd tynghed hyd yr hwyr;
Ni cha, er hyny, ei arwrol drem
Ond pob dirmygedd fedd gwatwareg lem!
Beth fyddai'n tynghed pe heb lowr i dori
Y trysor gwerthfawr sydd o'n blaen yn llosgi?
Dirywiad masnach—safai pob celfyddyd,
Fel geneth ieuanc wedi colli'i hiechyd!
O Dduw, amddiffyn di y glowr gwrol—
Llaw ddehau'r byd—â'th allu anorchfygol.[11]

Mae'r portread hwn gan Dewi Glan Twrch yn peri meddwl am
baentio fesul rhif—ehofndra, dewrder, dyfalwch, a gwasanaethgarwch
di-ddiolch heb neb i ysgafnhau ei bwn ond Duw. Duw, ac nid unrhyw
undeb, piau cysuro waeth beth am dalu. Mae'r nodyn ysgrythurol yn
y ddau bennill cyntaf yn gwarantu nad eir dros ben llestri yn y ddau
bennill olaf wrth brotestio fod gweithiwr mor broffidiol eto mor
ddibris yng ngolwg y byd. Llipa dreuliedig yw'r eirfa—'dyfnder du',
'ymdrechion cu', 'dedwyddwch clyd', 'arwrol drem', 'gwatwareg
lem', 'trysor gwerthfawr', 'glowr gwrol'. Prennaidd yw'r gwirebu—
'Na ddigalona, canys dyna arfer/Y byd erioed yw sathru'r gwan bob
amser.' A phan fentrir cymhariaeth i gyfleu disymudrwydd olwynion
diwydiant ceir 'Fel geneth ieuanc wedi colli'i hiechyd!' A derbyn ei

bod yn gymhariaeth anarferol o anaddas y mae serch hynny yn
tanlinellu'r pwynt fod amsugno'r profiad diwydiannol ac yna'i fynegi
mewn Cymraeg trawiadol ei ddelweddau wedi bod o'r cychwyn yn her
na wyddai'r beirdd ymhle y caent iaith i'w hwynebu. Gwelir yr un
diffyg ym 'mhryddest' Thomas Rees (Merthyryn), 'Y Glowyr', sydd
eto'n gaeth yng nghorlan hen briodoldebau nad oedd dianc rhagddynt
yn Oes Victoria. Yn sicr, ni cheid dianc rhagddynt i'r parthau piws
dan ddaear.[12]

Yn englyn y Cardi o lôwr a droes yn weinidog yr efengyl, sef y
Parch. James Evans, ceir yr olwg safonol-grefyddol ar 'Tan y
Ddaear':

> Anfwyn ogof anhygar—lle'r emyn,
> Lle'r amau diweddar;
> Lle od a gwyw, lle dau gâr,—
> Dyn a'i Dduw dan y ddaear.

Fodd bynnag, nid dim ond iaith cyfarch Duw a glywid yno. 'Roedd
iaith gwaith go arw i'w chlywed yno'n feunyddiol ac ymgroesodd
Gwalch Ebrill wrth sôn am 'regfeydd dychrynllyd a dwl Cwm
Rhondda, neu regu rhyfygus herfeiddiol Cymry anllythyrenog yn
nglofaoedd America . . .' mor ddifrifol ag y gwnaeth cyfaill 'Ein
Glowyr' yn *Y Faner* wrth gondemnio parodrwydd y goruchwylwyr
dan ddaear i regi'r glowyr:

> 'Diau fod gan y glowr, fel pob dyn arall, hawl i gael ymddwyn tuag ato
> fel creadur rhesymol pa gamgymmeriadau neu esgeulusdod bynag a
> fyddo ynddo gyda'i waith.
> 'Y mae eu llwon a'u rhegfeydd yn rhy arswydus gennyf i lychwino fy
> mhapyr â hwy; ac nid rhyw eithriad yw hyn, ond arfer gyffredin gyda rhai
> o honynt.'[13]

Fel y dywedwyd, nid oedd modd i lenyddiaeth nad arddelodd
'blydi' yn llawen tan 1945 dapio adnoddau cableddau'r Gymraeg
rhwng 1850 ac 1950. Cawsai awduron Lloegr hi'r un mor anodd i
ymdopi ag iaith goch y Cocni fel y dangosodd P. J. Keating ac ni
fentrodd cyd-fuddugwyr Eisteddfod Genedlaethol Treorci, 1928,
wneud mwy na chynnwys un neu ddau 'd---l' ac 'uff--n' yn eu
casgliadau o *Ffraethebion y Glowr Cymreig*. Gresyn na chawsai ambell
lôwr o Gymro regi'r byd i'w le yn ei famiaith ymhell cyn i William
Jones gofio un o eiriau'r chwarel, neu regi'r snobri moesegllyd a

anelodd y Gymraeg at ei ddifyrion droeon a thro. Yn Eisteddfod Genedlaethol Pontypridd, 1893, gosodwyd 'Gŵyl Mabon' yn destun cân a disgwylid i'r beirdd ddisgrifio'r modd y treulid y diwrnod gan drigolion Merthyr, Aberdâr a'r Rhondda. Cafodd y beirniaid— Watcyn Wyn, Cadfan a Dafydd Morganwg—ddau litani o bechodau'r oes gan 'Shôn o'r Wlad' a 'Cynonyn' a lwyddodd i wneud colledigion o bawb a geisiai ddifyrrwch amgenach nag eisteddfod, cymanfa ganu a chyfarfod pregethu. 'Roedd holl 'ddrelgampau' y werin ddiwydiannol—rasys milgwn a cheffylau, hela o bob math, mynd am drip, cicio pêl, saethu colomennod, dringo'r polyn seimllyd, diota, wrth gwrs—'roedd y cyfan yn waradwydd cenedlaethol a wnâi i 'Shôn o'r Wlad' ddyheu am weld 'byw ysbryd yr oes', ysbryd diwygiad hynny yw, yn puro'r cymoedd. Cydnabu 'Cynonyn' fod 'peth daioni' i'w gael ynddynt o hyd er dued oeddynt 'mewn drygioni', a chan gyfeirio at y Rhondda meddai,

> ... Mae'r Cwm yn cynnwys rhai
> O ddynion goreu Cymru,
> Ac amryw, yn ddi lai
> O weision Mab y Fagddu.

Ei ddymuniad yntau oedd gweld diwedd 'Gŵyl Mabon' oni wnâi'r werin ddefnydd mwy dyrchafol ohoni.[14]

Er ei fod yn gyn-löwr neu hwyrach am ei fod yn gyn-löwr, gofalodd y Parch. G. Griffiths (Penar) yn 1896 fod y beirdd a luniodd awdlau ar 'Y Glowr' ar gyfer cystadleuaeth y gadair yn Eisteddfod 'Rhosyn Cynon', Heol-y-felin, Aberdâr yn sylweddoli ei fod ef fel beirniad yn disgwyl iaith deledïw ganddynt. Yr oedd geiriau tabŵ ar wahân i regfeydd. Nid oedd gan 'Creithiog' y 'deheurwydd hwnw faidd drin pethau cyffredin heb golli ei urddas yn eu mysg.' Geiriau di-chwaeth oedd ' "rhipiwr", "dram", "bôn", a'u tebyg',—sef geiriau'r pwll glo. Nid oedd gan 'Davey' 'chwaeth bêr mewn dethol geiriau ... Dichwaeth yw y gair "collier" mewn awdl fel yr hon a geisir yma heddyw. Nid oes cysgod o urddas yn y llinellau hyn, a amcanasant ddisgrifio y glöwr yn ei berson—

> "Ar ei ben mae'r *cap* a'r bîg,
> I'w nodi'n ostyngedig;
> A neisied o liw rhosyn,
> Yn goch am ei wddw gwyn." ' '

Nid oedd disgrifio'r glöwr yn tanio'i bibell yn y bore, yn gafael yn ei 'ystên hell' ac 'Wed'yn gosod dan ei gesail,/Ei flwch bwyd yn falch heb ail' yn deilwng o'r awen. 'Eithafol ddichwaeth' oedd defnydd 'Llais Adgof' o '"gob" a ";slip". Nis gall y bardd hwn ddisgyn at bethau cyffredin heb fyned yn gyffredin ei hun.' A sicrhawyd 'John Jones' nad 'chwaethus yw dweyd fod y glowr yn "gwresogi y wlad o *bwrs* y gwaelodion."' ' Yr oedd yr enillydd, Carnelian, i'w ganmol am wedduster ei awdl ac eithrio'i ddefnydd o'r gair 'bant' am 'i ffwrdd'. Gair i'w osgoi oedd hwnnw, 'Gair sathredig ac ar lafar gwlad ydyw.' Gellir clywed John Morris-Jones yn cymeradwyo.[15]

O gamu dros 34 o flynyddoedd cawn Gwylfa yn Eisteddfod Genedlaethol Llanelli, 1930, yn condemnio arwrgerdd gan 'Dail Iorwg' i Ben Bowen, y cyn-löwr a dyfodd yn chwedl yn ei ddydd: '"Hwter", "Mandrel", "Nos Sadwrn pâi", "Dram", "Talcen Glo"—dyna'r termau sy'n dod i'r gerdd hon o hyd. Ac nid ydym yn eu hoffi.' Ni pherthynent i ieithwedd farddol y Gymraeg:

> 'Y maent yn burion yn eu cylch eu hunain, ond ymhell o diriogaeth yr hyn a ystyriwn yn farddoniaeth... Gall bardd medrus wneud heb ormodedd o lafar gwlad a llurgyniadau gwerinol hefyd, megis "dwfwn", "amal", "Beibil", "cefen", "out" (oeddit), "ti ireiddiaist dwrn". Sonnir am "hwter angau yn galw ar y byw," pan oedd tad Ben Bowen yn gwaelu. Gormod o lawer o naws ac awyrgylch "turn o waith" sydd o amgylch ymadroddion fel yr uchod, ac y mae urddas sobr marwolaeth wedi llwyr ddiflanu.'

Ni allai dim fod yn blaenach—mor ddiweddar ag 1930. Yr oedd 'Dail Iorwg' wedi'i wrthod am iddo dreulio 'gormod o'r amser gyda'r "talcen glo" ...'[16]

Y mae sylwadau beirniaid fel Penar a Gwylfa yn dangos natur y rhagfarn hirhoedlog o blaid ieithwedd gymen a'i gwnâi mor anodd i gystadleuwyr eisteddfodol ddatblygu arddull hyblyg er mwyn traethu'n argyhoeddiadol am y gymdeithas ddiwydiannol. Cadarnhâi'r diwylliant eisteddfodol yr hen bwyslais ar 'amlder Cymraeg', ar gywirdeb dweud o ran gramadeg a lledneisrwydd. Tra bod disgwyl i fardd aruchelu, ni ddisgwylid iddo ariselu ac ni raid ond edrych ar ymdrechion cynnar T. Gwynn Jones i brydyddu'n 'sosialaidd' i sylweddoli y byddai'n amhosibl iddo ganu dim o werth llenyddol arhosol yn y maes hwnnw heb iddo'n gyntaf ddod o hyd i arddull. A'r gwir yw, waeth faint y gresyna beirniad o ansawdd John Rowlands iddo ddewis y llwybr anghywir, 'y llwybr rhamantaidd digyfaddawd,'

—y gwir yw nad oedd llwybr mwy realaidd yn agored i T. Gwynn Jones gan gryfed ei gred yng ngorchest y Gymraeg.[17]

Propagandydd gwrth-ryfel a ysgrifennodd 'Pro Patria', y gerdd bolemig honno am dreisio un o ferched y Boeriaid gan 'ein bechgyn ni' a gyhoeddwyd yn *Y Beirniad* yn 1913. Yr oedd barddoni, ar y llaw arall, yn hawlio rhywiocach graen ar iaith a rhagorach cywair. Ni chafodd 'Pro Patria' le yn un o gasgliadau safonol y bardd. Emrys ap Iwan piau iaith llenydda T. Gwynn Jones ac nid oedd theorïau iaith y gwron hwnnw yn gyfryw ag i hwyluso twf llên fodernaidd. Pa mor simplistig bynnag oedd ei agwedd weithiau at ddaioni'r gweithiwr, yr oedd cydymdeimlad T. Gwynn Jones â'r dosbarth gweithiol yn ddigwestiwn. Eto i gyd, ni lwyddodd erioed i'w cyfarch yn uniongyrchol gofiadwy. Yn ei soned, 'Senghenydd', ni wnaeth fwy na phwyntio bys yn ddefodol at Famon mewn iaith flinedig sy'n sôn am 'ddyffryn gwyn', 'tangnefedd Duw', 'blinderau dynol ryw', 'aberth byw' a 'thruenus dranc'. Yn sicr, 'roedd ei galon yn y man iawn; 'priodol iaith y prydydd' oedd ar goll. Rhwng Petrarch ac Emrys ap Iwan fe ddiffygiodd. Y mae'n arwyddocaol fod T. Gwynn Jones, er iddo chwennych enw fel arbrofwr mydryddol, heb fathu arddull ar gyfer consurio'r byd diwydiannol ac ni raid ond darllen ei ysgrif, 'Colofnau Mwg', i weld nad aeth gam yn nes at lwyddo yn ei

Trychineb Senghennydd, 14 Hydref 1913.
Amgueddfa Genedlaethol Cymru

A GLORIOUS ACHIEVEMENT.

Eisteddfod Genedlaethol y Barri, 1920.

(Western Mail)

ryddiaith. Er gwell ac er gwaeth ni allai lenydda ond fel cyfarwydd dramatig a chanddo orchest i'w ddangos yn ddieithriad.[18]

Gwelir yr un cloffni arddull yng ngwaith bardd o löwr tipyn llai ei ddawn, sef y Parch. James Evans. Dathlwyd ei goroni yn Eisteddfod Genedlaethol y Barri, 1920, gan gartŵn yn y *Western Mail* sy'n fwy trawiadol na'r bryddest fuddugol a phan gyhoeddwyd *Trannoeth y Drin. Caniadau James Evans* dan olygyddiaeth Wil Ifan yn 1946 ni chafwyd ynddi'r un gerdd o bwys am brofiad glöwr. Fel y prawf cerddi llafar meddal megis 'John wedi cael start' a 'Shwd ma hi'n y Sowth?' ni cheisiodd wneud mwy na mydryddu sentiment wyneb yn wyneb â dolur y De. Hoffai Wil Ifan gredu, 'If James Evans had only been a loose liver there are many in Wales who would have considered his life as a most romantic one, but as he happens to be an abstemious man who has believed in paying his debts and who has persistently fallen in love with his own wife, they do not feel quite so sure.' Beth bynnag am hynny, y mae'n sicr nad rhinwedd ynddo fel bardd fu ei ffyddlondeb i ofynion ei awen gonfensiynol. Bu'n ddigon penderfynol i wrthsefyll rhai o ddisgwyliadau'i enwad pan ddechreuodd Rhyfel 1914-18 gan ddychwelyd i'r pwll lle'r arhosodd tan 1928. Ond fel bardd, er iddo yn ei bryddest, 'Trannoeth y Drin', wynebu seithuctod cyflafan 1914-18 yr oedd yn ormod o gydymffurfiwr o ran ei fynegiant i ennill brwydr dros lenyddiaeth ei wlad. Canodd gerdd undonog ei mydr—mydr trosiad John Morris-Jones o benillion Khayŷam—a diafael ei chenadwri er amlyced ei diffuantrwydd.[19]

Yn 1927 cynigiwyd pedair gini yn Eisteddfod Genedlaethol Caergybi am gerdd ymson ar y testun, 'Allan o Waith'. Cystadlodd pymtheg ac er i Elfed wobrwyo Caerwyn fe'i siomwyd gan y gystadleuaeth: 'Methiant llawer... yw nad ydynt yn dwyn argyhoeddiad o brofiad. Canant fel o'r tu allan, heb osod eu hunain am y tro "yn lle" y dyn allan o waith.' Gwrandewch ar yr enillydd yn prydyddu ar draul y di-waith ac yna troer at gampwaith Idris Davies, *The Angry Summer,* a thelyneg R. Williams Parry, 'Yr Haf', i lawn werthfawrogi'r pellter sydd rhwng Cymraeg Caerwyn a'i fater:

> ... Ba ystig dynged gaeodd o'm cylch?
> Wyf fel tan felldith, ac nis gwn paham;
> Ni cheisiaf foethau, ni chwenychaf fri,
> Ac ni bu trachwant golud yn fy ngwaed;
> Erioed ni roddais serch ar wychter plas,
> Mil tecach imi fwthyn gwyn a llain
> O flodau'n gwenu croeso wrth ei ddrws,
> Can's gweithiwr wyf o dras y werin seml
> Ac urdd y galed law a'r cyflog prin,
> A bonedd hen y bryniau a fawrhaf;
> Mewn llafur bu fy ngwynfyd gydol oes,
> Ac ymhyfrydais yn fy nghaled waith;
> Fy mwyd a'm diod oedd fy ngonest chwys,
> Os trwm fy lludded, mwynach oedd fy hedd
> Wrth felys huno mewn gorffwystra llwyr,
> A'r holl bryderon wedi cilio 'mhell;
> Ond weithian alltud wyf o gylchoedd gwaith,
> A'm holl gyhyrau yn dihoeni'n swrth;

Yn druan segur ac yn grwydryn tlawd
Dan boer y glaw a sen y gwynt heb borth
Yn agor im ond tloty'r plwy' a'r bedd.
Och fi! na chawn o flinder f'einioes fedd,
A chwsg di-freuddwyd yn y gweryd oer,
A chladdu'm dirboen mewn difancoll dwfn![20]

Ni all dyn ond ocheneidio wrth feddwl fod y Gymraeg, druan, yn 1927 yn gorfod esgor ar erthyl o beth nad yw ronyn fwy cyfoes nag awdl 'Elusengarwch' Dewi Wyn o Eifion a wnaeth ei marc yn 1819. Gwrandawer ar Idris Davies yn cyfarch Dai:

What will you do with your shovel, Dai,
And your pick and your sledge and your spike,
And what will you do with your leisure, man,
Now that you're out on strike?

What will you do for your butter, Dai,
And your bread and your cheese and your fags,
And how will you pay for a dress for the wife,
And shall your children go in rags?

. . .O what will you dream on the mountains, Dai,
When you walk in the summer day,
And gaze on the derelict valleys below,
And the mountains farther away?

And how will the heart within you, Dai,
Respond to the distant sea,
And the dream that is born in the blaze of the sun,
And the vision of victory?[21]

Gwrandawer eto ar R. Williams Parry yn cyfarch y glöwr. Ni raid ymhelaethu ar ragoriaeth angerdd ymatalgar ei ganu ef ac Idris Davies. Mae'r cywair a'r ieithwedd mor gymwys:

Mae'r glân arglwyddi'n gyrru
Mewn dwfn gerbydau hardd,
A'u harglwyddesau'n tyrru
O'r dref i goed yr ardd;
Paham na cheni dithau'n iach,
Ar hindda fwyn, i'r Rhondda Fach?

> Mae ynys yn y Barri,
> Ac awel ym Mhorthcawl,
> A siwrnai yn y siarri
> I rai a fedd yr hawl;
> Paham y treuli ddyddiau ir
> A nosau haf yn Ynyshir?[22]

O! na roesai R. Williams Parry fwy o'i awen i gymoedd y De.

Ym mhryddest fuddugol y Parch. David Jones yn Eisteddfod Genedlaethol Abergwaun, 1936, sef 'Yr Anialwch', cafwyd enghraifft o or-brydyddu cerdd.[23] Mynnai'r bardd, ac yntau'n gyn-löwr, i'w ddarllenwyr dderbyn iddo gael ei bryddest 'wrth erchwyn gwely gŵr a fu farw'n ieuanc o glwy erchyll dwst y garreg (Silicosis).' Y mae ei ddidwylledd yn ddiamau er gwaetha'r arddull hunanymwybodol sy'n gwneud darllen ei sonedau Shakespearaidd yn broses brin ei phleser. Y mae'n peri meddwl am eiriogrwydd 'Y Bardd Newydd' droeon a hyd yn oed yn rhai o'i ddarnau ymson gorau pan yw'n ail-fyw traul ei lafur dan ddaear mae ffurfioldeb ei fynegiant yn chwithig:

> Pa gyfri'r gost! Adnebydd fwynwr gwelw
> Ar drothwy clais y dydd yn troi i'r gwaith,
> Heb hawl i'w do na darn o dir i'w elw,
> Heb wybod ai tragywydd ydyw'r daith
> Neu daith dychwelyd adref. Nid efô
> A dau ofuned bara er bod gwasg
> A fflam a nwy a siwrnai a chwymp y glo
> Rhyngddo a'r dorth, ymlaen yr â i'w dasg
> Gan daro'i droed yn drwm. Y coed yn gân
> Hyd frigyn uchaf onnen ar y rhos,
> Fe gofia yntau'r telynorion mân
> Adawodd draw,—a naid i nudd y nos,—
> A roir ar elor yn yr wythawr drom?
> A wasg y pridd yfory ei fynwes lom?

Mae'n trafod y cwlltwr mecanyddol sy'n malu'r graig nes bod 'ysgytiadau'r peiriant praff' yn ei ysigo drwyddo:

> . . . Collais o'm grudd y ddeilen gochliw'r gwin,
> O'm gwybod dirf ieuengrwydd calan gwyrdd,
> O'm calon gariad, o'm hewyllys rin,
> Ow golled, colli blodau ochrau'r ffyrdd;
> Collais o'm llygaid lendid toriad gwawr
> I smicio a rhythu ar ryw gymysgu mawr.

Ac yn ei lesgedd mae'n ail-weld ac ailglywed enbydrwydd y danchwa:

> Mi glywais ochain olaf trichan gŵr,
> A llefain plentyn yn llais llawer llanc,
> Mi glywais sŵn fel treiglo ffrydiau dŵr
> Yng ngwddf fy ffrind yng nghrafanc nwy a'i dranc,
> Mi welais fantell ddunos angau'i hun
> Ymhlith ei wanaf winglyd ar y llawr,
> A lluniau bonau dwylo a thraed di-lun
> Awr machlud dynion yr anturiaeth fawr;
> Ar waelod dyffryn darostyngiad dyn
> Na'r cannoedd meirwon a aeth heibio wrth wŷs
> Teimlais y fflam a losgai'n goelcerth wŷn
> Ym mynwes Iesu wrth fedd Lasarus
> Pan welais ddarnau dynion yn ddi-eirch
> Yn gymysg, rywsut, efo'r darnau meirch.[24]

Ni allai David Jones beidio ag amlhau ei Gymraeg, ni allai beidio â chystrawennu'n ymdrechgar. O ganlyniad, y mae'r manylion realaidd prin yn colli eu grym. Cymharer ei ddisgrifiad ef o'r glöwr a'r nwy yn ei ysgyfaint yn gwneud sŵn 'fel treiglo ffrydiau dwr' â disgrifiad enbyd gofiadwy Wilfred Owen yn 'Dulce Et Decorum Est' ohono'n gwylio'r milwr yn trengu yr un modd, '. . . the white eyes writhing in his face,/His hanging face, like a devil's sick of sin' a chlywed y gwaed 'Come gargling from the froth-corrupted lungs,/Obscene as cancer. . .' Y mae arddull cerdd Owen ar ei hyd wedi'i saernïo i beri bod manylu mor ddychrynllyd yn hanfod ynddi'n 'naturiol', tra bod realaeth David Jones yn tynnu sylw am ei bod yn mynd yn groes i'r graen llenyddllyd:

> '. . . Ond melys yw'r tân glo er bod ymhlyg
> Yn gwrando o'r simnai siwrnai'r gwyntoedd croch,
> Di-gwsg yn poeri i'r peint dan beswch cryg
> Y poeryn llesg du'r parddu â'r ymyl goch . . .'

Y mae glöwr pryddest 'Yr Anialwch' yn marw'n henwr cyn ei fod yn hanner cant oed. Dyna ffaith foel, drasig gan fod yr un farwolaeth hon yn farwolaeth mwy nag un genhedlaeth o lowyr. Gwaetha'r modd, ni feddai David Jones mo'r awen i droi ffaith drasig yn drasiedi ac ar y gorau ni chafwyd ganddo ond myfyrdod anysbrydoledig yn wyneb angau. Stamp myfyrgell y gweinidog yn hytrach na ffas y glo sydd ar ei gerdd. Pan wrthododd bryddest Harri Gwyn i'r 'Creadur' yn 1952 fe'i cafwyd yr un mor drwm ar ei feirniadaeth. Ymarswydodd rhag y fath foderniaith.[25]

Gan debyced ei gefndir i gyn-lowyr yng Nghymru a ymroes i lenydda rhwng y ddau Ryfel Byd y mae'n werth cyfeirio at F. C. Boden, glöwr o Chesterfield a gyhoeddodd ddwy gyfrol o gerddi, *Pit-head Poems* (1927) ac *Out of the Coalfields. Further Poems* (1929), a dwy nofel, *Miner* (1934) ac *A Derbyshire Tragedy* (1935). Yn ei gyfrol gyntaf, yr ysgrifennodd Sir Arthur Quiller-Couch ragair gwresog iddi, y mae acenion *A Shropshire Lad* Housman yn tagu llais y glöwr yn llwyr ond yn rhai o gerddi'r ail gyfrol, er fod drychiolaeth Housman yn dal i hofran drosto, ceisiodd draethu profiad glöwr a wyddai ei fod wedi'i eni i bethau gwell na chaethiwed pwll a thlodi, a hagrwch amgylchfyd a glwyfai'r bardd ynddo. Yr oedd Idris Davies i dra rhagori arno ddeng mlynedd yn ddiweddarach, ond yr oedd Boden ar ei orau yn bendant ar drywydd arddull a fyddai mor ergydiol â'i fandrel:

> Out of the reeking shaft the great cage came
> Bearing the broken bodies of the dead,
> A clanging, creeking, grinding iron frame
> That swayed and thudded on the black pit-head.
>
> Officials scurried to and fro, afraid,
> Rugs and stretchers waited, cars were prepared,
> First-aid for men beyond all reach of aid
> Such care for those who neither knew nor cared.
>
> Even the little pit-sparrows were hushed,
> Those poor, lost things that haunt an old pit-top,
> Even they sensed something and sat crushed
> As the great cage came slowly to a stop.
>
> They craned their necks and shook their ragged wings
> Watching the cage lift up again and fall,
> They could not understand, those little things
> The cruel, brutal heartbreak of it all.[26]

Y mae'n wir fod cywair pruddglwyf Housman yn rhy hyglyw o hyd. Eto i gyd, mae'n glir fod Boden yn chwilio am yr idiom briodol a'i galluogai i gyfleu canfyddiadau glöwr synhwyrfain nad oedd am gyfarwyddo â'r drefn a'i gormesai. Y mae'n chwilio am ffordd i godi llef yn erbyn ysbeiliwr o ddiwydiant—llef, nid cri bathetig—ac os na lwyddodd yn ddigamsyniol yr oedd o leiaf wedi deall fod yn rhaid iddo geisio cynhyrchu llais a fedrai siarad i bwrpas am ei fyd a'i fywyd ef:

> Beauty never visits mining places,
> For the yellow smoke taints the summer air.
> Despair graves lines on the dwellers' faces,
> My fellows' faces, for my fellows live there.
>
> There by the wayside dusty weed drowses,
> The darnel and dock and starwort run rife;
> Gaunt folk stare from the doors of the houses,
> Folk with no share in the beauty of life.
>
> There on slag-heaps, where no bird poises,
> My fellows' wan children tumble and climb,
> Playing in the dust, making shrill noises,
> Sweet human flowers that will fade ere their time.
>
> Playing in the slag with their white faces,
> Where headstocks loom by the railway lines—
> Round-eyed children cheated of life's graces—
> My fellows' children, born for the mines. [27]

Yn y nofel, *Miner,* llais Danny Handby sy'n cyfeirio'r stori am y glöwr ifanc sy'n ceisio codi uwchlaw bryntni cyfalafiaeth heb ddim i'w gynnal yn ysbrydol ond ei ymwybod â harddwch a'i gariad at Anne. Ni ellir dweud fod gallu Boden i greu plot yn drawiadol, ond y mae ei ddefnydd cynnil o dafodiaith yn sicrhau fod ei ddeialog yn ddilys fyw, fod y glöwyr yn siarad iaith gwaith sy'n gafael ac y mae camp ar ei gyflead o ddiflastod Danny wrth iddo sefyll ei dro yng nghiw'r dôl yn ogystal â'i arswyd dewr wrth iddo ymroi i arbed bywydau wedi tanchwa dan ddaear. Ceir ganddo ddarnau o ysgrifennu atmosfferig nerthol ac fe'u ceir drachefn yn *A Derbyshire Tragedy,* nofel a wnaeth i un adolygydd gwyno ei bod yn stori gaddugol: 'It is as though Mr. Boden were frantically anxious to do his share in showing the world what life in a coalmine and mining town is like, and had forgotten to humanize the people living that life.' Mae'r gŵyn yn ddadlennol o gofio i adolygydd arall weld eisiau dicter y glöwr yn ei ail gyfrol o gerddi, gan awgrymu fod Boden wedi'i dymheru ar ôl cael mynediad i Goleg Prifysgol Exeter: 'His indignation has naturally become less personal, and its violence is consequently less interesting.' Fe all fod Boden y nofelydd am ddangos yn 1935 nad oedd addysg uwch wedi'i sbaddu fel awdur glofaol. Sut bynnag, nid aeth yn ei flaen ar ôl y flwyddyn honno i greu llenyddiaeth o'i brofiadau dan ddaear. Tawodd yr union adeg yr oedd *Cwm Glo* yn ennill lle amheus, ond amlwg dros dro, i'r glöwr yn llenyddiaeth y Gymraeg.[28]

Yn ddiamau, buasai *Cwm Glo* yn rhagorach drama petai Kitchener Davies wedi rhoi mwy o dafodiaith y Rhondda yng ngeneuau'i gymeriadau a llai o 'Iaith seiat Llwynpiod. . . .'[29] Mae'r bai rhy debyg yn amharu ar y ddeialog ac o safbwynt Dai Dafis collwyd cyfle i fritho'i siarad â geirfa dan ddaear. Yn yr un ffordd collwyd cyfle i wneud i Marged siarad fel merch Dai Dafis. Byddai'n dipyn haws credu ynddi pan yw'n egluro'i phwrpas ar ddiwedd y ddrama petai'n llai seiadaidd ei dweud. Y gwir, wrth gwrs, yw na wnaeth neb ddefnydd llenyddol cyffrous o dafodiaith wrth bortreadu'r De diwydiannol tan i Dyfnallt Morgan gyfansoddi 'Y Llen' yn 1953. Mae'r weledigaeth yn y bryddest honno yn hanfod yn natur y dweud. Dyna'i chyfrwng anorfod.

Yn 1907 'roedd £5 i'w hennill yn Eisteddfod Genedlaethol Abertawe am gerdd mewn tafodiaith leol a gyfatebai i'r 'Northern Cobbler' gan Tennyson. Yr oedd yn gystadleuaeth arloesol o safbwynt y Brifwyl er fod cerddi tafodiaith yn ymddangos o dro i dro yng ngholofnau'r wasg yn y ganrif ddiwethaf ac er fod ambell eisteddfod, megis Eisteddfod Ystalyfera yn 1860, yn rhoi cyfle i ambell fardd lunio cerddi llafar digrif. Ceir enghreifftiau o'r math hwnnw o ganu yn *Gardd y Gweithiwr* (1861) sy'n cynnwys cerdd Ifor Cwmgwys, 'Cynadledd y Gwragedd', a ddarllenodd gerbron cynulleidfa eisteddfodol chwerthinog o ryw dair mil yn Ystalyfera yn 1860.[30]

Ni ddisgwylid i'r gystadleuaeth yn Abertawe yn 1907 esgor ar gerdd o bwys llenyddol. Perthynai i gategori y 'rhywbeth gwahanol', gellid gobeithio am gerdd ddifyr os nad digrif, a cherdd a fyddai'n help i ennyn diddordeb yn y tafodieithoedd gan danlinellu eu gwerth fel sgeiniau amryliw y Gymraeg. Byddai'n gystadleuaeth a ddangosai ddefnyddioldeb yr Eisteddfod fel cyfrwng diogelu a chadw. Yr oedd y ffaith syml fod John Morris-Jones yn ddibris o'r tafodieithoedd fel moddion llenydda yn golygu na fyddai i'r gerdd dafodiaith statws uwch na statws cywreinbeth tra byddai ef yn gwarchod safonau. Aeth i'w fedd yn 1929 heb lacio'i afael arnynt.[31]

Ni chafwyd cerdd i'w chofio i lansio'r gystadleuaeth newydd yn 1907. 'Wil yr Halier', cerdd Gwilym Cynlais yn nhafodiaith rhan uchaf Cwm Tawe, a ddyfarnwyd yn orau gan Hawen, Gwili a John Edward Lloyd. Hen stori foesegllyd wedi'i thafodieithu a wobrwywyd.

Yr halier, *c.* 1900-1910.

Aeth Wil a'i gariad, merch i flaenor, i Ffair Castell-nedd. Fe'i temtiwyd gan y ddiod a meddwodd. Torrwyd ef allan o'r capel ac ar ôl edifarhau a chael triniaeth galed gan yr 'eclws' cafodd ddychwelyd i'r gorlan:

> Dos neb yn y byd mawr a ŵyr
> Y gofid a gerws trwy mron,
> Pan feddwes yn ffair Castellnedd
> Fe grinws yng wedd radeg hon;
> Fe golles gymeriad mewn byd,
> A thynnes ar f'hun gwmwl mawr,
> A gwath odd na'r cyfan i gyd
> Fe dynnes yr Eclws i lawr.

Yr unig gic yn stori Wil yw ei benderfyniad, petai fyth yn cael ei godi'n flaenor, i ddangos mwy o gariad at 'hil syrthiedig Adda' nag a ddangoswyd ato ef. Mewn gair, y mae holl nwyfiant y dafodiaith yn gaeth dan gragen blwm moeswers ddirwestol.[32]

Nid tan ymweliad nesaf y Brifwyl ag Abertawe yn 1926 y cafwyd cerdd dafodiaith a enillodd gryn boblogrwydd. Rhannu'r wobr rhwng Dewi Emrys ac 'Awena Rhun' o Flaenau Ffestiniog a wnaeth y ddau feirniad, sef R. Williams Parry a Wil Ifan, ond aeth sôn am 'Pwllderi' Dewi Emrys ar led ar unwaith ac y mae wedi cario lleng o adroddwyr ar ei chefn am dri chwarter canrif fel Rhiannon y *Mabinogi*, druan. Y mae, wrth gwrs, yn gân bert, pert yn ystyr gorau'r gair, er gwaetha'r ffaith i'r bardd bron â'i difetha cyn ei gorffen trwy fynnu damhegu am y bugail yn mentro'i fywyd i arbed y ddafad. Hynny yw, troes Dewi Emrys 'Pwllderi' yn gerdd ddidactig er mwyn bod yn eisteddfodol gadwedig, mae'n debyg, ond y mae rhin y dafodiaith a'i ddefnydd athrylithgar ohoni i gonsurio rhyfeddod y fan yn creu llawer mwy o argraff na'r wers atodol. Wrth ddweud hynny, cystal cydnabod nad dyna fyddai barn miloedd o'r rhai a ddotiodd at y gerdd er 1926. Mae dwyn y bugail da i mewn i'r olygfa siŵr o fod yn tawelu'r ofnau uwch y dibyn ac ni raid bod yn arch-ddatodwr o feirniad llenyddol i weld fod modd darllen 'Pwllderi' fel myfyrdod un o 'blant y cwymp' uwchben affwys angau. Wedi dweud cymaint â hynny, prin y gellid amau nad naws gyfareddol y gerdd sy'n cyfrif am ei gafael ar gynifer ohonom dros y blynyddoedd a'r dafodiaith piau'i chyfaredd heb os.[33]

Ni ellir dweud i'r Brifwyl esgor ar gerddi tafodiaith sy'n ddarnau ysgytiol o lenyddiaeth am fod y dafodiaith yn gyfrwng anorfod i fynegi gweledigaeth o bwys. Yn rhai o'i nofelau gwnaeth D. H. Lawrence ddefnydd creadigol-gymwys o dafodiaith glowyr Notts a Swydd Derby. Fe'i rhoes yn llawn lliw yng ngenau Morel a'i gydweithwyr yn *Sons and Lovers* ac yn llawn angerdd nwyd yng ngenau Paul wrth iddo garu Clara ac eto yng ngenau Mellors wrth iddo flysio Connie yn *Lady Chatterley's Lover*. Mae'r dafodiaith yng ngwaith Lawrence yn offeryn sawl cywair sy'n medru 'seinio i maes' brofiadau glowyr, plant a chariadon. Mae'n wir fod defnydd Mellors ohoni (diolch yn bennaf i'w atalnodau pedair llythyren enwog) wedi'i watwar gan rai beirniaid, ond er gwaethaf hynny gwnaeth Lawrence dafodiaith ei dad yn gyfrwng llenyddol hyblyg a allai, yn ôl y galw, fod yn gwrs, sentimental a chymhleth eironig. Nid oes gymar i Morel yn y Gymraeg—heb sôn am Mellors! Ac nid oes gymar, chwaith, i'r wraig yn un o'i gerddi cynnar, 'The Collier's Wife', y mae ei hymateb pan glyw fod ei gŵr wedi'i anafu dan ddaear wedi'i leisio'n berffaith:

. . . It's a shame as 'e should be knocked about
Like this, I'm sure it is!
'E's 'ad twenty accidents, if 'e's 'ad one;
Owt bad, an' it's his!

There's one thing, we s'll 'ave a peaceful 'ouse f'r a bit,
Thank heaven for a peaceful house!
An' there's compensation, sin' it's accident,
An' club-money—I won't growse.

An' a fork an' a spoon 'e'll want—an' what else?
I s'll never catch that train!
What a traipse it is, if a man gets hurt!
I sh'd think 'e'll get right again. [34]

Y mae'r gerdd ar ei hyd yn dangos sawl ffased ar ymwybod cymuned lofaol gyfan wrth i'r un wraig hon fracso o'r naill emosiwn i'r llall mewn ymgais i stablu'r anffawd diweddaraf hwn yn ei meddwl. Y mae'n gerdd ddramatig, aml-gywair sy'n enghraifft ardderchog o'r grym llenyddol sy'n hanfod mewn tafodiaith pan yw'n gyfrwng anorfod yn hytrach nag addurn allanol.

Yn y Gymraeg bu'r dafodiaith yn foddion cyson i anwylo'r glöwr os nad ei ddofi. Fel y dywedwyd yn y bennod flaenorol gellid gwneud defnydd rhwydd ohoni i wneud Dai a Shoni yn 'gymeriadau', fel y gwnaeth y Parch. T. Mardy Rees a'r Parch. W. Glynfab Williams a John Davies (Pen Dar). Fe'i defnyddiwyd yn gelfydd gan John Davies i atal sosialaeth 'Pwll y Gwynt' rhag codi braw ar neb. Dangosodd Glynfab fod modd ei chyplu'n ddigywilydd â Saesneg carbwl i greu digrifwch Prydeingar derbyniol iawn. O gofio'r casineb gwrth-golier a enynnwyd gan streic 1915 bu'n dda cael clywed am anturiaethau tra theyrngar 'Ni'n Doi' wedi'u hadrodd mewn iaith a wnaeth 'lladd Germans' yn hwyl ddiniwed. Gellid credu nad oedd mynd i'r ffosydd i wynebu gwŷr y Kaiser fawr gwaeth na mynd i eisteddfod i wynebu côr o'r cwm agosaf. Ymhen blynyddoedd wedyn, yn Eisteddfod Genedlaethol Ystalyfera, 1954, bu'n rhaid i Dewi Emrys lambastio'r cystadleuwyr a ddaliai i gredu mai pwrpas cerdd dafodiaith oedd creu digrifwch i benweiniaid. Nid oedd ond yn ailadrodd, yn blaenach ei dafod, sylw R. Williams Parry yn 1926: 'Nid yw canu digrif yn farddoniaeth oni chyffry rywbeth amgen na chrechwen croesaniaid.' Yr oedd eisiau dweud hynny o'r newydd gan fod cyfystyru'r gerdd dafodiaith â cherdd ddwli yn gwadu grym ac urddas tafodiaith fel cyfrwng llenydda.

Troer at gerddi a storïau J. J. Williams ac Islwyn Williams ac y mae swyddogaeth gymdeithasol, gynhaliol y dafodiaith yn ganolog iddynt. Ei phriod waith yw tymheru ffordd o fyw digon caled a dolurus, cynhesu aelwyd a chyfeillach dan ddaear, hwyluso brawdgarwch a chydymdeimlad, troi ing yn sentiment. Mae'n bod er cysur i ddynoliaeth na all oddef gormod o realiti. Meddylier am y modd y mae tafodiaith y Rhondda yn nrama un act D. T. Davies, *Ble Ma Fa?*, yn cadw'r weddw ifanc sy'n gofyn ei chwestiwn caled rhag bod yn gyhuddreg annerbyniol o chwerw. Y mae'i thafodiaith yn peri mai ei galar hi yn hytrach na'r 'broblem' ddiwinyddol sy'n cyfrif yn y ddrama. Nid ar gyfer damcaniaethu a haniaethu y bwriadwyd tafodiaith. Y mae bob amser ar ei gorau yn creu awyrgylch, yn cyffroi teimlad a diriaethu profiad ac nid prawf o'i thlodi fel moddion llenydda yw'r ffaith ei bod mor aml yn ei hymwneud â byd y glöwr Cymraeg hyd at 1950 wedi'i defnyddio'n bennaf i godi hwyliau da. Adlewyrchiad ar olygwedd yr awduron a'i defnyddiodd yw hynny.

Fe'i gorfodwyd i weini cysur am hydoedd. Mor ddiweddar ag 1970, wrth feirniadu cystadleuaeth y gerdd dafodiaith yn Eisteddfod Genedlaethol Rhydaman, sylwodd Dyfnallt Morgan ar 'hen drawiadau' yng ngherdd 'Mab Wmffra' a adroddodd am Dai, un o lowyr Cwm Nedd, yn mynd yn ifanc i'r pwll glo er mwyn bod yn gefn i'w fam weddw ac yno'n cael ei ladd dan gwymp. 'Does ryfedd iddo holi, 'Pa mor hir y deil y wythïen hon eto i gael ei gweithio gan y beirdd?' Tair blynedd yn ddiweddarach wrth feirniadu'r un gystadleuaeth yn Eisteddfod Genedlaethol Dyffryn Clwyd, dywedodd Bedwyr Lewis Jones iddo fwynhau sgwrs un o hen lowyr Gwaith y Ma'rdy yng ngherdd 'Boncyn' a'i fod yn ei gwobrwyo am ei bod yn raenus ac yn 'rhoi inni gipolwg llawn tynerwch ar ffordd o fyw a chymdeithas y darfu amdanynt . . . er nad yw'n dweud unrhyw beth trawiadol am y gymdeithas honno, dim ond ail-gyflwyno'r darlun atgofus arferol . . .' Gorweddai Dai'r eisteddfod o hyd dan gwymp hen anwyldebau, wedi'i lethu gan dynerwch a chariadusrwydd y Gymraeg.[35]

Wrth dynnu'r gyfrol hon i ben ni ellir namyn cydnabod prinder moldiau yn y Gymraeg i roi cadernid ffurf a hyblygrwydd mynegiant i'r profiad diwydiannol. Hen gynnwys wedi'i gynganeddu'n lân a gafwyd yn Awdl Foliant Tilsli i'r glöwr. Fe'i hystyrir hyd heddiw yn gerdd gywir-galon, braf. Tapiodd Dyfnallt Morgan rym trasig tafodiaith a oedd yn dirywio'n fratiaith i fytholi awr darfod darn o Gymreictod y De a gwrthodwyd ei bryddest—hyd yn oed gan J. M. Edwards yr oedd ei bryddest ef i'r 'Peiriannau' yn 1941 wedi'i

chroesawu fel cerdd a brofasai nad oedd y byd diwydiannol, mecan-
yddol tu hwnt i gyrraedd y Gymraeg. Y mae'n sicr, yn rhinwedd
cytgord mater a modd, fod 'Y Llen' yn un o'r ychydig bryddestau
parhaol eu gwerth llenyddol a gyfansoddwyd rhwng 1850 ac 1950 a
daw nerth priodoldeb ei harddull yn fwyfwy amlwg o'i gosod nid yn
unig ochr yn ochr â phryddestau radio cymen Crwys ac Amanwy,
ond ochr yn ochr â cherdd hir tri chaniad Euros Bowen, 'Cwm
Rhondda', a gyhoeddwyd yn *Y Fflam* yn 1951.

Yn Eisteddfod Genedlaethol Pen-y-bont ar Ogwr, 1948, gwnaethai
ei bryddest fuddugol, 'Difodiant', gryn argraff. Yr oedd yn ffrwyth
myfyrdod Cristnogol ar y pris y byddai'n rhaid ei dalu yng Nghymru,
fel ymhob man arall, wedi dinistr yr Ail Ryfel Byd ac o'r myfyrdod
hwnnw tarddodd delweddau cyfoethog. Mae 'Cwm Rhondda',
hefyd, yn gynnyrch difrifwch meddwl ond gwaetha'r modd, er
dwysed y cysylltiadau personol rhwng y bardd a'i destun, pallodd ei
fyfyrdod ag ildio cerdd drawiadol. Llefaru 'am' ei destun a wnaeth
Euros Bowen y tro hwn. Wrth ddarllen 'Difodiant' ymdeimlwn â
phrofiad, chwedl Wordsworth, 'Felt in the blood, and felt along the
heart.' Y mae'r bardd 'yn' ei destun ac amdano'n daer. Hen thema
trais y wlad deg sydd ganddo yn 'Cwm Rhondda' ac er amrywio
safbwynt o ganiad i ganiad, er mor streifus ei fydryddiaeth, nid yw'r
thema yn ildio fawr ddim i'w lafur. Mor academaidd yw parabl ei
lowyr yn yr ail ganiad:

> . . . Gwelwn flynyddoedd llwm,
> Gwelwn ddyddiau o ddedwyddwch prin,
> Blynyddoedd a dyddiau, dyddiau a blynyddoedd,
> Yn dilyn ei gilydd, os daliwn.
>
> Cawn wraig i olchi'n cefnau-ni yn wyn,
> A chaiff y bechgyn adael eu cefnau hwy yn ddu,—
> Esgus cadw'r corff yn wydn,
> A gwyn a du yn eu tro fydd ein dillad gwely.
>
> Os collwn-ni y wawrddydd olau,
> Os na welwn-ni oleuni yn yr hwyr,
> Bydd golau lamp doniolwch dan y ddaear,
> A chysur cegin wedyn yn gannwyll yn y tir.
>
> Gwelwn lawenydd a lludded, er gwell, er gwaeth,
> Yn gweithio ac yn llethu yn ein gwaed,
> Yn codi o bridd ein serch yn gynhaliaeth
> Ac yn gollwng ein cwympedigion yn y clai.

Cawn weld ein gofal wrth sefyll cocyn
A gweld ein medr wrth godi pâr o goed,
A'r gofid o weld partner yn cael ei ddiwedd gan y drefn,
Heb weld ei well yn y blydi byd.

Cystrawennu data, nid barddoni, yw peth fel yna. Ac ystrydebu Ynys
Afallonaidd yw proffwydo'r Cwm ar ddiwedd y gerdd:

> . . . O'm daear tyf eto wŷr o galon,
> Yn un â gwaed fy ngweddill,
> Yn gytun â phridd fy ngwreiddyn,
> Ac ni faidd a ddyfeisio inni ddolur
> Nac a arglwyddiaetho er niwed o'm mewn.

> . . . Hagrwch, nis gwelir yn blaguro,
> A thramgwydd, ni bydd neb i'w hau,
> Taeogrwydd, ni cheir a'i tyfo,
> A gwarth, ni phlennir hwnnw chwaith.

> . . . Canys cariad,
> Fel anffaeledig wawr, a rydd
> Ei law ar drymder ein cnawd
> Rhoddi ei lendid ar y pridd,
> Ei buredigaeth yn y gwaed.[36]

Y mae'r Gymraeg yma yn ei hamlder. Barddoniaeth sy'n brin, mor
brin ag ydoedd ym mhryddest 'O'r Gloren' ar 'Gwm Rhondda' pan
gystadlodd am un o'r gwobrau a gynigiwyd gan Gyngor Celfyddydau
Cymru yn 1951 mewn ymdrech gwbwl ofer (ataliwyd gwerth £450 o
wobrau ac eithrio un wobr gysur o £10) i hyrwyddo llenyddiaeth
Gymraeg ym mlwyddyn cynnal Gŵyl Prydain. Fe'i collfarnwyd gan
y beirniaid: 'Rhondda ysgafn, ansylweddol ac nid yw'r ymgais i
gyfleu'r Rhondda ddelfrydol fel rhywbeth arhosol, fel "mynyddau
mawr" Ceiriog, yn dwyn fawr o argyhoeddiad.' Dim awen, dim
gweledigaeth.[37]

I'r gwrthwyneb, gwelodd Dyfnallt Morgan i galon y drasiedi
gymdeithasol a'i hysgogodd i gyfansoddi 'Y Llen', ac wrth beri i un o
blant y fro adfeiliedig dyrchu yng ngweddillion ei Gymraeg am eiriau
i'w chyfleu i un o'i gydnabod yn y wlad bell, creodd fonolog i'w gofio.
Yn wahanol i'w ragflaenwyr llenyddol nid oes gan lefarwr 'Y Llen'
iaith capel i ganllawio'i brofiad. Y mae'n gorfod ymbalfalu am air ac
wrth wneud mae'n cael y 'mwy' sy'n ei wneud yn fardd. Camp

Dyfnallt Morgan oedd rhoi i gyn-löwr alltud gyfle i siarad fel na wnaethai'r un glöwr o'i flaen. Y mae'r gwahaniaeth, er enghraifft, rhwng ei barabl ef a pharabl John Price a'i feibion yn nhrosiad Magdalen Morgan o *Change* yn drawiadol. Mae iddynt hwy, gan gynnwys Lewis, y sosialydd, huodledd a chystrawen iaith capel o hyd. Tafodieithu honno a wnaeth y trosiad. Huodledd siabi yw huodledd cyn-löwr 'Y Llen', ond wrth wrando ac ymdeimlo â'r rhaid sydd arno i ddweud ei stori y mae sylweddoli cymaint y tlodwyd ein llenyddiaeth gan ddyfarniad T. H. Parry-Williams a J. M. Edwards yn Awst, 1953:

> . . . Walla a'i lawr i'r Cwrdda Sefytlu mish Awst:
> Ma 'ta nw rwpath o hyd, w, sy' ddim 'ta'r Seison 'ma!
>> Eswn i ddim yn acos 'ma
>> Onibai bod raid
>> Roi rwy shampl i'r plant witha,
> A'r ciwrat yn cymryd shwt diddordab gyta nw yn yr Youth Club.
>
> Ond o'dd rwpath yn ots nag arfar lawr co 'leni, 'ed.
>> Wi'n gweld o'n dicwdd os blynydda,
> Ond tro 'yn glicodd y peth yn ym meddwl i. . .
>> Wyt ti'n gwpod
> Fel ma cyrtens yr 'Ippodrome yn cau. . . yn ddistaw bach . . .
>> Ar ddiwedd y perfformans?
>> Wel falna mae 'co!
> Wi'n gweld llai o'r 'en scenery bob tro. . .
>> A wi'n c'el y teimlad
> Bo fi'n c'el yng ngwasgu m'es gyta'r crowd.
>
> A 'nawr, ma'r 'en stager dwytha' weti mynd;
> Licswn i fod weti i weld a cyn y diwadd,
> Wath o'dd a'n llawn gwybotath o'r 'en betha.
> (O'dd a'n gweld isha cyfarfotydd y Cymrigiddion yn ofnatw
>> Pan gwplws reini.)
> Wetws a gricyn wrtho i am y wlad
> Pan o'dd a'n grwtyn—cyn dod i'r gwitha.
> Buws a'n myn' 'nôl co am wsnoth
>> Bob 'af, am flynydda—
> Nes i'r 'en deulu gwyrthu lan, a myn' i Lundan. . .
>
>> Ia, echdo gladdwd a,
>> On' ma 'ta fi rwy feddwl
> Bod a weti marw . . . fisho'dd yn ôl . . .[38]

I E. G. Millward cerdd ddychan yw 'Y Llen', 'sylw deifiol, digrif o chwerw, ar ddifodi Cymreictod cymoedd diwydiannol y de-ddwyrain a pharodi, hefyd, ar arddull y pryddestwyr modern.' I mi, trasiedi ydyw; eironi sy'n ei gyrru ac ymwybod artistig â phriodoldeb modd rhagor awydd i baradïo neb na dim sy'n cyfrif am ei harddull. Wedi'r cyfan, fel y dywedodd E. G. Millward, y mae'n bryddest sy'n wynebu difodiant y gymdeithas Gymraeg ac yn awr, a ninnau'n tynnu at ddiwedd yr ugeinfed ganrif, nid yw'r cwestiwn hwnnw ronyn llai ei arswyd waeth pa mor ysgafala yr anogir ni i ymgysuro'n gwangoaidd. Ar un mater, fodd bynnag, ni châi'r naill na'r llall ohonom hi'n anodd cytuno. Y mae 'Y Llen' yn gerdd o bwys llenyddol. I'r un casgliad y daeth D. Tecwyn Lloyd pan fu'n ymdrin mor adeiladol â barddoniaeth Dyfnallt Morgan. Trist o brin yw'r cerddi i'r Gymru ddiwydiannol rhwng 1850 ac 1950 y gellir dweud yr un peth amdanynt ac i Gwenallt mae'r diolch fod dyrnaid ohonynt i'w cael. Gwaetha'r modd, cefnodd Saunders Lewis ar y Gymru honno ar ôl dangos yn 'Y Dilyw, 1939' fod ganddo'r gallu i'w thrin yn rymus, yn ddigon grymus i greu collfarnwyr nad oeddent am faddau iddo'i sarhad. Daliodd D. Tecwyn Lloyd at y diwedd i'w gweld yn gerdd annynol, yn gerdd a ddirmygai bobol yn hytrach na'r drefn a'u hystumiai. Difyr yw darllen sylwadau Tecwyn ar ddiffygion gwerin Shir Gâr wedi iddynt wrthod Gwynfor Evans mewn Etholiad Cyffredinol yn haf 1970 ochor yn ochor â'i sylwadau ar agwedd Saunders Lewis at y werin ddiwydiannol yn ei gerdd honedig atgas! A buddiol wedyn yw troi at ymdriniaeth olau, gytbwys Gruffydd Aled Williams sy'n dal i'r bardd ganu 'cerdd banoramaidd, eang ei gwelediad, sy'n cyflwyno darlun anghyffredin o rymus a chofiadwy o ing ac artaith y tridegau.'[39]

Yn *Ysgubau'r Awen* (1938) a *Cnoi Cil* (1942) y soned oedd dewis ffurf Gwenallt ar gyfer ymateb fel Cristion, Cristion o genedlaetholwr ymgyrchol, i'r gyfundrefn gyfalafol hanfodol anghyfiawn yn ei olwg ef. Mae 'Sir Forgannwg' yn soned enwog yn rhinwedd camp y delweddu sy'n rhoi i hen fater fywyd newydd-deb. Bu'n dda gan rai ymwrthod â pharodrwydd Gwenallt i gynnig cysur rhwydd y Gristionogaeth, fel y tybir, i'r gweithiwr fel petai'n ei drawsffurfio'n naïf ar y Sul yn 'enaid byw' mewn dillad parch. Y pwynt, wrth gwrs, yw ei fod yng ngolwg ei Waredwr yn 'enaid byw', ŵyl a gwaith, ac fel Pantycelyn fe gredai Gwenallt na wnaed mo'r enaid hwnnw i 'garu llwch y llawr', chwaethach i'w ddamsgen iddo er porthi gwanc cyfalafwyr. Fe'i hargyhoeddwyd mai'r gwerthoedd Cristnogol, rhagor yr addewidion sosialaidd-gomiwnyddol, oedd yr unig werthoedd

Glöwr (Paentiad George Chapman).
Llyfrgell Genedlaethol Cymru

a ddiogelai ddynoliaeth ac ysbrydolrwydd y gweithiwr. Cyhoeddodd hynny'n ddigamsyniol Wenalltaidd am y tro cyntaf yn 'Ar Gyfeiliorn' ac yn y ddwy soned yn *Cnoi Cil*, sef 'Gweithwyr Deheudir Cymru' a 'Cwm Rhondda', wfftiodd at wleidyddiaeth San Steffan a Moscow fel y'i gilydd gan alw ar y Gymru ddiwydiannol i weld ei hymwared mewn cenedlaetholdeb politicaidd Cymreig wedi'i wreiddio yn y Gristionogaeth:

> ... Dringwch, a'r milgwn wrth eich sawdl, i'r bryn,
> I weld y ffermydd a'r ffynhonnau dŵr,
> A gwelwch yno ein gwareiddiad gwyn
> A dyrnau Rhys ap Tewdwr a Glyndŵr,
> Ac ar ei gopa Gristionogaeth fyw
> Yn troi Cwm Rhondda'n ddarn o Ddinas Duw. [40]

Byddai Gwenallt yn dal yn driw i'r waredigaeth Gristnogol am weddill ei oes ac y mae'n wir y gallai fod yn gymorth rhy hawdd ei gael weithiau er lles ei farddoniaeth. Dirymwyd ei gerdd, 'Dwst y Garreg', yn *Gwreiddiau* gan bennill olaf sydd megis papur doctor ar gyfer hen glaf cyfarwydd. I'r gwrthwyneb, pan yw'r feddyginiaeth yn hydreiddio'r broses greadigol ceir ganddo gampwaith ysbrydoledig megis 'Colomennod', cerdd, fel y dywedodd Hugh Bevan, sy'n 'ymgorfforiad o egni trawsffurfiol...' ac ni ellir gorbwysleisio'r ffaith mai trwy lygaid ei ffydd y gwelodd y De yn ddiarbed o glir yn 'Ar Gyfeiliorn', 'Y Dirwasgiad' a 'Morgannwg', ac y canfu 'ystyr bywyd' teulu a chymdogaeth yn 'Sir Forgannwg a Sir Gaerfyrddin' ac yn 'Y Meirwon'. Gwenallt yw'r unig fardd Cymraeg yn y cyfnod dan sylw sydd yn rhinwedd grymuster ei bortreadau o'r De yn ei thrafael yn hawlio'i weld yn yr un cyd-destun â Josef Herman, George Chapman, Nicholas Evans a Valerie Ganz, gan fod ardrawiad ei ddelweddau ar ein synhwyrau yn gyfnerth â'u paentiadau hwy:

> ...Nid yr angau a gerdd yn naturiol fel ceidwad cell
> Â rhybudd yn sŵn cloncian ei allweddi llaith,
> Ond y llewpart diwydiannol a naid yn sydyn slei,
> O ganol dŵr a thân, ar wŷr wrth eu gwaith.
>
> Yr angau hwteraidd; yr angau llychlyd, myglyd, meddw,
> Yr angau â chanddo arswyd tynghedfen las;
> Trôi tanchwa a llif-pwll ni yn anwariaid, dro,
> Yn ymladd â phwerau catastroffig, cyntefig, cas.

...Gosodwn Ddydd Sul y Blodau ar eu beddau bwys
O rosynnau silicotig a lili mor welw â'r nwy,
A chasglu rhwng y cerrig annhymig a rhwng yr anaeddfed gwrb
Yr hen regfeydd a'r cableddau yn eu hangladdau hwy.[41]

Nod myfyrio taer ar gofio llym sydd ar 'Y Meirwon' ac fe'i ceir eto ar
'Y Dirwasgiad':

Nid egyr ystac ei hymbarél o fwg
Fflam-ddolen uwch cwpan ein byd,
Nid â rhugldrwst y crân a sgrech yr hwterau
Rhyngom ag arafwch yr uchelderau;
Y mae'r sêr wedi eu sgrwbio i gyd.

. . . Ni chlywir y bore larwm y traed
Na chwerthin bolwyn y llygaid y prynhawn;
Estron yw'r cil-dwrn yn y cypyrddau,
A'r tai yn tocio'r bwyd ar y byrddau,
A'r paent ar ddrws a ffenestr yn siabi iawn.

Surbwch yw'r segurdod ar gornel y stryd;
Gweithwyr yn trampio heb eu cysgod o le i le;
Daeth diwedd ar Eldorado'r trefi;
Tyllwyd y gymdogaeth; craciwyd y cartrefi,
Seiliau gwareiddiad a diwylliant y De.[42]

Daethai Gwenallt o hyd i'r union arddull a'i galluogai i fynegi'r hyn
a deimlai ac a gredai.

Er cystal soned yw 'Sir Forgannwg', o'i gosod wrth ochor
'Morgannwg' neu 'Y Dirwasgiad' y mae sylweddoli na fedrai gynnwys
ei brofiad llosg o'r De mewn mesur mor rheolaidd ac mor 'wâr' ei
gynodiadau. Mae ei ddefnydd o'r soned yn *Ysgubau'r Awen* a *Cnoi Cil*,
waeth beth am feiddgarwch trosiad ar dro, yn hanfodol gydnaws â'i
thras. Ni threisir mo'i ffurf ac y mae ei ddefnydd mynych o gyfeiriadau
beiblaidd a chwedlonol yn ei gadw mewn cyswllt clòs â nodweddion
clasurol y canu sonedol. Torrodd y maglau yn *Eples*. Cefnodd ar y
soned ond ni hepgorodd fydr ac odl. Mynnodd anwastatáu ei linellau
a garwhau ei ieithwedd, gan greu cerddi sy'n ein plannu wrth eu
darllen ynghanol trigolion y cymoedd yn ystod blynyddoedd eu profi.
Y mae'n arddull argyhoeddiadol, mor finiog ei huniongyrchedd nes
peri meddwl ei bod yn waith lluniadwr o athrylith. Nid yw'n rhoi llais
i'r optimistiaeth fwriadus a oedd ym marn T. J. Morgan yn ceisio

. . . o waelod pwll i'r Nef?

(Llyfrgell Glowyr De Cymru, Coleg Frifysgol Abertawe)

cadw'r gwir brwnt draw yn *William Jones*. Ni cheisiai Gwenallt ennyn yr edmygedd hwnnw at ddioddefwyr y cymoedd '[which] is the literary substitute for insight and interpretation.' Cawn weld a chlywed a theimlo pethau fel yr oeddent am i un bardd 'wybod y geiriau' priodol a mynnu eu rhoi ar waith. Agorodd y ffordd i feirdd a llenorion y Gymraeg gael at galon a pherfedd y Gymru ddiwydiannol. Fe'u dysgodd mai'r gamp yw sicrhau'r union briodas rhwng profiad a geiriau sy'n amod pob gweld arwyddol mewn llenyddiaeth.

Y mae'r diwydiant glo ar ddarfod yng Nghymru ac eisoes y mae'r cof amdano yn ymffurfio'n barciau thema, pyllau amgueddfaol ac ambell raglen ddogfen i'w theledu. Y mae eu heisiau bob un. Ond yn fwy na dim y mae angen llenyddiaeth ddiddarfod, yn gerdd a drama, stori fer a nofel i gadw i'r oesoedd a ddêl yr aruthredd a fu. Ni fyddaf byth yn darllen 'Y Meirwon' heb deimlo y byddem gryn dipyn mwy ar ein hennill yn llenyddol petai Gwenallt yn ei flynyddoedd olaf wedi pererindota i Gwm Tawe yn hytrach na Phalestina. Gallasai adael yn waddol i ni gerdd hir, gynhyrfiol heb ei bath yn y Gymraeg—cerdd a'i gwnaethai'n rhadredegydd i Tony Harrison, crëwr campweithiau megis *Continuous* (1981) a *V.* (1985). Yna'n wir ni fuasai'n llên am y De yr un fyth wedyn.

Fodd bynnag, y mae defnyddiau da eisoes yn bod ar gyfer y sawl a fydd am ddilyn stori glöwr llên Cymru wedi 1950 yng ngwaith Rhydwen Williams, T. Wilson Evans, Gareth Alban Davies, Bobi Jones, Bryan Martin Davies, Bernard Evans, Meirion Evans a Hugh Bevan, er enghraifft, awduron y mae eu hedmygedd o'r glöwr mor hael ag edmygedd eu rhagflaenwyr ac mor hael â'u cyfoeswyr di-Gymraeg, megis yr arlunydd Nicholas Evans a'r bardd, Robert Morgan, cyn-löwr sy'n cyfaddef iddo'i chael yn anodd i beidio â delfrydu'i gydweithwyr mewn cerddi am ei fod o'r farn ei bod yn ddyletswydd arno i siarad drostynt gan anwybyddu ambell fai, 'their heavy drinking, for instance; it would have been a betrayal on my part to mention it.' Aethai tad Robert Morgan dan ddaear yn naw oed—a

Wedi'r tyrn.

Amgueddfa Genedlaethol Cymru

siaradai Gymraeg. Cerddi 'Cymraeg' iawn eu hagwedd yw 'My Lamp still Burns' a 'Listen', ond nid ydynt yn gaeth i'r un fformiwla. Mynegiant yr awduron Cymraeg o'u hedmygedd hwy a ddengys a fydd y glöwr ar ôl 1950 wedi'i ryddhau ganddynt o afael y fformiwla a'i cadwodd bron trwy gydol y ganrif o 1850 tan 1950 yn ffigur delfrydedig a phathetig. Dylent bondro geiriau Dai Smith: 'The Valleys, more than any comparable aspect of Welsh life, or than any similar area in Britain, are encrusted with barnacles—of cliché, nostalgia, historical tradition, sociological documentation, and fictional representation—which both witness to their importance and impede the manner in which they should be comprehended.'[43]

Rhoer y gair olaf yn y gyfrol hon i'r gŵr sy'n ddiweddar wedi gwneud adrodd ei stori ef am fyd y glöwr yn brif fater ei lenydda. Yn 1946, fel y dengys dwy o'i gerddi yn *Y Fflam,* sef 'Yr Hen Lowyr' a 'Ger Pwll Glo' yr oedd Rhydwen Williams, â'i galon yn curo'n goch ar ei lawes, yn chwilio'i ffordd at ei fater trwy adleisio Gwenallt. Pan ddarllenodd bryddest Dyfnallt Morgan yn 1953 ymatebodd iddi 'fel dyn yn dod ar draws ffynnon yn yr anialwch' ac y mae naws ei ddyled iddi ar ei bryddest, 'Y Ffynhonnau', a enillodd iddo goron Eisteddfod Genedlaethol Abertawe yn 1964. Darganfuasai fater a modd ei naratif fel storïwr y cymoedd a phan ysgrifennodd Ragair i'w gasgliad cyflawn o gerddi yn 1991 tystiodd i'w ymroddiad i'r gorchwyl llenyddol y clywsai alwad i'w gyflawni:

'Wrth sgrifennu am y cymoedd glofaol, gwyddwn fod y maes mor olau i mi â chledr fy llaw. Dyma fy nghefndir, dyma fi, dyma'r hyn oeddwn; ac yr oedd y bobl a'u tafodieithoedd a'u ffraethebion a'u trasiedïau yn rhan ohonof hyd at haenau isaf fy modolaeth—a thrwyddynt y ceisiais bortreadu fy holl brofiadau, pryderon, a gobeithion fel Cymro yn hyn o fyd.

' . . . Rhwng Moel Cadwgan a Mynydd Pentwyn, ar waetha basddwr yr afon a redai rhyngddynt, y cyfarfûm â rhai o'r eneidiau mwyaf nobl a'r cymeriadau mwyaf hudol a adwaenais erioed. Os yw hyn o lafur oes yn gronicl, pa mor syml bynnag ydyw, i gadw'r cyfan mewn cof am ysbaid ymhellach er mwyn Cymru a'r iaith odidog a oedd yn barabl beunyddiol iddynt, yr wyf ar ben fy nigon.'[44]

Ysbryd 'pietas' sy'n symud trwy'r geiriau hyn ac y mae'n ysbryd i'w barchu. Nid trwy ysgrifennu'n bietistig, fodd bynnag, y mae ei ddiogelu fel y gŵyr Rhydwen Williams yn dda, a braf yw gwybod nad yw ef eto wedi gorffen traethu ei lên am 'grefftwyr y byd diheulwen ac urdd y calonnau llosg.'[45] Yn wir, megis dechrau yn y Gymraeg y

mae'r gwaith o droi bywyd y cymoedd glo fesul stori yn saga gened-
laethol. Bydd cyfraniad Rhydwen Williams yn ail hanner y ganrif hon
yn gyfraniad o bwys petai'n unig oherwydd y bydd i awduron y
dyfodol fynedfa drwyddo i fyd diflanedig y glöwr. Mae sawl gwythïen
epig yno'n aros am ysgrifenwyr glew. Boed i'w lampau oleuo'r ffas i
gyd ac i'w geiriau efelychu arwriaeth y mandreli gynt.

NODIADAU

[1] Alun Llywelyn-Williams, *Y Nos, Y Niwl, a'r Ynys* (Caerdydd, 1960), 141-61;
Prys Morgan, 'Gwerin Cymru—Y Ffaith a'r Ddelfryd', *Cymmrodorion Society
Transactions,* 1967, Part I, 117-31.

[2] Prys Morgan, op. cit., 129, 131; Griselda Pollock, 'Van Gogh and the Poor Slaves:
images of rural labour as modern art', *Art History*, vol. 11, 1988, 408-32. Pwysleisiodd
Pollock fod yn rhaid gweld beiddgarwch 'Y Bwytawyr Tatws' yng nghyd-destun
paentiadau arlunwyr Ysgol yr Hague o werin yr Iseldiroedd yn ail hanner y ganrif
ddiwethaf. Mae'n rhyfedd nad arddangosodd O. M. Edwards eu gwaith yn *Cymru* gan
mor gydnaws â'i bortread ef o'r werin fyddai eu celfyddyd hwy yn ôl Pollock: 'The
image of the peasantry circulated through the repertory of the Hague School, and its
international followers gratified the need to see the countryside as the place of
wholesome women and children and hard-working men, the latter usually safely
distanced by enveloping mists and rooted firmly in the earth within a landscape
fashioned to convey the values of uninterrupted calm and security' (416-7).

[3] Garfield H. Hughes (gol.), *Gweithiau William Williams Pantycelyn. Cyfrol 11.
Rhyddiaith* (Caerdydd, 1967), 127-8; Peter Scheckner (ed.), *An Anthology of Chartist
Poetry. Poetry of the British Working Class 1830s-1850s* (Associated University Presses,
1989.) Gw. 'Introduction', 18; E. G. Millward, 'Canu'r Byd i'w Le', *Cenedl o Bobl
Ddewrion* (Llandysul, 1991), 12-41; *Gardd Aberdar. . .* (Aberdar, 1872), 89-91, 99-103.

[4] Peter Scheckner, op.cit., 47; Hywel Teifi Edwards, *Gŵyl Gwalia*, 362-3.

[5] Hywel Teifi Edwards, *Gŵyl Gwalia*, 243; D. Eifion Evans, *Braslun o Fywyd a Gwaith
Nicander . . .* (Traethawd M.A. Prifysgol Cymru, 1951), Cyf. I, 198; Brian Maidment,
'Essayists and Artizans—The Making of Nineteenth-Century Self-Taught Poets',
Literature and History, Vol. 9,.1983, 85, 88.

[6] John Burnett (ed.), *Annals of Labour. Autobiographies of British working-class people
1820-1920* (Indiana University Press, 1974), 14-15, 42-3.

[7] Ab Hevin, Aberdâr, 'Beirdd Byw Cymru. IV—Dyfed', *Ysbryd yr Oes*, 1904,
71-3; Y Parch T. Eirug Davies (gol.), *Ffrwythau Dethol. . .*, 47; *O Lwch y Lofa. Cyfrol
o Ganu gan Chwech o Lowyr Sir Gâr* (Rhydaman, 1924); Ieuan Rees-Davies (gol.),
Caniadau Cwm Rhondda (Llundain, 1928), v, 35.

[8] Jeremy Warburg (ed.), *The Industrial Muse. The Industrial Revolution in English
Poetry* (O.U.P., 1958), xxviii-xxx.

[9] Harriet Thomas (ed.), *Llewelyn Thomas: a memoir, with a brief notice of his father,
Thomas Thomas* (London, 1898), 73.

[10] ibid., 200-1.

[11] *Y Gweithiwr Cymreig,* 14 Hydref 1886, 6.

[12] *The Merthyr Express,* 2 Ebrill 1881, 3.

[13] Wil Ifan (gol.), *Trannoeth y Drin. Caniadau James Evans* (Lerpwl, 1946), 10; *Tarian y Gweithiwr,* 10 Chwefror 1887, 3; *Y Faner,* 2 Mai 1883, 13.

[14] P. J. Keating, *The working classes in Victorian fiction,* 246-68; *NLW Schedule of National Eisteddfod MSS.* Eisteddfod Genedlaethol Pontypridd, 1893. Rhif 16.

[15] Carnelian, *Awdl y Glowr,* 3-10, 12-13.

[16] *Cofnodion a Chyfansoddiadau Eisteddfod Genedlaethol 1930 (Llanelli),* 56-7.

[17] John Rowlands, 'Dau Lwybr T. Gwynn Jones', *Y Traethodydd,* Ebrill, 1993, 69-87.

[18] T. Gwynn Jones, *Manion* (Caerdydd, 1930), 48; idem, *Beirniadaeth a Myfyrdod* (Wrecsam, 1935), 119-27.

[19] *Cofnodion a Chyfansoddiadau Eisteddfod Genedlaethol 1920 (Y Barri),* 64-74; *The Welsh Outlook,* 1932, 244-5.

[20] *Cofnodion a Chyfansoddiadau Eisteddfod Genedlaethol 1927 (Caergybi),* 89, 92.

[21] Idris Davies, *The Angry Summer. A Poem of 1926.* Introduced by Tony Conran (Cardiff, 1993), 10.

[22] R. Williams Parry, *Yr Haf a Cherddi Eraill* (Y Bala, 1963), 37.

[23] *Yr Awdl, Y Bryddest a Darnau Eraill Buddugol yn Eisteddfod Genedlaethol Abergwaun 1936* (Lerpwl, d.d.), 21-33.

[24] ibid., 28-9, 30.

[25] ibid., 30, 32; C. Day Lewis (ed.), *The Collected Poems of Wilfred Owen* (London, 1963), 55.

[26] F. C. Boden, *Out of the Coalfields. Further Poems* (London, 1929), 25.

[27] ibid., 11.

[28] *Times Literary Supplement,* 14 March 1935, 158; 2 May 1929, 366.

[29] J. Kitchener Davies, 'Dau Fyd', yn Gwyn Erfyl (gol.), *Radio Cymru. Detholiad o Raglenni Cymraeg y BBC, 1934-1989* (Llandysul, 1989), 14-15.

[30] Hywel Teifi Edwards (gol.), *Cwm Tawe* (Cyfres y Cymoedd), 174-81; *National Eisteddfod Association Annual Report, 1907,* 33.

[31] ibid., 211-15.

[32] *NLW Schedule of National Eisteddfod MSS.* Eisteddfod Genedlaethol Abertawe, 1907. Rhif 18.

[33] *Cofnodion a Chyfansoddiadau Eisteddfod Genedlaethol 1926 (Abertawe),* 142-8.

[34] Vivian de Sola Pinto and Warren Roberts (eds.), *The Complete Poems of D. H. Lawrence* (London, 1964), Vol.1, 44-6.

[35] *Cyfansoddiadau a Beirniadaethau Eisteddfod Genedlaethol Rhydaman a'r Cylch, 1970,* 90-1; *Cyfansoddiadau a Beirniadaethau Eisteddfod Genedlaethol Dyffryn Clwyd, 1973,* 101-103.

[36] *Y Fflam,* Awst, 1951, 212-3, 45.

[37] *Y Cymro,* 6 Gorffennaf 1951, 7.

[38] E. G. Millward (gol.), *Pryddestau Eisteddfodol Detholedig 1911-1953* (Lerpwl, 1973), 192-3.

[39] ibid., 22-3; D. Tecwyn Lloyd, *Llên Cyni a Rhyfel a Thrafodion Eraill* (Llandysul, 1987), 43-50; ibid., 14-15; *Taliesin,* Gorffennaf, 1970, 7-9, Branwen Jarvis (gol.), *Trafod Cerddi* (Caerdydd, 1985), 35.

[40] *Cnoi Cil* (Llandysul, 1942), 30, 31; *Ysgubau'r Awen* (Llandysul, 1938), 98.

[41] *Y Traethodydd* (Rhifyn Coffa Gwenallt), Ebrill, 1969, 57-63; *Eples* (Llandysul, 1951), 15; 9-10.

[42] ibid., 12.

[43] Dafydd Wyn, *A Comparison of Bryan Martin Davies and Robert Morgan.* (University of Wales, Swansea M.A. Thesis, 1989), 108; Dai Smith, *Aneurin Bevan and the World of South Wales* (Cardiff, 1993), 96.

[44] *Y Fflam,* Y Nadolig, 1946, 39; *Barddoniaeth Rhydwen Williams. Y Casgliad Cyflawn 1941-1991* (Llandybïe, 1991), 25.

[45] Gwyn Erfyl (gol.), *Radio Cymru. . . ,* 20-1.